DU MÊME AUTEUR

Suite des œuvres de Mario Vargas Llosa en fin de volume

Du monde entier

MARIO VARGAS LLOSA

LE HÉROS
DISCRET

roman

Traduit de l'espagnol (Pérou)
par Albert Bensoussan et Anne-Marie Casès

GALLIMARD

À la mémoire de mon ami
Javier Silva Ruete

« Notre beau devoir à nous est d'imaginer qu'il y a un labyrinthe et un fil. »

Jorge Luis BORGES
Le fil de la fable

I

Felícito Yanaqué, patron de l'Entreprise de Transports Narihualá, sortit de chez lui ce matin-là, comme tous les jours du lundi au samedi, à sept heures et demie pile, après avoir fait trente minutes de qi gong, pris une douche froide et s'être préparé son petit déjeuner habituel : café au lait de chèvre et tartines grillées beurrées, avec quelques gouttes de miel de chancaca[1]. Il habitait dans le centre de Piura[2], et la rue Arequipa éclatait déjà du brouhaha de la ville, ses hauts trottoirs étaient noirs de monde allant au bureau, au marché ou amenant les enfants à l'école. Quelques bigotes se dirigeaient vers la cathédrale pour la messe de huit heures. Les vendeurs ambulants proposaient à tue-tête leurs gommes au sucre de canne, sucettes, bananes frites,

---

1. La *chancaca* est du sucre de canne non raffiné et solidifié. Pour préparer le miel de chancaca il faut le couper en morceaux qu'on fait bouillir, jusqu'à consistance de miel, avec de l'eau, un peu de sucre raffiné, des clous de girofle, des écorces d'orange et de la cannelle. *(Toutes les notes sont des traducteurs.)*
2. San Miguel de Piura fut la première ville espagnole en Amérique du Sud. Tout au nord du Pérou (à près de 900 km de Lima et 300 de l'Équateur), elle a un climat tropical au milieu d'une palmeraie entourée de déserts et, à proximité, se trouvent les grandes plages du Pacifique.

empanadas[1] et toutes sortes de gourmandises, et l'aveugle Lucindo était déjà installé au coin, sous l'auvent de la maison coloniale, sa sébile à ses pieds. Tout semblable à tous les jours, depuis des temps immémoriaux.

À une exception près. Ce matin-là quelqu'un avait collé à la vieille porte de bois clouté de sa maison, à la hauteur du heurtoir de bronze, une enveloppe bleue sur laquelle se détachait clairement en lettres majuscules le nom du propriétaire : DON FELÍCITO YANAQUÉ. Du plus loin qu'il s'en souvînt, c'était la première fois qu'on lui laissait une lettre pendue ainsi, comme une citation à comparaître ou une contravention. Il aurait été normal que le facteur la glisse sous la porte. Il la détacha, ouvrit l'enveloppe et la lut en bougeant les lèvres au fur et à mesure de sa lecture :

Monsieur Yanaqué :

Que votre Entreprise de Transports Narihualá soit en si bonne santé est un orgueil pour Piura et ses habitants. Mais aussi un risque, vu que toute entreprise qui réussit est exposée à des déprédations et du vandalisme de la part des aigris, envieux et autres gens de mauvaise vie qui ici ne manquent pas, comme vous le savez très bien. Mais ne vous en faites pas. Notre organisation se chargera de protéger les Transports Narihualá, ainsi que vous et votre honorable famille, de n'importe quel préjudice, tracas ou menace des vauriens. Notre rémunération pour ce travail sera de 500 dollars par mois (une somme modique pour

---

1. L'*empanada* est un petit chausson, ou feuilleté, farci de viande, de poisson, d'œuf, de pomme de terre ou d'autres ingrédients.

votre patrimoine, comme vous voyez). Nous vous contacterons en
temps opportun en ce qui concerne les modalités de paiement.

Nous n'avons pas besoin de vous souligner l'importance
d'observer la plus grande réserve sur la question. Tout ça doit
rester entre nous.

Dieu vous garde.

En guise de signature, la lettre portait le dessin grossier de ce qui ressemblait à une petite araignée.

Don Felícito la relut à deux reprises. L'écriture de la
lettre était hésitante et tachée d'encre. Il se sentait surpris et amusé, avec la vague impression qu'il s'agissait
d'une blague de mauvais goût. Il chiffonna lettre et enveloppe, et fut sur le point de les jeter dans la poubelle du
coin de l'aveugle Lucindo. Mais il se ravisa, les défroissa
et les mit dans sa poche.

Il y avait un petit kilomètre et demi entre sa maison de
la rue Arequipa et ses bureaux, sur l'avenue Sánchez
Cerro. Cette fois, il ne le parcourut pas en préparant le
plan de travail du jour, comme il avait l'habitude de le
faire, mais en tournant et retournant dans sa tête la lettre
à la petite araignée. Devait-il la prendre au sérieux ? Aller
porter plainte à la police ? Les maîtres chanteurs lui
annonçaient qu'ils se mettraient en contact avec lui pour
les « modalités de paiement ». Ne valait-il pas mieux
attendre qu'ils le fassent avant de s'adresser au commissariat ? Ce n'était peut-être que la plaisanterie d'un
désœuvré qui voulait lui jouer un tour. Depuis quelque
temps la délinquance avait augmenté à Piura, il est vrai :
cambriolages, agressions en plein jour, et même kidnappings qui, disait-on, étaient réglés sous la table par les
familles de ces p'tits Blancs froussards d'El Chipe et Los

Ejidos[1]. Il se sentait troublé et indécis, mais certain au moins d'une chose : sous aucun prétexte et en aucun cas il ne donnerait un centavo à ces bandits. Et une fois de plus, comme si souvent dans sa vie, Felícito se remémora les mots de son père sur son lit de mort : « Te laisse jamais marcher dessus par personne, mon fils. Ce conseil est le seul héritage que tu vas avoir. » Il l'avait écouté, il ne s'était jamais laissé marcher dessus. Et avec son demi-siècle et quelque sur le dos il était trop vieux pour changer d'habitudes. Il était tellement absorbé dans ces pensées qu'il se contenta de faire un petit salut au diseur de poésie Joaquín Ramos et pressa le pas ; le reste du temps il s'arrêtait pour échanger quelques mots avec ce bohème impénitent, qui avait dû passer la nuit dans un petit troquet quelconque et ne rentrait chez lui que maintenant, les yeux vitreux, avec son éternel monocle et la petite chèvre qu'il tirait derrière lui et appelait sa gazelle.

Lorsqu'il arriva aux bureaux de l'Entreprise Narihualá étaient déjà partis, à leur heure, les autobus pour Sullana, Talara et Tumbes, pour Chulucanas et Morropón, pour Catacaos, La Unión, Sechura et Bayóvar, tous bien pleins, de même que les taxis collectifs pour Chiclayo et les camionnettes pour Paita. Il y avait une poignée de gens en train d'envoyer des colis ou de vérifier les horaires des cars et taxis collectifs de l'après-midi. Sa secrétaire, Josefita, celle aux hanches larges, aux yeux pétillants et aux petites blouses décolletées, avait déjà posé sur sa table de travail la liste de rendez-vous et engagements de

1. El Chipe et Los Ejidos, autrefois pauvres, sont aujourd'hui de nouveaux lotissements, parfois cossus, à proximité de Piura.

la journée, ainsi que le thermos de café qu'il boirait au long de la matinée jusqu'à l'heure du déjeuner.

— Qu'est-ce que vous avez, chef ? — le salua-t-elle —. Pourquoi cette tête ? Vous avez eu des cauchemars cette nuit ?

— Des petits problèmes — lui répondit-il, pendant qu'il enlevait son chapeau et sa veste, les suspendait au portemanteau et s'asseyait. Mais il se releva immédiatement et les remit, comme s'il se rappelait quelque chose de très urgent.

— Je reviens tout de suite — dit-il à sa secrétaire, tout en se dirigeant vers la porte —. Je vais au commissariat déposer une plainte.

— Vous avez eu des voleurs ? — dit Josefita, en ouvrant ses grands yeux vifs à fleur de tête —. Ça arrive tous les jours, maintenant, à Piura.

— Non, non, je vous raconterai.

D'un pas résolu, Felícito se dirigea vers le commissariat qui se trouvait à quelques pâtés de maisons de ses bureaux, sur la même avenue Sánchez Cerro. Il était encore tôt et la chaleur par conséquent supportable, mais il savait que d'ici une petite heure ces trottoirs pleins d'agences de voyages et de compagnies de transport seraient brûlants et qu'il regagnerait ses bureaux en nage. Miguel et Tiburcio, ses fils, lui avaient souvent dit que c'était de la folie de toujours porter veste, gilet et chapeau dans une ville où chacun, qu'il soit pauvre ou riche, était toute l'année en manches de chemise ou en guayabera[1]. Mais lui restait fidèle à la dignité de sa tenue

---

1. La *guayabera* est une grande chemise en tissu léger, lin ou coton, portée par-dessus le pantalon.

depuis qu'il avait inauguré les Transports Narihualá, orgueil de sa vie ; été comme hiver il portait toujours chapeau, veste, gilet et cravate avec son nœud miniature. C'était un petit homme très mince, sobre et travailleur qui, là-bas à Yapatera[1], où il était né, aussi bien qu'à Chulucanas, où il avait fréquenté l'école primaire, n'avait jamais mis de souliers. Il n'avait commencé à le faire que lorsque son père l'avait amené à Piura. Il avait cinquante-cinq ans et se maintenait bien portant, actif et leste. Il pensait que son bon état physique était dû aux exercices matinaux de qi gong que lui avait appris son ami, le défunt pulpero[2] Lao. C'était le seul sport qu'il ait jamais pratiqué de sa vie, outre marcher, si tant est que l'on puisse appeler sport ces mouvements au ralenti qui étaient surtout, plus qu'un exercice des muscles, une façon différente et savante de respirer. Il arriva au commissariat échauffé et furieux. Blague ou pas, celui qui avait écrit cette lettre lui faisait perdre sa matinée.

L'intérieur du commissariat était un four et, comme toutes les fenêtres étaient fermées, il se trouvait à moitié dans le noir. Il y avait un ventilateur à l'entrée, mais immobile. L'agent de la réception, un petit jeune imberbe, lui demanda ce qu'il voulait.

— Parler à votre chef, s'il vous plaît — dit Felícito en lui tendant sa carte.

— Le commissaire est en congé pour deux jours

---

1. Yapatera : petit village habité majoritairement par des Afro-Péruviens, à 5 km de Chulucanas, chef-lieu du district du même nom, qui se trouve à deux heures de Piura.

2. Pratiquant un vieux métier péruvien, parfois en rase campagne, le *pulpero* vend dans sa *pulpería* un peu de tout : nourriture, boissons, bougies, vaisselle… Lao, nous le verrons, était un *pulpero* très modeste.

— lui expliqua l'agent —. Si vous voulez, le sergent Lituma, qui le remplace pendant ce temps, pourrait s'occuper de vous.

— Je vais m'adresser à lui, alors, merci.

Il dut attendre un quart d'heure avant que le sergent daigne le recevoir. Lorsque l'agent le fit entrer dans le petit cagibi, Felícito avait son mouchoir trempé à force de s'être épongé le front. Le sergent ne se leva pas pour le saluer. Il lui tendit une main humide et dodue et lui désigna la chaise vide en face de lui. C'était un homme rondelet, presque gros, avec de petits yeux aimables et un début de double menton qu'il caressait de temps en temps avec tendresse. La chemise kaki de son uniforme était déboutonnée et portait de grandes auréoles de sueur aux aisselles. Sur la petite table il y avait un ventilateur, en fonctionnement, lui. Felícito reçut avec gratitude la rafale d'air frais qui lui caressa le visage.

— Qu'y a-t-il pour votre service, monsieur Yanaqué ?

— Je viens de trouver cette lettre. Collée sur la porte de chez moi.

Il vit le sergent Lituma chausser des lunettes qui lui donnaient un air d'avocaillon et, avec calme, la lire soigneusement.

— Bon, bon — dit-il enfin, avec une grimace que Felícito ne parvint pas à interpréter —. C'est les conséquences du progrès, m'sieur.

En voyant la perplexité du transporteur, il s'expliqua, en agitant la lettre qu'il avait à la main :

— Quand Piura était une ville pauvre, ces choses n'arrivaient pas. Qui allait avoir l'idée de racketter un commerçant ? Maintenant, comme y a de l'argent, les petits malins montrent les griffes et veulent faire leur beurre. C'est la faute des Équatoriens, monsieur. Comme ils ont pas confiance dans leur gouvernement, ils sortent leurs capitaux et ils viennent les investir ici. Ils se remplissent les poches sur notre dos, nous les gens de Piura.

— Ça n'est pas une consolation, sergent. En plus, à vous entendre, on dirait que c'est presque un malheur que Piura aille de l'avant, à présent.

— J'ai pas dit ça — l'interrompit le sergent, sobrement —. Juste que tout a son prix dans cette vie. Et celui du progrès c'est celui-là.

Il agita de nouveau dans l'air la lettre à la petite araignée et Felícito Yanaqué eut l'impression que ce visage brun et rebondi se moquait de lui. Dans les yeux du sergent luisait une petite lumière phosphorescente d'un vert jaunâtre, comme celle des iguanes. Au fond du commissariat on entendit une voix tonitruante : « Les meilleurs culs du Pérou sont ici, à Piura ! Garanti, bordel ! » Le sergent sourit et porta un doigt à sa tempe. Felícito, très sérieux, souffrait de claustrophobie. Il n'y avait presque pas de place pour eux deux entre ces cloisons de bois noircies et surchargées d'avis, de notes, de photos et de coupures de presse. Cela puait la sueur et le rance.

— Le fils de pute qui a écrit ça il connaît son orthographe — affirma le sergent en parcourant de nouveau la lettre —. Moi, au moins, je vois pas de fautes de grammaire.

Felícito sentit son sang bouillir.

— Je suis pas bon en grammaire et je crois pas que ce soit très important — murmura-t-il, avec un accent de protestation —. Et maintenant, qu'est-ce que vous croyez, vous, qu'il va arriver ?

— Dans l'immédiat, rien — répliqua le sergent, sans se troubler —. On va prendre vos coordonnées, au cas où. Possible que la chose elle aille pas plus loin que cette lettre. Quelqu'un qui vous a dans le nez et que ça lui ferait plaisir de vous mettre en colère. Ou possible que ça soit sérieux. Là elle dit qu'ils vont vous contacter pour le paiement. S'ils le font, revenez par ici et on verra.

— Vous avez pas l'air de donner beaucoup d'importance à cette affaire — protesta Felícito.

— Pour l'instant elle en a pas — admit le sergent en haussant les épaules —. Ça c'est rien qu'un morceau de papier froissé, monsieur Yanaqué. Ça pourrait être une connerie. Mais si la chose elle devient sérieuse, la police agira, je vous assure. Enfin, au travail.

Pendant un bon moment, Felícito dut décliner ses coordonnées personnelles et celles de son entreprise. Le sergent Lituma les prenait en note dans un cahier vert avec un petit crayon qu'il suçait. Le transporteur répondait aux questions, qu'il trouvait inutiles, avec une démoralisation croissante. Venir déposer cette plainte était une perte de temps. Ce flic ne ferait rien. En plus, ne disait-on pas que la police était la plus corrompue des institutions publiques ? Si ça se trouvait, la lettre de la petite araignée sortait tout droit de cette tanière malodorante. Quand Lituma lui dit que la lettre devait rester au commissariat comme preuve à charge, Felícito sursauta.

— Je voudrais en tirer une photocopie, d'abord.

— Ici on a pas de photocopieuse — expliqua le sergent en montrant des yeux l'austérité franciscaine du local —. Sur l'avenue y a beaucoup de commerces qui font des photocopies. Allez-y et revenez, m'sieur. Je vous attends ici.

Felícito sortit dans l'avenue Sánchez Cerro et, près des halles, il trouva ce qu'il cherchait. Il dut attendre un bon moment que des ingénieurs reproduisent une montagne de plans et décida qu'il s'était assez soumis comme ça à l'interrogatoire du sergent. Il remit la copie de la lettre au petit jeune de la réception et, au lieu de retourner à ses bureaux, se replongea dans le centre de la ville, plein de gens, de klaxons, de chaleur, de haut-parleurs, de motos-taxis, de voitures et de bruyants chariots de vendeurs ambulants. Il longea l'avenue Grau, passa à l'ombre des tamariniers de la place d'Armes et, résistant à la tentation de s'offrir un jus de fruits glacé au Chalán, s'achemina vers l'ancien quartier des abattoirs, celui de son adolescence, La Gallinacera[1], proche de la rivière. Il priait Dieu qu'Adelaida soit dans sa petite boutique. Ça lui ferait du bien de bavarder avec elle. Ça lui remonterait le moral et peut-être même, sait-on jamais, que la santera[2] lui donnerait un bon conseil. La chaleur était déjà à son comble et il n'était pas dix heures. Il sentait son front humide et une plaque chauffée au rouge à la hauteur de sa nuque. Il marchait vite, à petits pas rapides, bousculant les gens qui encombraient les étroits trottoirs, à l'odeur de pisse et de friture. Une radio à plein régime jouait la salsa *Merecumbé*.

Felícito se disait parfois, et il lui était arrivé de le dire à Gertrudis, sa femme, et à ses fils, que Dieu, pour le récom-

---

1. La Gallinacera était à Piura une espèce de cour des Miracles. Son nom vient des nombreux *gallinazos*, ou charognards, attirés par les abattoirs.
2. La *santera* vend des articles destinés à guérir grâce aux pouvoirs des herbes, et surtout des saints.

penser des efforts et des sacrifices de toute une vie, avait mis sur son chemin deux personnes, le pulpero Lao et Adelaida la voyante. Sans eux il n'aurait jamais réussi dans les affaires, ni mené à bien son entreprise de transports, ni constitué une famille honorable, et ne jouirait pas de cette santé de fer. Il n'avait jamais été très liant. Depuis qu'une infection intestinale avait emporté dans l'autre monde ce pauvre Lao, il ne lui restait qu'Adelaida. Heureusement elle était là, accoudée au comptoir de sa petite boutique où elle vendait herbes, images pieuses, bobines de fil et babioles, à regarder les photos d'une revue.

— Bonjour, Adelaida — la salua-t-il, en lui tendant la main —. Tape cinq. Quelle chance de te trouver !

C'était une mulâtresse sans âge, courte sur pattes, fessue, aux seins lourds, toujours nu-pieds sur le sol de terre battue de sa boutique, ses longs cheveux crépus lui balayant les épaules et engoncée dans cette éternelle tunique ou habit de moine, en grosse toile couleur de terre, qui lui arrivait aux chevilles. Elle avait des yeux énormes et un regard qui semblait transpercer plus que regarder, atténué par une expression sympathique, qui mettait en confiance.

— Si tu viens me rendre visite, c'est qu'il t'est arrivé quelque chose d'emmerdant, ou que ça va t'arriver — Adelaida se mit à rire, en lui donnant de petites tapes dans le dos —. Alors, qu'est-ce que t'as comme problème, Felícito ?

Il lui tendit la lettre.

— On me l'a laissée ce matin sur la porte. Je sais pas quoi faire. J'ai déposé une plainte au commissariat, mais je crois que ça va être pour des prunes. Le flic qui m'a reçu m'a pas pris trop au sérieux.

Adelaida toucha la lettre et la renifla, en aspirant profondément comme s'il s'agissait d'un parfum. Puis elle la porta à sa bouche, et Felícito eut l'impression qu'elle suçait même un petit bout du papier.

— Lis-la-moi, Felícito — dit-elle, en la lui rendant —. Je vois bien que c'est pas une lettre d'amour, che guá[1] !

Elle écouta très attentivement le transporteur la lui lire. Quand il eut fini, elle fit une grimace moqueuse et écarta les bras :

— Qu'est-ce que tu veux que je te dise, p'tit père ?

— Dis-moi si c'est sérieux, Adelaida. Si je dois m'inquiéter ou non. Ou si c'est seulement un tour qu'on me joue, par exemple. Tire-moi ça au clair, s'il te plaît.

La santera lâcha un éclat de rire qui ébranla tout son corps massif caché sous l'ample tunique couleur de terre.

— Moi je suis pas Dieu pour savoir ces choses ! — s'exclama-t-elle, en faisant monter et descendre ses épaules et en agitant les mains.

— L'inspiration elle te dit rien, Adelaida ? Depuis vingt-cinq ans que je te connais tu m'as jamais donné un mauvais conseil. Ils m'ont tous servi. Je sais pas quelle vie j'aurais eue sans toi, mon amie. Tu pourrais pas m'en donner un maintenant ?

— Non, p'tit père, aucun — répliqua Adelaida, en faisant semblant de s'attrister —. Il me vient aucune inspiration. Je regrette, Felícito.

— Bon, qu'est-ce qu'on va y faire ? — dit d'un air résigné le transporteur, en portant la main à son portefeuille —. Quand ça vient pas, ça vient pas.

---

1. Prononcer tché goua : exclamation populaire ponctuant le discours des Piuranos et dépourvue de sens défini.

— Pourquoi tu vas me donner de l'argent puisque j'ai pas pu te conseiller ? — protesta Adelaida. Mais elle finit par fourrer dans sa poche le billet de vingt soles que Felícito lui fit accepter à force d'insister.

— Je peux m'asseoir ici un moment, à l'ombre ? J'en peux plus d'avoir tant marché, Adelaida.

— Assieds-toi et repose-toi, p'tit père. Je vais t'apporter un verre d'eau bien fraîche, filtrée[1] à l'instant. T'as qu'à t'installer.

Le temps qu'Adelaida aille à l'intérieur de la boutique et revienne, Felícito examina dans la pénombre du local les toiles d'araignée argentées qui tombaient du plafond, les vieilles étagères avec de petits sacs de persil, de romarin, de coriandre, de menthe, et les caissettes avec des clous, des vis, des perles, des lacets, des boutons, au milieu d'images de vierges, de christs, de saints et de saintes, de bienheureux et de bienheureuses, découpées dans des revues et des journaux, quelques-unes avec une veilleuse allumée et d'autres avec des ornements qui allaient des chapelets, des porte-bonheur en forme de Sacré-Cœur aux fleurs en cire et en papier. C'était à cause de ces images pieuses qu'à Piura on l'appelait santera[2], mais, depuis le quart de siècle qu'il la connaissait, Felícito n'avait jamais trouvé Adelaida très religieuse. Il ne l'avait jamais vue à la messe, par exemple. De plus, on disait que les curés des faubourgs la considéraient comme une sorcière. C'est ce que lui criaient parfois les

---

1. Allusion au dispositif de distillation de l'eau à travers une terrine de pierre poreuse. L'eau filtrée tombe dans un récipient d'argile, qui la maintient fraîche.
2. Santera est pris ici au sens corrélatif d'« intermédiaire des saints ».

gamins dans la rue : « Sorcière ! Sorcière ! » Ce n'était
pas vrai, elle ne faisait pas de sorcelleries, comme tant de
ces petites malignes de Catacaos et de La Legua qui
vendaient des breuvages pour s'attirer un amoureux, se
débarrasser d'un autre ou provoquer le mauvais sort, ou
comme ces chamans de Huancabamba[1] qui passaient le
cuy[2] sur le corps ou plongeaient dans Las Huaringas les
malades qui les payaient pour qu'ils les délivrent de
leurs maux. Adelaida n'était même pas une voyante professionnelle. Elle n'exerçait cet office que rarement,
seulement avec ses amis et ses connaissances, sans leur
prendre un centavo. Quoique, s'ils insistaient, elle finît
par empocher le petit cadeau qu'ils voulaient bien lui
donner. La femme et les fils de Felícito (et aussi Mabel)
se moquaient de lui pour la foi aveugle qu'il avait dans
les inspirations et conseils d'Adelaida. Non seulement il
la croyait ; il s'était pris d'affection pour elle. Il avait pitié
de sa solitude et de sa pauvreté. On ne lui connaissait ni
mari ni famille ; elle était toujours seule, mais elle avait
l'air contente de la vie d'ermite qu'elle menait.

Il l'avait vue pour la première fois un quart de siècle
auparavant, quand il était chauffeur interrégional de
camions de marchandises et n'avait pas encore sa petite
entreprise de transports, tout en rêvant déjà jour et nuit
de l'avoir. C'était arrivé au kilomètre cinquante de la Pan-

---

1. Ville à la lisière de l'Équateur, dans la province de laquelle se trouvent
les quatorze Huaringas ou Lagunes enchantées, célèbres par le nombre de
leurs sorciers, chamans et guérisseurs.
2. *Cuy* signifie « cochon d'Inde ». Cet animal est considéré chez les peuples
andins comme un symbole de purification et de sagesse. La pratique du
passage (ou nettoyage) du cuy est destinée à faire prendre en charge au
cochon d'Inde, qu'on tue ensuite, les maladies psychiques dont est affligé le
patient.

américaine, dans ces campements où les conducteurs d'autobus, de camions et de taxis collectifs s'arrêtaient toujours pour avaler un petit bouillon de poule, un café, une calebasse de chicha[1] et manger un sandwich avant d'affronter le long parcours brûlant du désert d'Olmos, plein de poussière et de cailloux, vide de villages et sans une seule pompe à essence ni un seul atelier de mécanique en cas d'accident. Adelaida, qui portait déjà cette grande tunique couleur de terre qui serait toujours son seul vêtement, tenait une des échoppes de viande séchée et de boissons fraîches. Felícito conduisait un camion de la Maison Romero, chargé à n'en plus pouvoir de feuilles d'agave pour faire du papier de coton, dans la direction de Trujillo. Il était seul dans le camion, son assistant avait renoncé au voyage au dernier moment parce que de l'Hôpital ouvrier on l'avait averti que sa mère était au plus mal et qu'elle pouvait mourir à tout moment. Lui mangeait un tamal[2], assis sur le petit banc du comptoir d'Adelaida, quand il avait remarqué que la femme le regardait d'une manière bizarre avec ces gros yeux profonds et fouilleurs qu'elle avait. Quelle mouche piquait la dame, che guá? Son visage s'était décomposé. On voyait qu'elle était très effrayée.

— Qu'est-ce que vous avez, madame Adelaida? Pourquoi vous me regardez comme ça, comme si vous aviez peur de quelque chose?

1. La *chicha* est une boisson résultant de la fermentation plus ou moins poussée de certaines céréales, du maïs en particulier. Elle peut ressembler à une bière légère ou être plus alcoolisée.
2. Aliment typique, composé d'une pâte de maïs fourrée de viande et d'autres ingrédients, et enveloppé d'une feuille de bananier ou de maïs avant d'être cuit au four ou à la vapeur.

Elle n'avait rien dit. Elle avait toujours ses grands et profonds yeux sombres fixés sur lui et faisait une grimace de dégoût ou de frayeur qui lui creusait les joues et lui plissait le front.

— Vous vous sentez pas bien? — avait insisté Felícito, mal à l'aise.

— Grimpez pas dans ce camion, ça vaut mieux — avait dit la femme, à la fin, d'une voix rauque, comme faisant un grand effort pour que sa langue et sa gorge lui obéissent. Elle montrait de la main le camion rouge que Felícito avait garé au bord de la route.

— Que je monte pas dans mon camion? — avait-il répété, déconcerté —. Et pourquoi, on pourrait savoir?

Adelaida avait détourné les yeux un moment pour regarder de tous côtés, comme si elle craignait que les autres chauffeurs, les clients ou les patrons des boutiques et des petits bars du campement ne puissent l'entendre.

— J'ai une inspiration — lui avait-elle dit, à voix basse, son visage toujours décomposé —. Je peux pas vous expliquer. Croyez simplement ce que je vous dis, s'il vous plaît. Ça vaut mieux que vous grimpiez pas dans ce camion.

— Merci de votre conseil, madame, sûr qu'il est de bonne foi. Mais moi je dois gagner ma croûte. Je suis chauffeur, je gagne ma vie avec les camions, madame Adelaida. Comment je donnerais à manger à ma femme et à mes deux petits garçons, sinon?

— Soyez au moins très prudent, alors — lui avait demandé la femme, en baissant les yeux —. Écoutez-moi.

— Ça oui, madame. Je vous promets. Je suis toujours très prudent.

Une heure et demie plus tard, dans un tournant de la

route non goudronnée, au milieu d'un épais nuage de poussière gris-jaune, surgit patinant et criard le car de la Cruz de Chalpón qui vint s'écraser contre son camion, dans un bruit assourdissant de tôles, de freins, de cris et de grincements de jantes. Felícito avait de bons réflexes et il réussit à dévier le camion en faisant sortir de la piste la partie avant, de sorte que le car tamponna la remorque et le chargement, ce qui lui sauva la vie. Mais, jusqu'à ce que les os de son dos, de son épaule et de sa jambe droite soient soudés, il fut immobilisé sous une gaine de plâtre qui, en plus de le faire souffrir, lui donnait des démangeaisons à devenir fou. Quand il put enfin reprendre le volant, la première chose qu'il fit fut d'aller au kilomètre cinquante. Mme Adelaida le reconnut tout de suite.

— Allons bon, je suis contente de vous voir rétabli — lui dit-elle en guise de bonjour —. Un petit tamal et une boisson gazeuse, comme toujours ?

— Je vous supplie sur ce que vous aimez le plus au monde de me dire comment vous avez su que ce car de la Cruz de Chalpón il allait me rentrer dedans, madame Adelaida. Je fais que penser à ça, depuis ce jour-là. Vous êtes sorcière, sainte, ou quoi ?

Il vit que la femme pâlissait et ne savait pas où se mettre. Elle avait baissé la tête, embarrassée.

— Moi j'ai rien su de ça — balbutia-t-elle, sans le regarder et comme si elle se sentait accusée de quelque chose de grave —. J'ai eu une inspiration, c'est tout. Des fois ça m'arrive, je sais jamais pourquoi. Je les cherche pas, che guá. Je vous jure. C'est une malédiction qui m'est tombée dessus. Ça me plaît pas si le bon Dieu il m'a faite comme ça. Je lui dis des prières tous les jours pour qu'il m'enlève ce don qu'il m'a donné. C'est quelque chose de terrible, vous pouvez me croire. Ça me fait me sentir coupable de toutes les mauvaises choses qu'arrivent aux gens.

— Mais qu'est-ce que vous avez vu, madame ? Pourquoi vous m'avez dit ce matin-là que ça valait mieux que je grimpe pas dans mon camion ?

— Moi j'ai rien vu, moi je vois jamais ces choses qui vont se passer. Je vous l'ai pas dit ? J'ai eu seulement une inspiration. Que si vous grimpiez dans ce camion il pouvait vous arriver quelque chose. Je savais pas quoi. Je sais jamais ce que c'est qui va venir. Seulement qu'y a des choses qu'il vaut mieux pas les faire, parce qu'elles ont des conséquences mauvaises. Vous allez manger ce petit tamal et prendre un Inca Kola ?

À partir de ce jour-là ils étaient devenus amis et rapidement ils s'étaient tutoyés. Quand Mme Adelaida avait quitté le campement du kilomètre cinquante et ouvert sa petite boutique d'herbes, de bobines de fil, de babioles et d'images pieuses aux environs des anciens abattoirs, Felícito venait au moins une fois par semaine lui dire bonjour et causer un moment. Il lui apportait presque toujours un petit cadeau, des bonbons, une galette, des sandales et, en s'en allant, il laissait un billet dans ces dures mains calleuses d'homme qu'elle avait. Toutes les décisions importantes qu'il avait prises pendant ces vingt et quelques années il en avait parlé avec elle, surtout depuis la fondation des Transports Narihualá : les dettes qu'il dut faire, les camions, autobus et voitures qu'il acheta au fur et à mesure, les locaux qu'il loua, les mécaniciens et employés qu'il recrutait ou renvoyait. La plupart du temps, Adelaida se moquait de ses consultations. « Et moi qu'est-ce que je vais savoir de ça, Felícito, che guá ? Comment tu veux que je te dise si

30

il vaut mieux une Chevrolet ou une Ford, qu'est-ce que j'en sais des marques de voitures, moi qu'en ai jamais eu une et en aurai jamais ? » Mais, de temps en temps, même si elle ne savait pas de quoi il s'agissait, il lui venait une inspiration et elle lui donnait un conseil : « Oui, mets-toi là-dedans, Felícito, ça va marcher, je crois. » Ou : « Non, Felícito, c'est pas bon pour toi, je sais pas quoi mais y a quelque chose qui sent mauvais dans cette affaire. » Les paroles de la santera étaient pour le transporteur des vérités révélées et il les observait au pied de la lettre, pour incompréhensibles ou absurdes qu'elles aient l'air.

— Tu t'es endormi, p'tit père — l'entendit-il dire.

En effet, il s'était endormi après avoir bu le verre d'eau fraîche que lui avait apporté Adelaida. Combien de temps avait-il dodeliné de la tête sur ce dur fauteuil à bascule qui lui avait donné une crampe au derrière ? Il regarda sa montre. Bon, quelques minutes à peine.

— C'est les tensions et la trotte de ce matin — dit-il, en se relevant —. À bientôt, Adelaida. Quelle tranquillité celle de ta petite boutique ! Ça me fait toujours du bien de te rendre visite, même si l'inspiration elle te vient pas.

Et, à l'instant même où il prononça le mot clé, inspiration, par lequel Adelaida définissait la mystérieuse faculté dont elle était douée, deviner les choses bonnes ou mauvaises qui à certaines personnes allaient arriver, Felícito remarqua que l'expression de la santera n'était plus la même que celle avec laquelle elle l'avait reçu, avait écouté la lecture de la lettre de la petite araignée et lui avait assuré qu'elle ne lui inspirait aucune réaction. Elle était très sérieuse à présent, avec une expression grave, les sourcils froncés et se mordillant un ongle. On aurait dit qu'elle essayait de contenir l'angoisse qui commençait à l'accabler. Elle avait ses gros yeux immenses fixés sur lui. Felícito sentit son cœur s'accélérer.

— Qu'est-ce qui t'arrive, Adelaida ? — demanda-t-il, alarmé —. Ne me dis pas que maintenant oui…

La main tannée de la femme le prit par le bras, en y plantant ses doigts.

— Donne-leur ce qu'ils te demandent, Felícito — murmura-t-elle —. Ça vaut mieux.

— Que je leur donne cinq cents dollars par mois à ces racketteurs pour qu'ils me fassent pas de mal ? — se scandalisa le transporteur —. C'est ça qu'elle te dit l'inspiration, Adelaida ?

La santera lui lâcha le bras et lui tapota l'épaule, avec affection.

— Je sais que c'est mal, je sais que c'est beaucoup d'argent — dit-elle en faisant oui de la tête —. Mais quelle importance l'argent après tout, tu crois pas ? L'important, c'est ta santé, ta tranquillité, ton travail, ta famille, ta petite chérie de Castilla. Enfin. Je sais que ça te plaît pas que je te dise ça. Moi non plus ça me plaît pas, t'es un bon ami, p'tit père. En plus, peut-être que je me trompe et que je te donne un mauvais conseil. T'as pas de raisons de me croire, Felícito.

— Il s'agit pas de l'argent, Adelaida — dit-il, avec fermeté —. Un homme doit se laisser marcher dessus par personne dans la vie. Il s'agit de ça, c'est tout, ma p'tite mère.

II

Lorsque don Ismael Carrera, le patron de la compagnie d'assurances, entra dans son bureau pour l'inviter à déjeuner, Rigoberto pensa : « Il va encore me demander de faire marche arrière. » Parce que Ismael, comme tous ses collègues et subordonnés, avait été fort surpris de l'entendre annoncer à brûle-pourpoint qu'il avancerait de trois ans son départ à la retraite. Pourquoi se retirer à soixante-deux ans, lui disaient-ils tous, alors qu'il pouvait en rester trois de plus dans cette agence qu'il dirigeait dans l'estime unanime des presque trois cents employés de la société.

« En effet, pourquoi, pourquoi ? » pensa-t-il. Pour lui non plus ce n'était pas très évident. Mais, néanmoins, sa décision était inébranlable. Il n'allait pas faire marche arrière, tout en sachant qu'en raccrochant les gants avant soixante-cinq ans il ne toucherait pas sa retraite complète et n'aurait pas droit à toutes les indemnités et gratifications de ceux qui allaient jusqu'à la limite d'âge.

Il essaya de se donner du courage en pensant au temps libre dont il disposerait. Passer des heures dans son petit espace de civilisation, barricadé contre la barbarie, à

33

contempler ses chères gravures, les livres d'art qui remplissaient sa bibliothèque, à écouter de la bonne musique, plus le voyage annuel en Europe avec Lucrecia au printemps ou en automne, où ils pourraient courir festivals, foires artistiques, visiter musées, fondations, galeries, revoir ses tableaux et sculptures favoris et en découvrir d'autres qu'il incorporerait à sa pinacothèque secrète. Il avait fait ses calculs et il était bon en mathématiques. En dépensant judicieusement et en gérant prudemment son presque million de dollars d'économies et sa pension, Lucrecia et lui jouiraient d'une vieillesse très confortable tout en laissant assuré l'avenir de Fonfon.

« Oui, oui, pensa-t-il, une vieillesse longue, cultivée et heureuse. » Pourquoi alors, malgré cet avenir prometteur, se sentait-il si inquiet ? Était-ce Edilberto Torres ou mélancolie précoce ? Surtout quand il promenait son regard, comme maintenant, sur les portraits et les diplômes pendus aux murs de son bureau, les livres alignés sur deux étagères, sa table de travail rangée au millimètre avec cahiers de notes, crayons, stylos, calculatrice, rapports, ordinateur allumé et écran de télé toujours branché sur l'agence Bloomberg et les cotations boursières. Comment pouvait-il se sentir à l'avance nostalgique de tout cela ? La seule chose importante dans ce bureau, c'étaient les portraits de Lucrecia et de Fonfon — nouveau-né, enfant, adolescent — qu'il emporterait avec lui le jour du déménagement. D'ailleurs, ce vieil immeuble du jirón[1] Carabaya, au centre de Lima, cesserait bientôt d'être le siège de la compagnie d'assurances.

1. On appelle *jirón* à Lima une chaussée composée de plusieurs rues transversales.

Le nouveau local, à San Isidro, au bord du Zanjón, était fin prêt. Cette laide construction, où il avait travaillé trente années durant, serait probablement démolie.

Il crut qu'Ismael allait l'emmener, comme chaque fois qu'il l'invitait à déjeuner, au Club Nacional et que lui, une fois de plus, serait incapable de résister à la tentation de commander cet énorme biffteck pané accompagné de tacu-tacu[1] qu'on appelait une sábana et de boire quelques verres de vin, si bien qu'il se sentirait lourd tout l'après-midi, avec de la dyspepsie et aucune envie de travailler. À sa grande surprise, dès qu'ils furent dans la Mercedes Benz garée sur le parking de l'immeuble, son patron ordonna au chauffeur : «À Miraflores, Narciso, à La Rosa Náutica.» Et, se tournant vers Rigoberto, il expliqua : «Cela nous fera du bien de respirer l'air marin et d'entendre les cris des mouettes.»

— Si tu crois me faire changer d'avis en me payant un gueuleton, Ismael, tu te mets le doigt dans l'œil — le prévint-il —. Je pars à la retraite de toute façon, même si tu me colles un pistolet sur la poitrine.

— Je n'en ferai rien — dit Ismael, l'air moqueur —. Je sais que tu es têtu comme une mule. Et je sais aussi que tu vas le regretter, à ne rien faire et à tourner en rond chez toi, en mettant à rude épreuve la patience de Lucrecia. Tu reviendras bien vite me supplier à genoux de te redonner ton poste de directeur. Ce que je ferai, bien sûr, mais en te mettant longtemps sur le gril, je t'avertis.

Il essaya de se rappeler depuis quand il connaissait Ismael. De nombreuses années. C'était dans sa jeunesse un bien joli garçon. Élégant, distingué, affable.

---

1. *Tacu-tacu*, plat de haricots blancs, riz et oignons servis en omelette.

Et, jusqu'à son mariage avec Clotilde, un don Juan. Tendrons et femmes mariées, vieilles et jeunes soupiraient après lui. Maintenant ses cheveux étaient tombés, il lui restait juste quelques mèches blanchâtres sur son crâne chauve, il était tout ridé, avait grossi et traînait les pieds. On remarquait les fausses dents que lui avait faites un dentiste de Miami. Les années, et surtout ses jumeaux, l'avaient physiquement ruiné. Ils s'étaient connus le premier jour où Rigoberto avait débuté dans la compagnie d'assurances, au service juridique. Trente longues années! Toute une vie, nom de Dieu! Il se rappela le père d'Ismael, don Alejandro Carrera, le fondateur de l'entreprise. Rigoureux, infatigable, un homme difficile mais intègre dont la seule présence inspirait confiance et sécurité. Ismael avait du respect pour lui, tout en ne l'ayant jamais aimé. Parce que, dès son retour d'Angleterre où il avait décroché un diplôme d'économie à l'université de Londres et fait un stage d'un an à la Lloyd's, don Alejandro l'avait mis à travailler, lui son fils unique, dans tous les services de la compagnie, qui commençait déjà à être importante. Ismael frisait la quarantaine et s'était senti humilié par cet apprentissage qui l'avait amené, même, à devoir classer le courrier, administrer la cantine, s'occuper des moteurs du bloc électrique, de la surveillance et de la propreté des lieux. Don Alejandro pouvait être assez despotique, mais Rigoberto se souvenait de lui avec admiration: un capitaine d'industrie. Il avait monté cette compagnie à partir de rien, en commençant avec un capital infime et des emprunts qu'il avait remboursés au centavo près. Mais Ismael, à vrai dire, avait été un digne successeur de son père. Il était lui aussi infatigable et savait faire preuve d'autorité quand il le fallait. En revanche, avec les jumeaux à la tête de l'entreprise, nul doute que la race des Carrera finirait aux oubliettes. Aucun des deux n'avait hérité des vertus patronales du père et du grand-père. À la disparition d'Ismael, pauvre de la compagnie d'assurances ! Heureusement que lui ne serait plus là pour assister à la catastrophe. Pourquoi son patron l'avait-il invité à déjeuner si ce n'était pas pour lui parler de son départ anticipé à la retraite ?

La Rosa Náutica était bondée, beaucoup de touristes qui parlaient anglais ou français, mais on avait réservé pour don Ismael une petite table près de la fenêtre. Ils prirent un Campari en regardant quelques surfeurs en combinaison de caoutchouc glisser sur les vagues. C'était un matin d'hiver gris, avec de gros nuages noirs cachant les falaises et des bandes de mouettes lançant leurs cris. Une escadrille d'albatros planait au ras des flots. Le bruit rythmé des vagues et du ressac était agréable. « L'hiver est tristounet à Lima, bien que mille fois préférable à l'été », pensa Rigoberto. Il commanda un filet de corvina[1] sur le gril avec une salade et avertit son patron qu'il ne boirait pas une goutte de vin ; il avait du travail au bureau et ne voulait pas passer l'après-midi à bâiller comme un crocodile et à somnoler. Il lui sembla qu'Ismael, absorbé, ne l'entendait même pas. Quelle mouche le piquait ?

— Toi et moi nous sommes de bons amis, n'est-ce pas ? — lâcha soudain son patron, en sortant de son mutisme.

— Je suppose que nous le sommes, Ismael — répondit Rigoberto —. Si tant est qu'entre un patron et son

---

1. La *corvina* est un poisson du Pacifique qui ressemble à la dorade, en plus gros, à la chair fine et très savoureuse.

employé il puisse y avoir une amitié véritable. La lutte de classes, tu sais bien.

— Nous nous sommes parfois heurtés — poursuivit sérieusement Ismael —. Mais, l'un dans l'autre, je pense que nous nous sommes assez bien entendus pendant ces trente ans, tu ne crois pas ?

— Tu me prends par les sentiments pour que je ne parte pas à la retraite, c'est cela ? — le provoqua Rigoberto —. Tu vas me dire que mon départ va faire couler la compagnie ?

Ismael n'était pas d'humeur à plaisanter. Il contemplait ses coquilles Saint-Jacques au parmesan qu'on venait de lui servir comme si elles étaient empoisonnées. Il remuait les lèvres, faisant cliqueter son dentier. Ses petits yeux entrebâillés traduisaient de l'inquiétude. La prostate ? Un cancer ? Que lui arrivait-il ?

— Je voudrais te demander un service — murmura-t-il, à voix très basse, sans le regarder. Quand il leva les yeux, Rigoberto lui vit un regard égaré —. Pas un service. Une grande faveur, Rigoberto.

— Si c'est en mon pouvoir, bien sûr que oui — acquiesça-t-il, intrigué —. Qu'est-ce qui t'arrive, Ismael ? Tu en fais une tête !

— Je veux que tu sois mon témoin — dit Ismael, le nez dans ses coquilles Saint-Jacques —. Je vais me marier.

Le morceau de poisson piqué sur sa fourchette resta un moment en l'air et, finalement, au lieu de le porter à sa bouche, Rigoberto le remit dans son assiette. « Quel âge peut-il avoir ? pensait-il. Pas moins de soixante-quinze ou soixante-dix-huit ans, voire quatre-vingts. » Il ne savait que dire. La surprise lui avait coupé la chique.

— Il me faut deux témoins — ajouta Ismael, en le regardant maintenant dans les yeux, un peu plus sûr de lui —. J'ai fait le tour de tous mes amis et connaissances. Et je suis arrivé à la conclusion que les personnes les plus loyales, les plus dignes de ma confiance, sont Narciso et toi. Mon chauffeur a accepté. Et toi, est-ce que tu acceptes ?

Incapable encore d'articuler un mot ni de faire une plaisanterie, Rigoberto se contenta d'acquiescer, en hochant la tête. Pour finir par balbutier :

— Bien sûr que oui, Ismael. Mais rassure-moi, c'est du sérieux, ce n'est pas un premier signe de démence sénile ?

Cette fois Ismael sourit, mais sans une once de gaieté, ouvrant grand la bouche et arborant la blancheur éclatante de ses fausses dents. Il y avait des septuagénaires et des octogénaires bien conservés, se disait Rigoberto, mais ce n'était assurément pas le cas de son patron. Son crâne oblong, sous les mèches blanches, était tout tavelé, les rides envahissaient son front et son cou, tout chez lui disait la débâcle. Il était habillé avec son élégance habituelle, complet bleu, chemise semblant repassée de frais, cravate tenue par une épingle en or, pochette au revers de sa veste.

— Tu es devenu fou, Ismael ? — s'écria soudain Rigoberto, en réagissant tardivement —. Tu vas vraiment te marier ? À ton âge ?

— C'est une décision parfaitement réfléchie — l'entendit-il déclarer d'une voix ferme —. Je l'ai prise en sachant très bien à quoi je m'expose. Inutile de te dire que, si tu es mon témoin de mariage, tu auras des problèmes toi aussi. Enfin, à quoi bon parler de ce que tu ne sais que trop ?

— Est-ce qu'ils sont au courant ?

— Ne dis pas de conneries, je t'en prie — s'impatienta son patron —. Les jumeaux vont pousser les hauts cris, remuer ciel et terre pour annuler mon mariage, me faire déclarer irresponsable et m'enfermer à l'asile, entre mille autres choses. Peut-être même m'envoyer un tueur à gages, s'ils le peuvent. Narciso et toi allez être aussi victimes de leur haine, tu t'en doutes bien. Et malgré tout cela, tu m'as dit oui. Je ne me suis donc pas trompé. Tu es la personne pure, généreuse et noble que j'ai toujours connue. Merci, vieux.

Il tendit la main, saisit Rigoberto par le bras et le retint là un moment, en le pressant affectueusement.

— Dis-moi au moins quelle est l'heureuse élue — lui demanda Rigoberto, en essayant d'avaler une bouchée de corvina, bien que l'envie de manger l'ait totalement quitté.

Cette fois, Ismael sourit pour de bon, une petite lueur malicieuse dans les yeux, tandis qu'il lui suggérait :

— Bois d'abord un coup, Rigoberto. Si en t'annonçant mon mariage tu es devenu si pâle, quand je te dirai avec qui tu pourrais avoir un infarctus.

— Elle est si laide, cette chasseuse de dot ? — murmura Rigoberto, tout en sentant grandir en lui une immense curiosité.

— C'est Armida — dit Ismael, en séparant les syllabes. Il attendait sa réaction comme un entomologiste celle d'un insecte.

Armida, Armida ? Rigoberto passait en revue toutes les femmes qu'il connaissait, mais aucune ne correspondait à ce nom.

— Je la connais ? — demanda-t-il enfin.

— Armida — répéta Ismael, en le scrutant et le toisant avec un petit sourire —. Tu la connais très bien. Tu l'as vue mille fois à la maison. Sauf que tu n'as jamais fait attention à elle. Parce que personne ne remarque jamais les domestiques.

La fourchette, avec une nouvelle bouchée de corvina, lui glissa des doigts et tomba par terre. Tandis qu'il se baissait pour la ramasser, il sentit son cœur battre plus fort. Et il entendit son patron rire. Était-ce possible ? Il allait épouser sa servante ? Ces choses n'arrivaient-elles pas que dans les feuilletons de la télé ? Ismael parlait-il sérieusement ou se payait-il sa tête ? Il imagina les ragots, inventions, supputations et lazzi qui enflammeraient la Lima de tous les commérages : ils auraient de quoi faire des gorges chaudes pour un bout de temps.

— Quelqu'un ici est fou — affirma-t-il entre ses dents —. Toi ou moi. Ou bien sommes-nous fous tous les deux, Ismael ?

— C'est une brave femme et nous nous aimons — dit son patron, sans le moindre trouble maintenant —. Je la connais depuis longtemps. Elle sera une excellente compagne pour ma vieillesse, tu verras.

Cette fois oui : Rigoberto la vit, la recréa, l'inventa. La peau un peu brune, les cheveux très noirs, l'œil vif. Une petite créole, une fille de la côte aux manières désinvoltes, mince, assez grande. Une cholita[1] assez présentable. « Il doit avoir quarante ans de plus qu'elle, ou peut-être davantage, pensa-t-il. Ismael est devenu fou. »

1. Les *cholos* descendent de métis d'Amérindiens. Le terme est la plupart du temps dépréciatif. Mais il peut avoir une connotation affective sous la forme de *cholita*.

41

— Si tu t'es proposé, dans ta vieillesse, de provoquer le scandale le plus retentissant de l'histoire de Lima, tu vas réussir — soupira-t-il —. Tu seras la risée et l'objet de tous les commérages pour Dieu sait combien d'années. Ou même de siècles.

Ismael éclata de rire, cette fois de très bonne humeur, en acquiesçant.

— Je te l'ai dit enfin, Rigoberto — s'écria-t-il, soulagé —. C'est vrai qu'il m'en a coûté. Je l'avoue, j'étais rongé d'inquiétude, je mourais de honte. Quand je l'ai dit à Narciso, le négro a ouvert des yeux grands comme des soucoupes et a failli s'étrangler. Bon, maintenant tu le sais. Ça va faire un sacré scandale, et après ? Tu acceptes toujours d'être mon témoin ?

Rigoberto hochait la tête : oui, oui, Ismael, si c'était lui qui le demandait comment pouvait-il ne pas accepter ? Mais, mais… Saperlipopette, il ne savait que diable dire.

— Ce mariage est-il indispensable ? — osa-t-il demander enfin —. Je veux dire, prendre le risque de ce qui te tombera dessus. Je ne pense pas seulement au scandale, Ismael. Tu vois bien ce que je veux dire. Est-ce la peine de déchaîner un conflit gigantesque avec tes fils ? Un mariage a des conséquences juridiques, financières. Enfin, j'imagine que tu as pensé à tout cela et que je te pose des questions stupides, n'est-ce pas, Ismael ?

Il vit son patron boire un demi-verre de vin blanc, d'un trait. Il le vit hausser les épaules et acquiescer :

— Ils vont essayer de me faire passer pour irresponsable — expliqua-t-il, sur un ton sarcastique, avec une moue méprisante —. Il me faudra évidemment graisser la patte à bien des juges et avocaillons. J'ai plus d'argent qu'eux, alors s'ils m'intentent un procès ils ne pourront pas le gagner.

Il parlait sans regarder Rigoberto, sans élever la voix pour ne pas se faire entendre des tables voisines, les yeux tournés vers la mer. Mais sans doute ne voyait-il pas non plus les surfeurs, ni les mouettes, ni les vagues qui déferlaient sur la plage dans un crépitement d'écume blanche, ni la double file de voitures qui roulaient sur la Costa Verde. Sa voix n'était que fureur.

— Est-ce que tout cela en vaut la peine, Ismael? — insista Rigoberto —. Avocats, notaires, juges, tribunaux, la racaille médiatique fouinant dans ta vie privée jusqu'à la nausée. Toute cette horreur, sans compter les sommes folles que va te coûter un tel caprice. Les migraines, les contrariétés. Est-ce que cela en vaut la peine?

Au lieu de lui répondre, Ismael le surprit par une autre question :

— Tu te rappelles quand j'ai eu mon infarctus, en septembre?

Rigoberto s'en souvenait très bien. Tout le monde croyait qu'Ismael allait mourir. Cela l'avait pris en voiture, au retour à Lima d'un déjeuner à Ancón. Narciso l'avait conduit inanimé à la clinique San Felipe. Il était resté plusieurs jours en soins intensifs, sous tente à oxygène, et si affaibli qu'il ne pouvait pas parler.

— On croyait tous que tu allais y passer, la frousse que tu nous as flanquée! Pourquoi ramener ça sur le tapis?

— Eh bien c'est là que j'ai décidé de me marier avec Armida — le visage d'Ismael s'était assombri et sa voix était pleine d'amertume. Il avait vieilli d'un coup —. J'étais aux portes de la mort, c'est sûr. Je l'ai vue de tout près, je l'ai touchée, flairée. La faiblesse ne me permettait pas de parler, c'est vrai. Mais, d'entendre, si. Ils ne le savent pas, Rigoberto, mes deux canailles de fils. À toi je peux le dire. Seulement à toi. Mais que cela ne sorte jamais de ta bouche, pas même devant Lucrecia. Jure-le-moi, je t'en prie.

— Le docteur Gamio a été des plus clairs — affirmait Miki, enthousiaste, sans baisser la voix —. Il passe l'arme à gauche dans la nuit, frérot. Un infarctus carabiné. Un infarctus du tonnerre de Dieu, qu'il a dit. Et très peu de chances de s'en tirer.

— Parle moins fort — lui recommandait Escobita. Il parlait à voix très basse, lui, dans cette pénombre qui déformait les silhouettes, dans cette chambre étrange qui sentait le formol —. Dieu t'entende, frangin. Est-ce que tu as pu apprendre quelque chose sur le testament au cabinet de Me Arnillas ? Parce que s'il veut nous baiser, il nous baise. Ce vieux salaud connaît toutes les ficelles.

— Arnillas ne crache pas le morceau, l'autre l'a acheté — disait Miki en baissant la voix à son tour —. Je viens de le voir cet après-midi et j'ai essayé de le sonder, mais sans résultat. De toute façon, j'ai tout vérifié. Même s'il voulait nous avoir, il ne pourrait pas. Le fric qu'il nous a fourgué en nous fichant à la porte de l'entreprise ne compte pas, il n'y a ni documents ni preuves. La loi est très claire. Nous sommes les héritiers légitimes. C'est comme ça qu'on dit : légitimes. Il ne pourrait pas, frérot.

— N'en sois pas si sûr, frangin. Il est plus rusé qu'un renard. Pour nous niquer il est capable de n'importe quoi.

— Espérons qu'il cassera sa pipe aujourd'hui — disait

Miki —. Car, sinon, ce vieux débris nous promet une autre nuit blanche.

— Vieux dégueulasse par-ci, qu'il crève au plus vite par-là, à moins d'un mètre de mon lit, heureux de me savoir à l'agonie — se rappela Ismael, en parlant lentement, les yeux dans le vide —. Tu sais quoi, Rigoberto? C'est eux qui m'ont sauvé de la mort. Oui, eux, je te jure. Parce que, de les entendre débiter ces horreurs, ça m'a donné une volonté incroyable de vivre. De ne pas leur faire ce plaisir, de ne pas mourir. Et je te jure que mon corps a réagi. J'ai tout décidé là, dans cette chambre de clinique. Si je m'en sors, j'épouse Armida. Et je les baiserai, moi, avant qu'ils ne me baisent, eux. C'est la guerre qu'ils voulaient? Ils allaient l'avoir. Et ils vont l'avoir, vieux. Je vois d'ici la gueule qu'ils vont faire.

Le fiel, la déception, la colère imprégnaient non seulement ses paroles et sa voix, mais aussi la grimace qui lui tordait la bouche, les mains qui chiffonnaient la serviette.

— C'était peut-être une hallucination, un cauchemar — murmura Rigoberto, sans croire à ce qu'il disait —. Avec la quantité de drogues qu'on t'avait mise dans le corps, peut-être as-tu rêvé tout ça, Ismael. Tu délirais, je t'ai vu.

— J'ai toujours su que mes enfants ne m'ont jamais aimé — poursuivit son patron, sans faire le moindre cas de ce qu'il venait de dire —. Mais pas qu'ils pouvaient me haïr à ce point. Qu'ils en viennent à souhaiter ma mort, pour rafler tout l'héritage. Et, naturellement, croquer à belles dents ce que mon père et moi avons édifié au cours de tant d'années d'efforts, en nous éreintant. Eh bien non! Ces hyènes vont se casser les quenottes, je te jure.

C'est vrai que les deux fils d'Ismael étaient des hyènes,

pensa Rigoberto, le mot leur allait bien. Des fripouilles l'un comme l'autre. Cossards, bringueurs, sans scrupules, c'étaient deux parasites qui déshonoraient le nom de leur père et de leur grand-père. Pourquoi étaient-ils devenus de la sorte ? Non par manque de tendresse et de soins de leurs parents, bien sûr. Tout au contraire. Ismael et Clotilde s'étaient mis en quatre pour eux, ils avaient fait l'impossible pour leur donner la meilleure éducation. Rêvant d'en faire deux messieurs. Qui étaient devenus deux sales types, comment comprendre ? Rien d'étonnant qu'ils aient eu cette sinistre conversation au pied du lit de leur père moribond. Et crétins avec ça, sans penser une seconde qu'il pouvait les entendre. Ils étaient capables de ça et de pire encore, à l'évidence. Rigoberto le savait très bien, pendant toutes ces années il avait fréquemment été le confident de son patron, son mur des lamentations auquel il racontait toutes les saloperies de ses salopiauds. Ce qu'ils avaient pu en souffrir, Ismael et Clotilde, des scandales de leurs rejetons !

Ils étaient allés au meilleur collège de Lima, avaient bénéficié de leçons particulières dans les matières où ils étaient faibles, suivi des cours d'été aux États-Unis et en Angleterre. Ils avaient appris l'anglais mais parlaient un espagnol d'analphabètes mâtiné de tout cet horrible charabia de la jeunesse liménienne, n'avaient jamais lu un livre ni même un journal de toute leur vie, ne connaissaient probablement pas le nom de la moitié des capitales des pays latino-américains et aucun des deux n'avait pu être reçu même en première année d'université. Adolescents, ils avaient inauguré leurs forfaits en violant cette jeune fille qu'ils avaient draguée dans une surprise-partie minable, à Pucusana. Floralisa Roca, ainsi s'appelait-elle, un nom qui semblait sorti d'un roman de chevalerie. Mince, assez jolie, regard inquiet et mouillé, petit corps qui tremblait de peur. Rigoberto s'en souvenait très bien. Il l'avait sur la conscience et éprouvait encore des remords pour le vilain rôle qu'il avait dû jouer dans cette histoire. Il revivait tout ce micmac : avocats, médecins, rapports de police, démarches désespérées pour que ni *La Prensa* ni *El Comercio* ne citent le nom des jumeaux dans leur compte rendu de l'affaire. Lui-même avait dû parler aux parents de la petite, un couple âgé, originaire d'Ica, qu'il avait pu faire taire et satisfaire au prix de cinquante mille dollars, une fortune pour l'époque. Il avait très présente à l'esprit cette conversation avec Ismael, ces jours-là. Son patron se pressait la tête, retenait ses larmes et n'avait plus de voix : « En quoi avons-nous failli, Rigoberto ? Qu'avons-nous fait, Clotilde et moi, pour que Dieu nous punisse ainsi ? Comment pouvons-nous avoir pour fils de pareils forbans ! Ils n'ont même pas de regrets pour la saloperie qu'ils ont faite. Ils rejettent la faute sur la pauvre fille, tu te rends compte ! Ils ne l'ont pas seulement violée, ils l'ont cognée, l'ont brutalisée. » Forbans, c'était le mot juste. Clotilde et Ismael les avaient peut-être trop gâtés pourris, sans leur faire sentir un peu d'autorité. Ils n'auraient pas dû leur pardonner toujours leurs frasques, pas si vite en tout cas. Les frasques des jumeaux ! Accidents de voiture pour avoir conduit drogués et en état d'ivresse, dettes contractées au nom de leur père, reçus falsifiés au bureau quand Ismael, pour son malheur, avait eu l'idée de les faire entrer dans la compagnie pour se former. Quel cauchemar pour Rigoberto ! Il devait aller en personne informer son patron des exploits des deux frères. Ils en vinrent à vider la caisse de leur bureau où l'on gardait l'argent pour les dépenses courantes. Ce fut, par chance, la goutte d'eau qui avait fait déborder le vase. Ismael les avait mis à la porte et avait préféré leur verser une pension, financer leur fainéantise. Leur palmarès était éloquent. Qu'on en juge : ils étaient allés à l'université de Boston, à la grande joie de leurs parents. Quelques mois plus tard, Ismael avait découvert qu'ils n'y avaient jamais mis les pieds, qu'ils avaient empoché les droits d'inscription et la pension, en falsifiant les notes et les rapports d'assiduité. L'un d'eux — Miki ou Escobita ? — avait renversé un jour un piéton à Miami et, inculpé aux États-Unis, il avait profité de sa liberté provisoire pour s'enfuir à Lima. S'il retournait là-bas il irait en prison.

Après la mort de Clotilde, Ismael avait baissé les bras. Qu'ils fassent ce que bon leur semblait. Il leur avait donné par anticipation une partie de l'héritage, pour la faire fructifier s'ils voulaient ou bien pour la dilapider, ce que naturellement ils avaient fait, en voyageant en Europe et en menant grand train. C'étaient maintenant des hommes faits, qui frisaient la quarantaine. Le patron de Rigoberto ne voulait plus se casser la tête avec ces incorrigibles. Et ça, maintenant ! C'est sûr qu'ils essaieraient de faire annuler ce mariage, s'il le menait à bien. Ils ne se laisseraient jamais déposséder d'un héritage qu'ils attendaient, pour sûr, avec une voracité de cannibales. Il imagina la colère qui serait la leur. Leur père marié à Armida ! À sa bonne ! À une chola ! Au fond de lui, il se mit à rire : oui, la tête qu'ils allaient faire ! Le scandale serait incommensurable. Il pouvait déjà entendre, voir, sentir, le flot de médisances, de conjectures, de blagues, d'inventions qui encombrerait les lignes téléphoniques de Lima. Il avait hâte de raconter la nouvelle à Lucrecia.

— Toi tu t'entends bien avec Fonfon ? — lui demanda son patron, le tirant de ses réflexions —. Quel âge ça lui fait déjà à ton fils ? Quatorze ou quinze ans, non ?

Rigoberto frémit à la pensée que Fonfon puisse devenir comme les enfants d'Ismael. Par bonheur, il n'était pas porté sur la bringue.

— Je m'entends assez bien avec lui — répondit-il —. Et Lucrecia encore mieux que moi. Fonfon l'aime ni plus ni moins que si elle était sa maman.

— Tu as eu de la chance, les rapports d'un fils avec sa belle-mère ne sont pas toujours faciles.

— C'est un bon petit — reconnut don Rigoberto —. Studieux, docile. Mais très solitaire. Il traverse ce moment difficile de l'adolescence. Il est trop replié sur lui-même. J'aimerais le voir plus sociable, qu'il sorte, qu'il tombe amoureux, qu'il aille en soirée.

— C'est ce que faisaient les hyènes, à son âge — se lamenta don Ismael. Aller en soirée, s'amuser. C'est bien mieux pour ton fils d'être comme il est, mon vieux. Ce sont les mauvaises fréquentations qui ont gâté mes enfants.

Rigoberto fut sur le point de raconter à Ismael cette bêtise de Fonfon et les apparitions de ce personnage, Edilberto Torres, que doña Lucrecia et lui appelaient le diable, mais il se retint. À quoi bon, et qui sait comment il le prendrait ! Au début, Lucrecia et lui s'amusaient des prétendues apparitions de ce coquin, applaudissant à l'imagination incandescente du gamin, convaincus que c'était là un autre de ces petits jeux avec lesquels il aimait les surprendre de temps à autre. Mais, maintenant, ils s'en inquiétaient et se tâtaient pour savoir s'ils devaient l'amener voir un psy. Vraiment, il fallait qu'il relise ce chapitre sur le diable du *Docteur Faustus*, de Thomas Mann.

— Je n'arrive encore pas à y croire, Ismael! — s'écriat-il à nouveau, en soufflant sur sa tasse de café —. Tu es vraiment sûr de vouloir faire cela, te marier?

— Aussi sûr que la terre est ronde — affirma son patron —. Ce n'est pas seulement pour donner une leçon à cette paire de forbans. J'ai beaucoup de tendresse pour Armida. Je ne sais pas ce que je serais devenu sans elle. Depuis la mort de Clotilde, son aide a été immense.

— Sauf erreur de ma part, Armida est une femme très jeune — murmura Rigoberto —. Tu as combien d'années de plus qu'elle, si l'on peut savoir?

— Trente-huit, seulement — dit Ismael en riant —. Elle est jeune, oui, et j'espère qu'elle me ressuscitera comme Salomon la jeune fille de la Bible. La Sulamite, non?

— Bon, bon, c'est ton affaire, c'est ta vie — se résigna Rigoberto —. Je ne suis pas expert en conseils. Marie-toi avec Armida et que la fin du monde nous tombe dessus, qu'importe, vieux!

— Si tu veux le savoir, nous nous entendons magnifiquement au lit — se flatta Ismael, en riant, tout en faisant signe au garçon d'apporter l'addition —. Pour plus de précisions, je prends rarement du Viagra, j'en ai à peine besoin. Et ne me demande pas où nous passerons notre lune de miel, parce que je ne te le dirai pas.

III

Felícito Yanaqué reçut la deuxième lettre de la petite araignée peu de temps après la première, un vendredi après-midi, le jour de la semaine où il rendait visite à Mabel. Quand, voilà huit ans, il lui avait installé la petite maison de Castilla, non loin du défunt Puente Viejo victime des ravages d'El Niño[1], il allait la voir deux et même trois fois par semaine ; mais, avec les années, le feu de la passion s'était apaisé et depuis quelque temps il se bornait à ne la voir que le vendredi, en sortant du bureau. Il restait quelques heures avec elle et ils dînaient presque toujours ensemble, dans un chinois voisin ou un restaurant créole du centre. De temps en temps, Mabel cuisinait pour lui un seco de chabelo[2], sa spécialité, que Felícito engloutissait tout content, avec une petite bière bien fraîche.

1. El Niño est un phénomène climatique aux conséquences souvent dramatiques, trombes d'eau en particulier.
2. Le *seco de chabelo*, plat gastronomique de la région de Piura, se prépare avec de la viande séchée et de la banane verte, avec adjonction d'oignon, de tomate, d'ail, de piment…, le tout aromatisé de chicha (dite de jora) et de coriandre hachée.

Mabel conservait sa beauté. Pendant ces huit ans, elle n'avait pas pris un gramme et arborait intacts sa silhouette de gymnaste, sa taille étroite, ses seins fermes et ce rond petit cul dressé qui dansait joyeusement quand elle marchait. Elle était brune, cheveux raides, bouche charnue, dents très blanches, sourire éblouissant et éclats de rire qui répandaient la joie autour d'elle. Felícito la trouvait toujours aussi jolie et séduisante que la première fois qu'il l'avait vue.

C'était arrivé à l'ancien stade, dans le quartier de Buenos Aires, pendant un match historique, vu qu'à cette occasion l'Atlético Grau, qui depuis vingt ans ne se pointait plus en première division, avait affronté et battu rien de moins que l'Alianza Lima. Ce qu'il vit fut un coup de foudre pour le transporteur. «Vous voilà baba, camarade», le blagua Vignolo le Rougeaud, son ami, collègue et concurrent — il était propriétaire des Transports La Perla del Chira — avec qui il allait toujours au foot quand les équipes de Lima et d'autres départements venaient jouer à Piura. «De regarder cette brunette vous fait louper tous les buts qu'ils marquent.» «C'est que j'ai jamais rien vu de si joli», murmura Felícito, en claquant la langue. «C'est une vraie beauté!» Elle se trouvait assez près d'eux, accompagnée d'un jeune homme qui la tenait par les épaules et de temps en temps lui caressait les cheveux. Au bout d'un petit moment, Vignolo le Rougeaud lui chuchota à l'oreille : «Mais ça me revient, je la connais. Elle s'appelle Mabel. Vous avez mis dans le mille, camarade. Celle-là, elle couche.» Felícito eut un sursaut : «Vous êtes en train de me dire, camarade, que cette merveille est une pute ?»

— Pas exactement — rectifia le Rougeaud, en lui donnant un coup de coude —. J'ai dit qu'elle couche, pas qu'elle se prostitue. Coucher et se prostituer, ça fait deux, cher collègue. Mabel est une courtisane, ou quelque chose comme ça. Rien qu'avec quelques privilégiés et chez elle. En leur faisant banquer les yeux de la tête, j'imagine. Voulez-vous que je vous dégote son téléphone ?

Il le lui procura et Felícito, mort de honte — parce que, contrairement à Vignolo le Rougeaud, bambocheur et coureur de jupons depuis tout petit, lui avait toujours mené une vie très austère, consacrée au travail et à sa famille —, l'appela et, non sans mal, convint d'une rencontre avec la jolie courtisane du stade. Elle lui donna d'abord rendez-vous dans un café de l'avenue Grau, le Balalaïka, qui était tout près de ces bancs où se retrouvaient le soir pour prendre le frais ces vieux cancaniers fondateurs du CIVP (Centre d'investigation de la vie privée). Ils prirent le thé et bavardèrent un bon moment. Lui se sentait intimidé devant une fille si belle et si jeune, et se demandait de temps en temps ce qu'il ferait si surgissaient soudain dans le café Gertrudis ou Tiburcio et Miguelito. Comment il les présenterait à Mabel ? Elle jouait avec lui comme le chat avec la souris : « T'es déjà pas mal vieux et usé pour faire la cour à une femme comme moi. En plus de ça, t'es très riquiqui, si j'étais avec toi faudrait que je porte toujours des talons plats. » Elle faisait la coquette avec le transporteur tant qu'elle pouvait, approchant de lui son visage souriant, ses yeux pleins d'étincelles et lui prenant la main ou le bras, un contact qui bouleversait Felícito de la tête aux pieds. Il lui fallut sortir avec Mabel pendant près de trois mois, l'emmener au cinéma, l'inviter à déjeuner, à dîner, à aller en balade à la plage de Yacila et aux chicherías de

Catacaos[1], lui faire beaucoup de cadeaux, depuis des petites médailles et des bracelets jusqu'à des chaussures et des robes qu'elle choisissait elle-même, avant qu'elle lui permette de lui rendre visite dans la petite maison où elle habitait, au nord de la ville, près de l'ancien cimetière de San Teodoro, à un coin de ce dédale de ruelles, de chiens errants et de sable qu'était l'ultime résidu de la Mangachería[2]. Le jour où il coucha avec elle, Felícito Yanaqué, pour la deuxième fois de sa vie, se mit à pleurer (la première avait été le jour de la mort de son père).

— Pourquoi tu pleures, p'tit vieux? Ça t'a donc pas plu?

— J'ai jamais été aussi heureux de ma vie — lui avoua Felícito, en s'agenouillant et en lui baisant les mains —. Jusqu'à présent je savais pas ce que c'était de jouir, je te le jure. Tu m'as fait connaître le septième ciel, Mabelita.

Peu de temps après et sans plus de préambules, il lui proposa de l'installer dans ce qu'à Piura on appelait « la maisonnette » et de lui verser une mensualité pour qu'elle puisse vivre tranquille, sans soucis d'argent, dans un meilleur endroit que ce faubourg plein de chèvres et de Mangaches oisifs et jouant du couteau. Elle, surprise, put seulement dire : « Jure-moi que jamais tu me poseras des questions sur mon passé ni me feras une seule scène

1. *Chicherías* : lieux d'élaboration et de dégustation de la chicha, orgueil de Piura, à tous ses stades de fermentation, et à la fois petits restaurants rustiques. Catacaos est dans cette région un endroit célèbre pour son artisanat (céramiques et bijoux d'or filigrané).
2. La Mangachería fut à Piura le quartier rival de la Gallinacera, avec les mêmes caractéristiques.

de jalousie de toute ta vie. » « Je te le jure, Mabel. » C'est elle qui trouva la petite maison de Castilla, voisine du collège Saint-Jean-Bosco des pères salésiens, et la meubla à son goût. Felícito signa les contrats de location et paya toutes les factures, sans protester pour le prix. Sa mensualité, il la lui remettait ponctuellement, en liquide, le dernier jour du mois, à l'égal des employés et ouvriers des Transports Narihualá. Il s'entendait toujours avec elle sur les jours où il allait la voir. En huit ans, jamais il ne s'était présenté à l'improviste dans la petite maison de Castilla. Il ne voulait pas avoir la mauvaise surprise de se trouver nez à nez avec des pantalons dans la chambre de sa belle. Il ne cherchait pas non plus à savoir ce qu'elle faisait les jours de la semaine où ils ne se voyaient pas. Il devinait, bien sûr, qu'elle prenait ses libertés et il la remerciait en silence de le faire avec discrétion, sans l'humilier. Comment il aurait pu protester pour ça ? Mabel était jeune, gaie, elle avait le droit de s'amuser. C'était déjà beaucoup qu'elle accepte d'être la petite amie d'un homme vieilli, aussi petit et moche que lui. Ce n'était pas que ça lui fût égal, loin de là. Quand, parfois, il apercevait Mabel de loin, sortant d'une boutique ou du cinéma en compagnie d'un homme, son estomac se tordait de jalousie. Quelquefois il avait des cauchemars où Mabel lui annonçait, très sérieuse : « Je vais me marier, ça va être la dernière fois qu'on se voit, p'tit vieux. » S'il avait pu, Felícito se serait marié avec elle. Mais il ne pouvait pas. Non seulement parce qu'il l'était déjà, mais parce qu'il ne voulait pas abandonner Gertrudis, comme sa mère, cette dénaturée, les avait abandonnés son père et lui, là-bas à Yapatera, quand Felícito était encore un nourrisson. Mabel était la seule femme qu'il ait aimée pour de bon.

Gertrudis, il ne l'avait jamais aimée, il s'était marié avec elle par obligation, à cause de cette erreur de sa jeunesse et, peut-être, peut-être, parce que la Commandante et elle lui avaient tendu un drôle de piège. (Une histoire qu'il essayait de ne pas se rappeler, parce que ça le contrariait, mais elle revenait toujours dans sa tête comme un disque rayé.) Malgré ça, il avait été un bon mari. À sa femme et à ses fils il avait donné plus qu'ils ne pouvaient attendre du pauvre diable qu'il était à son mariage. Pour y arriver il avait passé sa vie à travailler comme un esclave, sans jamais prendre de vacances. Son existence avait été faite de ça jusqu'à sa rencontre avec Mabel : trimer, trimer, trimer, en baver jour et nuit pour se faire un petit capital jusqu'à pouvoir ouvrir l'entreprise de transports de ses rêves. Cette fille lui avait fait découvrir que coucher avec une femme pouvait être quelque chose de beau, d'intense, d'émouvant, quelque chose qu'il n'avait jamais imaginé les rares fois où il était allé au lit avec les putes des bordels de la route de Sullana ou avec une occasion qui se présentait — tous les trente-six du mois, d'ailleurs — dans une fête et qui lui durait à peine une nuit. Faire l'amour avec Gertrudis avait toujours été quelque chose d'expéditif, une nécessité physique, une formalité pour calmer l'appétit. Ils avaient cessé de dormir ensemble au moment où Tiburcio était né, il y avait de ça la bagatelle de vingt ans et quelques. Quand il entendait Vignolo le Rougeaud raconter ses coucheries à droite et à gauche, Felícito était stupéfait. En comparaison avec son camarade, il avait vécu comme un moine.

Mabel l'accueillit en peignoir, affectueuse et babillarde comme d'habitude. Elle venait de regarder un épisode du feuilleton télé du vendredi et elle le lui commenta tout en le tirant par la main vers la chambre. Les persiennes étaient déjà fermées et le ventilateur en marche. Elle avait mis le chiffon rouge autour de la lampe, parce que Felícito aimait bien la contempler nue dans cette atmosphère rougeâtre. Elle l'aida à se déshabiller et à s'allonger sur le dos dans le lit. Mais, contrairement à d'autres fois, à toutes les autres fois, cette fois-ci le sexe de Felícito Yanaqué ne donna pas le moindre signe de vouloir durcir. Il restait là, petit et honteux, enveloppé dans ses plis, indifférent aux caresses que lui prodiguaient les doigts chaleureux de Mabel.

— Qu'est-ce qu'il a celui-là aujourd'hui, p'tit vieux? — dit-elle avec surprise, en serrant le sexe mou de son amant.

— Ça doit être que je me sens pas très bien — s'excusa Felícito, mal à l'aise —. Possible que je couve un refroidissement. J'ai eu mal à la tête toute la journée et par moments je sens des frissons.

— Je vais te préparer un thé au citron bien chaud et après je te ferai des câlins pour voir si on réveille ce paresseux — Mabel sauta du lit et remit son peignoir —. Me fais pas le coup de t'endormir toi aussi, p'tit vieux.

Mais quand elle revint de la cuisine avec la tasse de thé fumante et un Panadol à la main, Felícito s'était rhabillé. Il l'attendait assis dans le petit salon aux coussins grenat à fleurs, blotti et grave sous le tableau éclairé du Sacré-Cœur de Jésus.

— Toi t'as quelque chose de plus que le refroidissement — dit Mabel, en s'accroupissant à côté de lui et en le scrutant de façon théâtrale —. Ça serait pas que je te

57

plais plus ? Tu te serais pas amouraché d'une petite Piurana de par ici ?

Felícito fit non de la tête, lui prit la main et la baisa.

— Je t'aime plus que personne au monde, Mabelita — affirma-t-il, avec tendresse —. Je retomberai plus jamais amoureux de personne, je sais très bien que je trouverais nulle part une femme comme toi.

Il soupira et sortit de sa poche la lettre de la petite araignée.

— J'ai reçu cette lettre et ça me tracasse beaucoup — dit-il, en la lui tendant —. J'ai confiance en toi, Mabel. Lis-la et dis-moi ce que tu en penses.

Mabel lut et relut, très lentement. Le petit sourire qui voltigeait toujours sur son visage s'éclipsa peu à peu. Ses yeux se remplirent d'inquiétude.

— Faudra que t'ailles à la police, non ? — dit-elle enfin, hésitante. On la sentait troublée —. C'est un chantage et faudra que tu portes plainte, j'imagine.

— Je suis déjà allé au commissariat. Mais ça les a pas intéressés. Parole, je sais pas quoi faire, amour. Le sergent de la police avec qui j'ai parlé m'a dit quelque chose qu'est peut-être vrai. Que, comme y a tant de progrès maintenant à Piura, les délits augmentent eux aussi. On voit apparaître des bandes de malfaiteurs qui rackettent les commerçants et les entreprises. Je l'avais déjà entendu dire. Mais j'ai jamais pensé que ça pouvait tomber sur moi. Je t'avoue que j'ai la tête un peu à l'envers, Mabelita. Je sais pas quoi faire.

— Tu vas pas aller leur donner l'argent qu'ils te demandent ceux-là, non, p'tit vieux ?

— Pas un seul centavo, bien entendu que non. Moi je

me laisse marcher dessus par personne, de ça tu peux être sûre.

Il lui raconta qu'Adelaida lui avait conseillé de céder aux maîtres chanteurs.

— Je crois que c'est la première fois de ma vie que je vais pas suivre l'inspiration de mon amie la santera.

— Quel gros naïf tu es, Felícito ! — réagit Mabel, contrariée —. Demander conseil à la sorcière pour une chose si délicate. Je sais pas comment tu peux avaler les couleuvres qu'elle te sert, cette grosse maligne.

— Avec moi elle s'est jamais trompée — Felícito regretta de lui avoir parlé d'Adelaida alors qu'il savait que Mabel la détestait —. T'en fais pas, cette fois je suivrai pas son conseil. Je peux pas. Je le ferai pas. C'est peut-être ça qui me rend un peu malade. Il me semble qu'un malheur est en train de me tomber dessus.

Mabel était devenue très sérieuse. Felícito vit ses jolies lèvres rouges se froncer, nerveusement. Elle leva une main et lui lissa les cheveux, lentement.

— Je voudrais pouvoir t'aider, p'tit vieux, mais je sais pas comment.

Felícito lui sourit, en acquiesçant. Il se leva, indiquant qu'il avait décidé de partir.

— Tu veux pas que je m'habille et qu'on aille au cinéma ? Ça te changera les idées un moment, allez, courage.

— Non, mon amour, j'ai pas le courage d'aller voir des films. Un autre jour. Pardonne-moi. Je vais me mettre au lit, plutôt. Parce que le refroidissement c'est vrai.

Mabel l'accompagna à la porte et l'ouvrit, pour le laisser sortir. Et, alors, avec un petit sursaut, Felícito vit l'enveloppe collée contre la sonnette de la maison. Elle était blanche, pas bleue comme la première, et plus petite. Il devina à l'instant de quoi il s'agissait. Il y avait des gosses en train de faire danser des toupies sur le trottoir, tout près. Avant d'ouvrir l'enveloppe, Felícito alla leur demander s'ils avaient vu qui l'avait mise là. Les gamins se regardèrent entre eux, surpris, et haussèrent les épaules. Aucun n'avait rien vu, bien sûr. Quand il revint vers la maison, Mabel était très pâle et une petite lueur d'angoisse scintillait au fond de ses yeux.

— Tu crois que...? — murmura-t-elle, en se mordant les lèvres. Elle regardait l'enveloppe blanche pas encore ouverte comme si celle-ci pouvait la mordre.

Felícito entra, alluma la lumière du petit couloir et, Mabel pendue à son bras et tendant le cou pour lire ce qu'il lisait, il reconnut les lettres majuscules toujours à l'encre bleue :

Monsieur Yanaqué :

Vous avez fait une erreur en allant au commissariat, malgré la recommandation que notre organisation vous avait faite. Nous voulons, nous autres, que cette affaire se règle de manière privée, à travers un dialogue. Mais vous, vous nous déclarez la guerre. Vous l'aurez, si c'est votre préférence. Dans ce cas, nous pouvons vous annoncer que vous finirez par perdre. Et par le regretter. Vous allez avoir très vite des preuves que nous sommes capables de répondre à vos provocations. Ne vous obstinez pas, nous le disons pour votre bien. Ne mettez pas en danger ce que vous avez obtenu en trimant tant d'années comme un forçat, monsieur Yanaqué. Et, surtout, ne recommencez pas à vous

plaindre à la police, parce que vous vous en mordrez les doigts.
Vous l'aurez voulu.

Dieu vous garde.

Le dessin de la petite araignée qui jouait le rôle de signature était identique à celui de la première lettre.

— Mais, pourquoi ils l'ont mise ici, à ma maison ? — balbutia Mabel, en lui serrant très fort le bras. Il la sentait trembler des pieds à la tête. Elle avait pâli.

— Pour me faire savoir qu'ils connaissent ma vie privée, pourquoi sinon ? — Felícito passa son bras sur son épaule et l'étreignit. Il la sentit frissonner et ça lui fit de la peine. Il l'embrassa dans les cheveux —. Tu sais pas comme je regrette qu'à cause de moi tu te voies mêlée à cette affaire, Mabelita. Fais très attention, amour. N'ouvre pas la porte sans regarder avant par le judas. Et, plutôt, sors pas seule le soir jusqu'à ce que tout ça soit terminé. Allez savoir de quoi ces individus sont capables.

Il l'embrassa encore dans les cheveux et lui chuchota à l'oreille avant de partir : « Sur la mémoire de mon père, le plus sacré que j'aie, je te jure que personne te fera jamais de mal, mon petit amour. »

Pendant les quelques minutes qu'il passa à parler aux gamins qui faisaient danser des toupies, la nuit tomba. Les maigres lumières des alentours éclairaient à peine les trottoirs pleins de trous et de bosses. Il entendit des aboiements et une musique obsédante, comme si quelqu'un accordait une guitare. La même note, encore et encore. Bien qu'en trébuchant, il marchait vite. Il traversa presque en courant l'étroit pont suspendu, maintenant réservé aux piétons, et se rappela que, dans son enfance, ces éclats nocturnes qui se reflétaient dans l'eau de la rivière Piura lui faisaient peur, le faisaient penser à tout un monde de diables et de fantômes au fond des eaux. Il ne répondit pas au salut d'un couple qui venait en direction opposée. Il lui fallut presque une demi-heure pour arriver au commissariat de l'avenue Sánchez Cerro. Il transpirait et son agitation l'empêchait presque de parler.

— Ce sont pas des heures de réception du public — lui dit le tout jeune agent de l'entrée —. À moins qu'il s'agisse de quelque chose de très urgent, monsieur.

— C'est urgent, très très urgent — bredouilla Felícito —. Je peux parler au sergent Lituma ?

— Qui je dois annoncer ?

— Felícito Yanaqué, des Transports Narihualá. Je suis venu ici y a quelques jours, pour déposer une plainte. Dites-lui qu'il s'est passé quelque chose de très grave.

Il dut attendre un bon moment, en pleine rue, avec dans les oreilles une rumeur de voix masculines qui disaient des cochonneries à l'intérieur du poste de police. Il vit apparaître une lune dans son dernier quartier au-dessus des toits avoisinants. Tout son corps brûlait, comme s'il était dévoré de fièvre. Il se rappela les tremblements de son père quand il avait ses crises de paludisme, là-bas à Chulucanas, et qu'il se les soignait par la sudation, enveloppé dans un tas de vieilles couvertures. Mais lui ce n'était pas la température mais la colère qui le faisait frissonner. Enfin, le petit jeune imberbe revint et le fit entrer. La lumière de l'intérieur du local était aussi maigre et triste que celle des rues de Castilla. Cette fois, l'agent ne le guida pas vers le minuscule cagibi du sergent Lituma mais vers un bureau plus grand. Le sergent s'y trouvait avec un officier — un capitaine, ça se voyait aux trois galons des épaulettes de sa chemise —, large d'épaules, court sur pattes et à moustache. Il regarda Felícito d'un air renfrogné. Sa bouche ouverte montrait des dents jaunes. Apparemment, il avait interrompu une partie de dames entre les deux policiers. Le transporteur allait parler, mais le capitaine l'arrêta d'un geste :

— Je connais votre cas, monsieur Yanaqué, le sergent m'a mis au courant. J'ai lu cette lettre avec une petite araignée qu'on vous a envoyée. Vous l'avez sans doute oublié, mais on a fait connaissance à un déjeuner du Rotary Club, au Centro piurano, il y a quelque temps. Il y avait de bons cocktails à la liqueur de caroube, il me semble.

Sans rien dire, Felícito posa la lettre sur le plateau de dames, en éparpillant les pions. Il sentait que la fureur lui était montée au cerveau et l'empêchait presque de penser.

— Asseyez-vous avant d'avoir un infarctus, monsieur Yanaqué — se moqua le capitaine, en lui désignant une chaise. Il mordillait les pointes de sa moustache et avait un petit ton suffisant et provocateur —. Ah, au cas où, vous n'avez pas pensé à nous dire bonsoir. Je suis le capitaine Silva, le commissaire, à votre service.

— Bonsoir — articula Felícito, la voix étranglée par l'irritation —. On vient de m'envoyer une autre lettre. J'exige une explication, messieurs les policiers.

Le capitaine lut, en approchant le papier de sa lampe de bureau. Puis il le passa au sergent Lituma, en murmurant : « Allons, cela se corse. »

— J'exige une explication — répéta Felícito, en

63

suffoquant — : Comment les bandits ils savaient que je suis venu au commissariat dénoncer cette lettre anonyme ?

— De beaucoup de façons, monsieur Yanaqué — le capitaine Silva haussa les épaules, en le regardant avec pitié —. Parce qu'ils vous ont suivi jusqu'ici, par exemple. Parce qu'ils vous connaissent et savent que vous n'êtes pas homme à vous laisser faire du chantage et que vous allez courir dénoncer la chose à la police. Ou parce que quelqu'un à qui vous avez dit que vous aviez porté plainte le leur a raconté. Ou parce que, si ça se trouve, c'est nous qui sommes les auteurs de ces lettres anonymes, les misérables qui veulent vous racketter. Vous y avez pensé, non ? C'est sans doute pour ça que vous êtes de si mauvaise humeur, che guá, comme on dit chez vous.

Felícito réprima son envie de lui répondre que oui. À cet instant, il éprouvait plus de colère contre les deux policiers que contre les auteurs des lettres à la petite araignée.

— Vous l'avez aussi trouvée sur la porte de chez vous ?

Son visage brûlait tandis qu'il répondait, en cachant son trouble :

— Ils l'ont mise sur la porte de la maison d'une personne à qui je rends visite.

Lituma et le capitaine Silva échangèrent un petit regard.

— Ça veut dire qu'ils connaissent votre vie à fond, alors, monsieur Yanaqué — commenta avec une lenteur malicieuse le capitaine Silva —. Ces coquins savent même à qui vous rendez visite. Ils ont fait un bon travail d'espionnage, apparemment. D'où nous pouvons déjà déduire que ce sont des professionnels, non des amateurs.

— Et maintenant qu'est-ce qui va se passer ? — dit le transporteur. À la rage qu'il éprouvait un moment plus tôt avait succédé un sentiment de tristesse et d'impuissance. C'était injuste, c'était cruel, ce qui lui arrivait. De quoi et pourquoi on le punissait de là-haut ? Quel mal il avait fait, Dieu du ciel ?

— Maintenant ils vont essayer de vous flanquer une bonne frousse, pour vous forcer à filer doux — affirma le capitaine, comme s'il parlait de la douceur du soir —. Pour vous faire croire qu'ils sont puissants et intouchables. Et, vlan, ils commettront là leur première erreur. Alors, on commencera à les suivre à la trace. Patience, monsieur Yanaqué. Même si vous ne le croyez pas, les choses sont bien engagées.

— Ça c'est facile à dire quand on les regarde de son fauteuil — philosopha le transporteur —. Pas quand on reçoit des menaces qui vous bouleversent la vie et vous la mettent la tête en bas. Vous voulez que j'aie de la patience pendant que ces sauvages ils préparent une horreur contre moi ou contre ma famille pour me faire filer doux ?

— Apporte un verre d'eau à M. Yanaqué, Lituma — ordonna au sergent le capitaine Silva avec la goguenardise dont il avait fait preuve jusque-là —. Je ne veux pas qu'il tombe dans les pommes, parce qu'alors on nous accuserait de violer les droits humains d'un respectable entrepreneur de Piura.

C'était pas une plaisanterie ce que disait ce flic, pensa Felícito. Oui, il pouvait avoir un infarctus et tomber raide ici même, sur ce sol sale plein de mégots. Triste mort, dans un commissariat, malade de frustration, par la faute de fils de pute sans figure et sans nom qui se moquaient de lui, en dessinant des petites araignées. Il se rappela son père et fut ému en évoquant le visage dur, crevassé comme à coups de couteau, toujours sérieux, très foncé, les cheveux hirsutes et la bouche sans dents de son géniteur. « Qu'est-ce que je dois faire, père ? Je sais, pas me laisser marcher dessus, pas leur donner un seul centavo de ce que j'ai gagné honnêtement. Mais, quel autre conseil vous me donneriez si vous étiez vivant ? Passer mon temps à attendre la prochaine lettre anonyme ? Ça me démolit les nerfs, père. » Pourquoi il lui avait toujours dit père et jamais papa ? Même dans ces dialogues secrets qu'il avait avec lui il n'osait pas le tutoyer. Comme ses fils en s'adressant à lui. Parce que ni Tiburcio ni Miguel ne lui avaient jamais dit tu. Alors qu'ils tutoyaient tous les deux leur mère.

— Vous vous sentez mieux, monsieur Yanaqué ?

— Oui, merci — il but une autre petite gorgée du verre d'eau que lui avait apporté le sergent et se mit debout.

— Communiquez-nous tout élément nouveau sur-le-champ — l'encouragea le capitaine, en guise d'adieu —. Faites-nous confiance. Votre cas est maintenant le nôtre, monsieur Yanaqué.

Les mots de l'officier lui semblèrent ironiques. Il sortit du commissariat profondément déprimé. Tout le chemin jusqu'à sa maison par la rue Arequipa, il le fit lentement, collé au mur. Il avait la désagréable impression que quelqu'un le suivait, quelqu'un que ça amusait de penser qu'il le démolissait peu à peu en le plongeant dans l'insécurité et l'incertitude, un salaud de bâtard très sûr que tôt ou tard il aurait le dessus sur lui. « Tu te trompes, putain de ta mère », murmura-t-il.

Chez lui, Gertrudis fut surprise qu'il rentre si tôt. Elle lui demanda si le comité directeur de l'Association des Transporteurs de Piura, dont Felícito était membre, avait annulé le repas du vendredi soir, au Club Grau. Est-ce que Gertrudis se doutait de l'existence de Mabel? Difficile qu'elle ne s'en doute pas. Mais, pendant ces huit ans, elle ne lui avait jamais donné la plus petite preuve que ce soit comme ça : ni une plainte, ni une scène, ni une pique, ni une allusion. Il était impossible qu'il ne lui soit pas parvenu des rumeurs, des ragots, selon quoi il avait une petite amie. Piura était un vrai mouchoir de poche. Tout le monde connaissait les affaires de tout le monde, principalement celles de lit. Peut-être qu'elle savait et préférait le cacher pour s'éviter des complications et avoir la paix. Mais, parfois, Felícito se disait que non, qu'avec la vie de nonne que menait sa femme, sans parents, ne sortant que pour aller à la messe ou aux neuvaines et rosaires de la cathédrale, on ne pouvait écarter qu'elle ne se soit rendu compte de rien.

— Je suis rentré plus tôt parce que je me sens pas très bien. Je crois que je couve un refroidissement.

— Alors, t'as pas dû manger. Tu veux que je te prépare quelque chose? Je le ferai moi, Saturnina est déjà partie.

— Non, j'ai pas faim. Je vais regarder un petit moment la télé et me mettre au lit. Quoi de neuf?

— J'ai reçu une lettre de ma sœur Armida, de Lima. Il paraît qu'elle va se marier.

— Ah, bon, faudra lui envoyer un cadeau, alors — Felícito ne savait même pas que Gertrudis avait une sœur là-bas à la capitale. Première nouvelle. Il essaya de se rappeler. Ça serait pas des fois cette toute petite fille sans

souliers qui courait par-ci par-là à la pension El Algarrobo[1], là où il avait connu sa femme ? Non, cette gamine
c'était la fille d'un camionneur qui s'appelait Argimiro
Trelles et qui avait perdu sa femme.

Gertrudis acquiesça et s'éloigna en direction de sa
chambre. Depuis que Miguel et Tiburcio étaient partis
habiter seuls, Felícito et son épouse dormaient à part. Il
vit la masse sans formes de sa femme disparaître dans le
petit patio plongé dans l'obscurité autour duquel se trouvaient les chambres à coucher, la salle à manger, le petit
salon et la cuisine. Il ne l'avait jamais aimée comme on
aime une femme, mais il avait de l'affection pour elle,
mêlée d'un peu de pitié, car, même si elle ne se plaignait
pas, Gertrudis devait se sentir très frustrée avec un mari
si froid et si indifférent. Il ne pouvait en être autrement
dans un mariage qui n'avait pas résulté d'un sentiment,
mais d'une cuite et d'une baise presque à l'aveuglette.
Ou, qui sait ? C'était un sujet que Felícito faisait tout son
possible pour oublier, mais qui lui revenait de temps en
temps à la mémoire et lui foutait la journée en l'air.
Gertrudis était la fille de la patronne d'El Algarrobo, une
petite pension bon marché de la rue Ramón Castilla,
dans la zone qui était alors la plus pauvre d'El Chipe, où
descendaient beaucoup de camionneurs. Felícito avait
couché avec elle deux fois, presque sans s'en rendre
compte, au cours de deux nuits de bringue et de gnôle. Il
l'avait fait comme ça, parce qu'elle était là et qu'elle était
femme, non parce que la jeune fille lui aurait plu. Elle ne
plaisait à personne, à qui aurait-elle pu plaire, cette petite
femelle à moitié bigleuse, mal foutue, qui sentait toujours

1. Littéralement : Le Caroubier.

l'ail et l'oignon ? À la suite d'une de ces deux baises sans amour et presque sans envie, Gertrudis était tombée enceinte. C'est, du moins, ce qu'elles dirent à Felícito, elle et sa mère. La patronne de la pension, doña Luzmila, que les chauffeurs appelaient la Commandante, le dénonça à la police. Il dut aller déposer et devant le commissaire il reconnut qu'il avait couché avec cette mineure. Il accepta de se marier parce qu'il avait des remords qu'un enfant de lui naisse sans être reconnu et parce qu'il goba l'histoire. Ensuite, après la naissance de Miguelito, il commença à avoir des doutes. Était-il son fils, vraiment ? Il n'avait jamais tiré les vers du nez à Gertrudis, bien sûr, ni parlé de cela avec Adelaida ni avec personne. Mais toutes ces années il avait vécu avec le soupçon qu'il ne l'était pas. Parce qu'il n'était pas le seul à coucher avec la fille de la Commandante dans ces petites fêtes qui se tenaient le samedi à El Algarrobo. Miguel ne lui ressemblait en rien, c'était un garçon à la peau blanche et aux yeux clairs. Pourquoi Gertrudis et sa mère l'avaient-elles rendu responsable ? Peut-être parce qu'il était célibataire, brave type, travailleur, et parce que la Commandante voulait marier sa fille à tout prix. Peut-être le vrai père de Miguel était-il un homme marié ou un petit Blanc à la mauvaise réputation. De temps à autre cette histoire revenait lui détraquer l'humeur. Il n'avait jamais laissé personne le remarquer, à commencer par Miguel lui-même. Il avait toujours agi avec lui comme s'il était son propre fils autant que Tiburcio. S'il l'avait envoyé à l'armée, c'était pour lui faire du bien, parce qu'il commençait à mal se conduire. Jamais il n'avait montré de préférence pour son fils cadet. Lui si, il était son portrait craché, un cholo de Chulucanas des pieds à la tête, sans trace de clair ni au visage ni sur le corps.

Gertrudis avait été une femme travailleuse et dévouée dans les années difficiles. Et aussi après, quand Felícito avait pu ouvrir les Transports Narihualá et que les choses s'étaient améliorées. Bien qu'ils aient maintenant une maison confortable, une bonne et des revenus sûrs, elle continuait à vivre avec l'austérité des années où ils étaient pauvres. Elle ne lui demandait jamais d'argent pour quelque chose de personnel, seulement le montant de la nourriture et des dépenses de tous les jours. Lui devait insister, de temps en temps, pour qu'elle s'achète des souliers ou une robe. Elle se les achetait, mais elle continuait à mettre des sandales et cette longue blouse de maison qui ressemblait à une soutane. Quand était-elle devenue si religieuse ? Au commencement elle n'était pas comme ça. Il avait l'impression qu'avec les années Gertrudis s'était changée en une espèce de meuble, qu'elle avait cessé d'être une personne vivante. Ils passaient des jours entiers sans se dire un mot en dehors de bonjour et bonsoir. Sa femme n'avait pas d'amies, elle ne faisait ni ne recevait de visites, elle n'allait même pas voir ses fils quand les jours passaient sans qu'ils viennent la voir. Tiburcio et Miguel débarquaient à la maison de temps à autre, toujours pour les anniversaires et la Noël, et alors elle se montrait affectueuse avec eux, mais, à part ces occasions, elle n'avait pas l'air non plus de s'intéresser beaucoup à ses fils. Quelquefois, Felícito lui proposait d'aller au cinéma, de faire un tour sur la jetée ou d'écouter la fanfare du dimanche sur la place d'Armes, après la messe de midi. Elle acceptait docilement, mais c'étaient des sorties où ils se parlaient à peine et il lui semblait que

Gertrudis était impatiente de retourner à la maison, de s'asseoir dans son fauteuil à bascule, au bord du petit patio, près de la radio ou de la télé où elle cherchait toujours des émissions religieuses. Autant que Felícito s'en souvînt, jamais il n'avait eu une dispute ni une brouille avec cette femme qui se pliait toujours à sa volonté avec une soumission totale.

Il resta un moment au petit salon, à écouter les infos. Crimes, agressions, kidnappings, les choses habituelles. Au milieu des infos, il en entendit une qui lui fit dresser les cheveux sur la tête. Le présentateur racontait qu'une nouvelle façon d'attaquer les autos devenait à la mode chez les voleurs de voitures de Lima. C'était de profiter d'un feu rouge pour jeter un rat vivant à l'intérieur d'une auto conduite par une femme. Morte de peur et de dégoût, elle lâchait le volant et sortait à toute allure de son véhicule en poussant des cris. Alors les voleurs n'avaient plus qu'à s'emparer tranquillement de la voiture. Un rat vivant sur les genoux, quelle saleté ! La télé intoxiquait les gens avec tant de sang et d'ordure. D'habitude, au lieu des infos, il mettait un disque de Cecilia Barraza[1]. Mais, ce soir-là, il suivit avec inquiétude le commentaire de ce présentateur de *24 Heures* qui affirmait que la délinquance grandissait dans tout le pays. « C'est pas à moi qu'il faut le dire », pensa-t-il.

Il alla se coucher vers onze heures et, bien que, sans doute à cause des émotions fortes de la journée, il se fût endormi tout de suite, il se réveilla à deux heures du

1. Cecilia Barraza est, depuis 1971, année où elle fut admirée et lancée par la célèbre chanteuse Chabuca Granda, une très populaire interprète de musique créole, ainsi que des autres expressions musicales du Pérou.

matin. À peine put-il refermer l'œil. Il était assailli par des craintes, une impression de catastrophe et, surtout, l'angoisse de se sentir inutile et impuissant face à ce qui lui arrivait. Quand il s'assoupissait, sa tête bouillonnait d'images de maladies, d'accidents et de malheurs. Il eut un cauchemar avec des araignées.

Il se leva à six heures. À côté de son lit, se regardant dans la glace, il fit les exercices de qi gong, en se souvenant comme d'habitude de son maître, le pulpero Lao. La posture de l'arbre qui se balance en avant et en arrière, de gauche à droite et en rond, poussé par le vent. Les pieds bien plantés dans le sol et en essayant de faire le vide dans sa tête, il se balançait, cherchant le centre. Chercher le centre. Ne pas oublier le centre. Lever les bras et les abaisser très lentement, une petite pluie qui tombait du ciel en rafraîchissant son corps et son âme, en apaisant ses nerfs et ses muscles. Maintenir le ciel et la terre à leur place et les empêcher de se toucher, avec les bras — un en l'air, arrêtant le ciel, et l'autre en bas, retenant la terre — et, ensuite, se masser les bras, le visage, les reins, les jambes, pour éliminer les tensions accumulées dans tous les endroits de son corps. Ouvrir les eaux avec les mains et les joindre. Réchauffer la région lombaire par un doux et lent massage. Ouvrir les bras comme un papillon déploie ses ailes. Au début, l'extraordinaire lenteur des mouvements, cette respiration au ralenti qui devait promener l'air dans tous les recoins de l'organisme, l'impatientait ; mais avec les années il s'était habitué. Il comprenait maintenant que c'était dans cette lenteur que résidait le bienfait qu'apportaient à son corps et à son esprit cette délicate et profonde inspiration-expiration, ces mouvements par lesquels, dressant une

main et tendant l'autre contre le sol, les genoux légèrement pliés, il tenait les astres du firmament à leur place et
empêchait l'apocalypse. Quand, à la fin, il ferma les yeux
et resta quelques minutes immobile, les mains jointes
comme s'il priait, une demi-heure avait passé. Déjà on
voyait aux fenêtres cette lumière claire et blanche des
petits matins de Piura.

De grands coups sur la porte d'entrée interrompirent
son qi gong. Il alla ouvrir, pensant que ce matin-là
Saturnina avait pris de l'avance, vu qu'elle n'arrivait
jamais avant sept heures. Mais c'est Lucindo qu'il trouva
sur le seuil lorsqu'il ouvrit la porte d'entrée.

— Courez, courez, don Felícito — le petit aveugle du
coin était tout agité —. Un monsieur m'a dit que vos
bureaux de l'avenue Sánchez Cerro ils sont en train de
brûler, qu'il faut appeler les pompiers et y aller au triple
galop.

IV

Le mariage d'Ismael et Armida fut le plus bref et le plus dépourvu d'invités que Rigoberto et Lucrecia pussent se rappeler, tout en leur réservant plus d'une surprise. Il eut lieu un matin très tôt, au district liménien de Chorrillos, à l'heure où dans la rue les écoliers en uniforme gagnaient leur collège et les employés de Barranco, Miraflores et Chorrillos se hâtaient au travail en taxis collectifs, voitures et bus. Ismael, qui avait pris toutes les précautions nécessaires pour que ses fils ne le sachent pas à l'avance, avait seulement la veille averti Rigoberto d'avoir à se présenter à la mairie de Chorrillos, accompagné de son épouse s'il le désirait, à neuf heures pile du matin, muni de ses papiers d'identité. Quand ils arrivèrent à la mairie, les fiancés étaient déjà là, ainsi que Narciso, qui avait revêtu pour l'occasion costume sombre, chemise blanche et cravate bleue étoilée d'or.

Ismael était vêtu de gris, avec son élégance coutumière, et Armida était en tailleur et souliers neufs. L'air gênée et troublée, elle donnait du « madame » à doña Lucrecia, bien que celle-ci en l'embrassant lui eût demandé de la tutoyer — « Maintenant toi et moi nous allons être deux

74

bonnes amies, Armida » —, ce qui était difficile, voire impossible pour l'ex-domestique.

La cérémonie fut très rapide ; le maire lut à la va-comme-je-te-pousse les devoirs et obligations des conjoints et, sitôt achevée la lecture, les témoins signèrent le registre. Place aux embrassades et effusions de rigueur. Mais tout restait froid et, pensait Rigoberto, feint et artificiel. La surprise intervint quand, au sortir de l'hôtel de ville, Ismael s'adressa à Rigoberto et Lucrecia avec un petit sourire narquois : « Et maintenant, mes amis, si vous êtes libres, je vous invite à la cérémonie religieuse. » Ils se mariaient aussi à l'église ! « Les choses sont plus sérieuses qu'il n'y paraît », commenta Lucrecia, tandis qu'ils se dirigeaient vers l'ancienne petite église de Notre-Dame du Carmen de la Legua, à la lisière du quartier de Callao, où fut célébré le mariage catholique.

— La seule explication c'est que ton ami Ismael soit zinzin et mordu pour de bon — ajouta Lucrecia —. Ne serait-il pas gaga, des fois ? Pourtant on ne le dirait pas. Qui peut comprendre ça, mon Dieu ? Pas moi, en tout cas.

Tout était préparé aussi à l'église où, disait-on, à l'époque coloniale les voyageurs qui se rendaient de Callao à Lima faisaient toujours une halte pour demander à la très sainte Vierge du Carmen de les protéger des bandits de grand chemin qui pullulaient alors sur les terrains vagues entre le port et la capitale de la vice-royauté. Le cureton ne mit pas plus de vingt minutes à unir et à bénir les jeunes mariés. Il n'y eut pas de réjouissances, ni de toasts, juste à nouveau les félicitations de Narciso, Rigoberto et Lucrecia au couple et les embrassades. C'est à ce moment-là seulement qu'Ismael leur révéla qu'Armida et lui se rendraient tout aussitôt à l'aéroport pour entreprendre leur lune de miel. Leurs bagages étaient déjà dans le coffre de la voiture. « Mais ne me demandez pas où nous allons, je ne vous le dirai pas. Ah, et avant que j'oublie… Ne manquez pas de consulter demain le carnet mondain d'*El Comercio*. Vous y lirez le faire-part annonçant à toute la bonne société liménienne notre mariage. » Il éclata de rire avec un clin d'œil coquin. Armida et lui partirent immédiatement, conduits par Narciso qui, de témoin qu'il était, redevenait le chauffeur de don Ismael Carrera.

— Je n'arrive pas encore à y croire — dit une fois de plus Lucrecia en regagnant avec Rigoberto leur maison de Barranco par le front de mer de la Costanera[1] —. Tu ne trouves pas à tout ça un petit air de jeu, de théâtre, de pantomime ? Enfin, je ne sais trop quoi, mais pas de quelque chose qui arrive vraiment dans la vie réelle.

— Oui, oui, tu as raison — acquiesça son mari —. Le spectacle de ce matin donnait une impression d'irréalité. Bon, Ismael et Armida partent maintenant prendre du bon temps. Et échapper à ce qui va venir. À ce qui va nous tomber sur la tête, à nous qui restons ici, je veux dire. Il vaudrait mieux nous en aller au plus vite en Europe, nous aussi. Pourquoi ne pas avancer notre voyage, Lucrecia ?

— Non, impossible tant qu'il y a ce problème avec Fonfon — dit Lucrecia —. Tu partirais, toi, sans remords en ce moment, en le laissant seul, avec cet embrouillamini qu'il a dans la tête ?

— Bien sûr que non — se reprit don Rigoberto —.

---

1. La Costanera est une avenue de 2,5 km qui relie Callao à Lima.

Sans ces maudites apparitions, j'aurais déjà acheté nos billets. Tu ne peux pas savoir la joie que je me fais de ce voyage, Lucrecia. J'ai étudié l'itinéraire à la loupe et dans ses moindres détails. Tu vas être ravie, tu verras.

— Les jumeaux vont l'apprendre seulement demain, par le faire-part dans la presse — calcula Lucrecia —. Quand ils sauront que les tourtereaux se sont envolés, la première personne à qui ils vont demander des explications c'est toi, j'en suis plus que sûre.

— Évidemment — acquiesça Rigoberto —. Mais comme cela n'arrivera que demain, faisons en sorte qu'aujourd'hui soit un jour de paix et de tranquillité absolues. Ne parlons plus des hyènes, s'il te plaît.

Ils tâchèrent de s'y tenir. Que ce soit pendant le déjeuner, l'après-midi ou le soir au dîner, ils se gardèrent de mentionner les enfants d'Ismael Carrera. Quand Fonfon rentra du collège, ils l'informèrent de la noce. Le gosse, qui, depuis ses rencontres avec Edilberto Torres, avait toujours l'air distrait et comme plongé dans des préoccupations intimes, ne sembla pas accorder la moindre importance à la chose. Il les écouta, sourit poliment et alla s'enfermer dans sa chambre car, dit-il, il avait beaucoup de devoirs à faire. Mais, quoique Rigoberto et Lucrecia n'eussent pas mentionné les jumeaux de tout le reste du jour, ils savaient bien que, quoi qu'ils fissent, quoi qu'ils dissent, l'inquiétude était toujours là au fond de leur esprit : comment réagiraient-ils en apprenant le mariage de leur père ? Ce ne serait évidemment pas une réaction de gens civilisés et rationnels, ce n'était pas pour rien qu'on les traitait d'hyènes, un surnom qui leur allait comme un gant et qu'ils avaient acquis dans leur quartier quand ils étaient encore en culottes courtes.

Après le dîner, Rigoberto s'enferma dans son bureau et se prépara, une fois de plus, à jouer à la tribune des critiques de disques, un jeu qui le passionnait, parce qu'il mobilisait son attention et lui faisait oublier tout le reste. Cette fois il écouta et compara deux enregistrements de l'une de ses partitions préférées : le *Concerto n° 2 pour piano et orchestre*, opus 83, de Johannes Brahms, par le Philharmonique de Berlin, dirigé dans le premier disque par Claudio Abbado avec Maurizio Pollini comme soliste, et, dans le second, par Sir Simon Rattle au pupitre avec Yefim Bronfman au piano. Les deux versions étaient superbes. Il n'avait jamais pu se décider entre l'une et l'autre ; il trouvait chaque fois que toutes deux, bien que différentes, étaient pareillement inégalables. Mais, ce soir-là, il se produisit quelque chose avec l'interprétation de Bronfman, au début du deuxième mouvement — *Allegro appassionato* —, qui décida de son choix : il sentit ses yeux se mouiller. Il avait rarement pleuré en écoutant un concerto : était-ce Brahms, était-ce le pianiste, était-ce l'état d'hypersensibilité dans lequel l'avaient mis les événements de cette journée ?

Au moment de se coucher, il se sentit tel qu'il le désirait : très las mais tout à fait serein. Ismael, Armida, les hyènes, Edilberto Torres semblaient fort loin de lui, rejetés en arrière, abolis. Dormirait-il donc d'une traite ? Quel espoir ! Après s'être un moment tourné et retourné dans son lit, dans la chambre presque dans l'obscurité, n'eût été la lampe allumée sur la table de nuit de Lucrecia, voilà que, éveillé, pris d'un enthousiasme soudain, il demanda tout à trac à son épouse, à voix très basse :

— Il ne t'est pas arrivé de penser à cette histoire

d'Ismael et d'Armida, mon cœur ? Quand et comment elle a dû commencer ? Qui a dû prendre l'initiative ? Quelles sortes de petits jeux, de hasards, de frôlements ou de plaisanteries ont-elles précipité les événements ?

— Justement — murmura-t-elle, en se retournant comme si elle se rappelait quelque chose, et elle rapprocha son visage et son corps de son mari pour murmurer à son oreille — : J'y ai pensé tout le temps, mon amour. Dès la première minute où tu m'as raconté cette histoire.

— Ah, oui ? Qu'est-ce que tu as pensé ? Quelle idée tu as eue, par exemple ? — Rigoberto se tourna vers elle et passa ses mains autour de sa taille —. Vas-tu me le dire ?

À l'extérieur de la pièce, dans les rues de Barranco, il s'était fait ce grand silence nocturne, interrompu de temps en temps par le lointain murmure de la mer. Y aurait-il des étoiles ? Non, elles ne se montraient jamais dans le ciel de Lima à cette époque de l'année. Mais là-bas en Europe ils les verraient sûrement briller et étinceler toutes les nuits. Lucrecia, de la voix dense et calme qu'elle prenait pour les grandes occasions, cette voix qui était musique pour Rigoberto, dit très lentement, comme si elle récitait un poème :

« Pour incroyable que cela te semble, je peux te reconstruire dans le moindre détail la romance d'Ismael et d'Armida. Je sais bien qu'elle t'empêche de dormir, qu'elle t'emplit de mauvaises pensées, depuis que ton ami t'a raconté à La Rosa Náutica qu'ils allaient se marier. Grâce à qui je le sais ? Tiens-toi bien : Justiniana. Elle et Armida sont amies intimes depuis longtemps. Ou, pour mieux dire, depuis le début de la maladie de Clotilde, quand nous l'avons envoyée quelques jours aider Armida à tenir la maison. C'étaient ces jours si tristes, quand le pauvre Ismael a vu le ciel lui tomber sur la tête à l'idée que la compagne de toute sa vie, la mère de ses enfants, pouvait mourir. Tu ne te rappelles pas ? »

— Bien sûr que je me rappelle — mentit Rigoberto, en détachant les mots à l'oreille de son épouse comme s'il s'agissait d'un secret inavouable —. Comment ne pas m'en souvenir, Lucrecia. Et alors que s'est-il passé ?

« Bon, eh bien, toutes les deux sont devenues amies et ont commencé à sortir ensemble. Depuis lors, semble-t-il, Armida avait déjà dans la tête le plan qui lui a si bien réussi. Celui de passer du statut de domestique qui faisait les lits et nettoyait les chambres à celui d'épouse légitime de don Ismael Carrera, riche et respectable notable de Lima. Et, par-dessus le marché, septuagénaire, voire octogénaire. »

— Laisse tomber ces commentaires sur ce que nous savons déjà — la reprit Rigoberto, sur un ton faussement marri —. Cantonne-toi à ce qui est vraiment important, mon amour. Tu sais fort bien ce que c'est. Les faits, les faits.

« J'y arrive. Armida échafauda tout son plan, avec astuce. Bien sûr, si cette petite Piurana n'avait pas eu quelques charmes physiques, son intelligence et son astuce n'auraient servi à rien. Justiniana l'a vue toute nue, bien entendu. Si tu me demandes comment et pourquoi, je l'ignore. Elles ont sûrement dû prendre un bain ensemble, une fois ou une autre. Ou dormi dans le même lit une nuit, qui sait ? Elle dit qu'on serait surpris de découvrir comme elle est bien faite, Armida, quand on la voit à poil, ce qu'on ne remarque pas tant elle est mal fagotée avec ces robes bouffantes, pour les grosses. Justiniana dit qu'elle ne l'est pas, qu'elle a les fesses hautes, les seins durs, les mamelons fermes, les jambes bien galbées et, telle que tu la vois, un ventre lisse comme un tambour. Et un pubis quasiment glabre, comme une petite Japonaise. »

— Serait-il possible qu'Armida et Justiniana se soient excitées en se voyant à poil ? — l'interrompit Rigoberto, échauffé —. Serait-il possible qu'elles se soient taquinées, touchées, câlinées et aient fini par faire l'amour ?

« Tout est possible dans cette vie, mon petit — dit doña Lucrecia avec sa sagesse coutumière, tandis que les deux époux étaient maintenant soudés l'un à l'autre —. Tout ce que je peux dire, c'est que Justiniana s'est sentie chatouillée là où tu sais quand elle a vu Armida nue. C'est elle qui me l'a avoué, en rougissant et en riant. Elle plaisante beaucoup sur ces choses, tu sais, mais je crois que c'est vrai qu'elle a été excitée de la voir nue. Alors, qui sait ? il a pu se produire n'importe quoi entre elles. En tout cas, personne n'aurait imaginé le vrai corps d'Armida, caché sous les tabliers et les jupons ordinaires qu'elle portait. Bien qu'on ne l'ait remarqué ni toi ni moi, Justiniana croit que, à partir du moment où la pauvre Clotilde est entrée dans le stade terminal de sa maladie, quand sa mort a semblé inéluctable, Armida s'est mise à s'occuper plus qu'auparavant de sa petite personne. »

— Que faisait-elle, par exemple ? — l'interrompit encore Rigoberto, la voix lente et épaisse, le cœur battant la chamade —. Est-ce qu'elle cherchait à séduire Ismael ? En faisant quoi ? Comment ?

« Elle se présentait chaque matin mieux arrangée qu'avant. Bien coiffée et avec de petites touches de coquetterie, que personne ne remarquerait. Et des gestes inhabituels, bougeant les bras, les seins, son petit cul. Mais ce petit vieux d'Ismael, lui, s'en aperçut. Bien qu'il soit resté, après la mort de Clotilde, hébété, sonné, détruit par la douleur. Il était tout déboussolé, ne savait plus qui il était ni où il se trouvait. Mais il se rendit compte qu'il se passait quelque chose autour de lui. Bien sûr qu'il s'en aperçut. »

— Tu t'écartes encore du principal, Lucrecia — se plaignit Rigoberto, en la serrant dans ses bras —. Ce n'est pas le moment de nous mettre à parler de mort, mon amour.

« Alors, ô merveille, Armida se transforma en l'être le plus dévoué, attentif et serviable du monde. Elle était là, toujours à la portée de son patron pour lui préparer une infusion de camomille, une tasse de thé, lui servir un whisky, lui repasser sa chemise, lui coudre un bouton, rajuster son complet, donner ses souliers à cirer au majordome, presser Narciso de sortir la voiture tout de suite parce que don Ismael se préparait à partir et qu'il n'aimait pas attendre. »

— Qu'est-ce que j'en ai à foutre — se fâcha Rigoberto, en mordillant une oreille de sa femme —. Je veux savoir des choses plus intimes, mon amour.

« En même temps, avec une science que nous sommes les seules à avoir, nous les femmes, une science qui nous vient d'Ève en personne, qui niche dans notre âme, dans notre sang et, j'imagine, aussi dans notre cœur et dans nos ovaires, Armida se mit à préparer son piège où le veuf ravagé par la mort de son épouse allait tomber comme un angelot. »

— Qu'est-ce qu'elle lui faisait — implora Rigoberto,

pressant —. Raconte-moi ça dans tous les détails, mon amour.

« Les nuits d'hiver, Ismael, enfermé dans son bureau, se mettait soudain à pleurer. Et, comme par enchantement, voilà qu'apparaissait Armida à ses côtés, dévouée, respectueuse, émue, prononçant des paroles câlines avec son petit accent du nord du Pérou qui est si musical. Et elle versait quelques grosses larmes elle aussi, tout près du maître de maison. Qui pouvait la sentir et la respirer, parce que leurs corps se frôlaient. Tandis qu'Armida épongeait le front et les yeux de son patron, dans ses efforts pour le consoler, le calmer et le câliner, son décolleté, sans qu'elle s'en rende compte, n'est-ce pas ? s'ouvrait et le regard d'Ismael ne pouvait laisser d'apercevoir, tout près de sa poitrine et de son visage, ces tétons juvéniles, bruns, frais, d'une femme qu'il voyait, comparativement à son âge, non pas comme une jeune fille mais comme une fillette. C'est alors que l'idée avait dû lui trotter dans la tête qu'Armida n'était pas seulement deux mains infatigables pour faire et défaire les lits, épousseter les murs, astiquer les sols, laver son linge, mais, aussi, un petit corps potelé, tendre, palpitant, chaud, avec une intimité parfumée, humide, excitante. C'est là, pendant ces tendres manifestations de loyauté et d'affection de sa domestique, que le pauvre Ismael avait dû commencer à sentir que cette petite chose cachée, rétrécie et ratatinée, pour ainsi dire, par manque d'usage, qu'il avait entre les jambes, redonnait signe de vie, reprenait du poil de la bête. Cela, bien sûr, Justiniana ne le sait pas, elle le devine. Moi non plus je ne le sais pas, mais je suis sûre que tout a commencé comme ça. Et toi, tu ne le crois pas aussi, mon amour ? »

— Quand Justiniana te racontait tout ça, vous étiez elle et toi toutes nues, amour de mon cœur ? — Rigoberto parlait tout en mordillant à petites dents le cou, les oreilles, les lèvres de sa femme tandis que ses mains lui caressaient le dos, les fesses, l'entrejambe.

« Je la tenais comme tu me tiens, toi, maintenant — répondit Lucrecia, le caressant, le mordant, l'embrassant et parlant dans sa bouche —. Nous pouvions à peine respirer, parce que nous étouffions, moi avalant sa salive et elle la mienne. Justiniana croit que c'est Armida qui a fait le premier pas, pas lui. Que c'est elle qui a touché en premier Ismael. Là, comme ça. Comme ça. »

— Oui, oui, bien sûr que oui, continue, continue — Rigoberto ronronnait, haletait et n'avait plus qu'un filet de voix —. C'est comme ça que ça a dû se passer. Oui, comme ça.

Ils restèrent un bon moment en silence, à s'embrasser, à se baiser, mais soudain Rigoberto, faisant un gros effort, se contint, et s'écarta légèrement de son épouse.

— Je ne veux pas encore finir, amour de mon cœur — murmura-t-il —. Je jouis tellement. Je te désire, je t'aime.

— Une parenthèse, donc — dit Lucrecia, en s'écartant aussi —. Parlons d'Armida, alors. Dans un certain sens, c'est admirable, ce qu'elle a fait et réussi, tu ne crois pas ?

— Dans tous les sens — dit Rigoberto —. Une véritable œuvre d'art. Elle mérite mon respect et ma considération. C'est une grande femme.

— Entre parenthèses — dit son épouse, en changeant de voix —, si je mourais avant toi, ça ne me gênerait absolument pas que tu épouses Justiniana. Elle connaît déjà toutes tes manies, aussi bien les bonnes que les mauvaises, surtout ces dernières. Alors, tiens-en compte.

— C'est reparti avec la mort — fit Rigoberto, geignard —. Revenons à Armida et ne te perds plus en chemin, je t'en supplie sur ce que tu as de plus cher.

Lucrecia soupira, se colla à son mari, sa bouche chercha son oreille et elle lui parla très lentement :

« Comme je te disais, elle était toujours là à portée de main, toujours tout près d'Ismael. Parfois, tandis qu'elle se penchait pour enlever cette petite tache du fauteuil, sa jupe glissait et découvrait, sans qu'elle s'en rende compte — mais lui, oui, il voyait tout —, ce genou rond, cette cuisse souple et lisse, ces chevilles minces, un bout d'épaule, de bras, de cou, la naissance des seins. Il n'y avait ni ne pouvait jamais y avoir, dans ces négligences, une once de vulgarité. Tout semblait naturel, fortuit, jamais forcé. Le hasard organisait les choses de telle sorte qu'à travers ces épisodes infimes le veuf, le croulant, notre ami, le père horrifié par ses fils, découvrit qu'il était encore un homme, qu'il avait entre les jambes un petit oiseau vif et dégourdi. Comme celui que je touche, mon amour. Dur, humide, palpitant. »

— Ça m'émeut d'imaginer le bonheur que dut éprouver Ismael quand il sut qu'il l'avait encore, ce petit oiseau, et que, malgré un si long temps de silence, il recommençait à chanter — divagua Rigoberto, en s'agitant sous les draps —. Je suis ému, amour de mon cœur, par cette tendresse, cette beauté quand, plongé encore dans l'amertume de son veuvage, il s'est mis à fantasmer en pensant à sa domestique, à avoir des désirs, des pollutions. Qui toucha qui en premier ? Devinons.

« Armida n'avait jamais pensé que les choses iraient si

85

loin. Elle espérait qu'Ismael s'attacherait à sa présence toute proche, en découvrant grâce à elle qu'il n'était pas cette ruine humaine que dénonçait son apparence, que sous son allure piteuse, sa démarche incertaine, ses dents branlantes et sa mauvaise vue, son sexe battait encore des ailes. Qu'il était encore capable de désirs. Elle espérait que, surmontant son sens du ridicule, il oserait enfin un jour franchir le pas audacieusement. Et que s'établirait ainsi entre eux une complicité secrète, intime, dans la grande bâtisse coloniale que la mort de Clotilde avait transformée en limbes. Elle pensait peut-être que tout cela pourrait conduire Ismael à la promouvoir de servante à maîtresse. À l'installer même dans une petite maison, à lui verser une petite pension. C'est ce dont elle rêvait, j'en suis sûre. Et rien de plus. Elle n'aurait jamais imaginé la révolution qu'elle allait provoquer chez ce bon Ismael ni que les circonstances allaient faire d'elle l'instrument de la vengeance du père affligé et déçu. »

— Mais qu'est-ce que c'est que ça ? Qui est cet intrus ? Que se passe-t-il ici sous ces draps ? — dit Lucrecia en interrompant son récit, en se retournant, excitée, et en le touchant.

— Continue, continue, mon amour, sur ce que tu as de plus cher — la pria, s'étouffa Rigoberto, de plus en plus ardent —. Ne t'arrête pas de parler maintenant que tout va si bien.

— C'est ce que je vois — rit Lucrecia, en se secouant pour retirer sa chemise de nuit et en aidant son mari à ôter son pyjama, l'un l'autre s'emmêlant, désordonnant la literie, s'embrassant et se baisant.

— Il faut que je sache comment s'est passée la première fois où ils ont couché ensemble — ordonna

Rigoberto —. Il tenait sa femme très serrée contre son corps et lui parlait les lèvres collées aux siennes.

— Je vais te le dire, mais laisse-moi respirer un tout petit peu — répondit Lucrecia calmement, en prenant le temps de promener sa langue dans la bouche de son mari et de recevoir sa langue dans la sienne —. Tout a commencé par des pleurs.

— Les pleurs de qui ? — demanda Rigoberto, se déconcentrant et redevenant sérieux —. De quoi ? Armida était-elle vierge ? C'est de cela que tu veux parler ? Il l'a déflorée ? Il l'a fait pleurer ?

— Les pleurs qui saisissaient parfois Ismael la nuit, gros bêta — le gronda doña Lucrecia, le pinçant aux fesses, les massant, laissant glisser ses mains jusqu'aux testicules, les berçant doucement —. Quand il se rappelait Clotilde, tiens. Des pleurs sonores, des sanglots qui traversaient la porte et les murs.

— Des sanglots qui arrivèrent jusqu'à la chambre d'Armida, bien sûr — embraya Rigoberto —. Il parlait tout en faisant tourner Lucrecia sur elle-même et en l'installant sous lui.

— Des sanglots qui la réveillèrent, la tirèrent de son lit, la firent sortir en courant pour aller le consoler — dit-elle, en se glissant facilement sous le corps de son mari, écartant les jambes et l'étreignant.

— Elle n'eut pas le temps d'enfiler son peignoir ni ses pantoufles — dit Rigoberto en lui coupant la parole —. Ni de se peigner ni rien. Et elle se précipita dans la chambre d'Ismael telle quelle, à moitié nue. Je la vois, mon amour.

« Rappelle-toi que tout était dans l'obscurité ; elle trébucha contre les meubles, guidée par les sanglots du pauvre homme jusqu'à son lit. Quand elle l'atteignit, elle le prit dans ses bras et… »

— Et il la prit dans ses bras lui aussi et tira sur sa chemise de nuit pour l'arracher. Elle fit celle qui résistait, mais pas très longtemps. Dès le début de leur empoignade, elle se serra contre lui. Et elle allait avoir une grande surprise en découvrant qu'Ismael était à ce moment-là une licorne qui l'embrochait, qui la faisait crier…

— Qui la faisait crier — répéta et cria à son tour Lucrecia, en implorant —. Attends, attends, ne sors pas encore, ne sois pas méchant, ne me joue pas ce vilain tour.

— Je t'aime, je t'aime — explosa-t-il, en baisant son épouse dans le cou et en la sentant se raidir et, quelques secondes après, gémir, détendre son corps et rester immobile, haletante.

Ils demeurèrent ainsi, tranquilles et silencieux, quelques minutes, reprenant leur souffle. Puis ils blaguèrent, se levèrent, se lavèrent, lissèrent les draps, remirent pyjama et chemise de nuit, éteignirent la lampe de chevet et essayèrent de dormir. Mais Rigoberto resta éveillé, sentant la respiration de Lucrecia s'apaiser et s'espacer au fur et à mesure qu'elle plongeait dans le sommeil et que son corps restait immobile. Elle dormait déjà. Rêverait-elle?

C'est à ce moment, de façon totalement imprévue, qu'il trouva la raison d'être de cette association que sa mémoire avait tissée de façon sporadique et embrouillée depuis quelque temps; ou plutôt depuis que Fonfon s'était mis à leur parler de ces rencontres impossibles, de ces coïncidences improbables avec cet extravagant

Edilberto Torres. Il devait relire sur-le-champ ce chapitre du *Docteur Faustus*, de Thomas Mann. Il avait lu le
roman des années plus tôt, mais il se rappelait nette-
ment cet épisode, le nœud de l'intrigue.

Il se leva sans faire de bruit et, pieds nus, dans l'obscurité, il gagna son bureau, son petit espace de civilisation,
en tâtonnant le long des murs. Il alluma la lampe du
fauteuil où il avait l'habitude de lire et d'écouter de la
musique. Il y avait un silence complice dans la nuit de
Barranco. La mer était une rumeur lointaine. Il n'eut
aucun mal à retrouver le livre sur l'étagère des romans. Il
était là. C'était le chapitre vingt-cinq : il l'avait marqué
d'une croix et de deux points d'exclamation. Ce qu'il
nommait le cratère du roman, le vortex du vécu, celui qui
modifiait la nature de toute l'histoire, en introduisant
dans un monde réaliste une dimension surnaturelle.
L'épisode où pour la première fois le diable apparaît et
discute avec le jeune compositeur Adrian Leverkühn,
dans sa retraite italienne de Palestrina, et lui propose le
célébrissime pacte. À peine avait-il commencé à le relire
qu'il fut saisi par la subtilité de la stratégie narrative. Le
diable se présente à Adrian comme un petit homme normal et ordinaire ; le seul symptôme insolite est, au début,
le froid qui émane de lui et fait frissonner le jeune musicien. Il devrait demander fortuitement à Fonfon, comme
par une curiosité un peu sotte : « Est-ce qu'il t'arrive
d'avoir froid chaque fois que cet individu t'apparaît ? »
Ah, Adrian souffre aussi de migraines et de nausées pré-
monitoires avant la rencontre qui va changer sa vie. « Dis-
moi, Fonfon, est-ce que par hasard tu éprouves des
maux de tête, des dérangements d'estomac, des troubles

physiques de toute nature chaque fois que cet individu se présente à toi ? »

D'après le récit de son fils, Edilberto Torres était aussi un petit homme normal et ordinaire. Rigoberto sursauta de peur en lisant la description de ce rire sarcastique du personnage qui éclatait soudain dans la pénombre du grand chalet des montagnes italiennes où avait lieu la troublante conversation. Mais pourquoi son subconscient avait-il rattaché tout ce qu'il lisait à Fonfon et à Edilberto Torres ? Cela n'avait pas de sens. Le diable dans le roman de Thomas Mann se réfère à la syphilis et à la musique comme aux deux manifestations de son pouvoir maléfique dans la vie, et son fils n'avait jamais entendu cet Edilberto Torres parler de maladies ou de musique classique. Fallait-il se demander si l'apparition du sida, qui causait tant de ravages dans le monde d'aujourd'hui comme autrefois la syphilis, était un indice de l'hégémonie de la présence infernale dans la vie contemporaine ? Il était stupide de l'imaginer ; et, pourtant, lui, un incrédule, un agnostique invétéré, sentait à ce moment-là, pendant qu'il lisait, que cette pénombre de livres et de gravures qui l'entourait, et les ténèbres extérieures, étaient en ces mêmes instants imprégnées d'un esprit cruel, plein de violence et de malignité. « Fonfon, as-tu remarqué que le rire d'Edilberto Torres ne semble pas humain ? Je veux dire, que le bruit qu'il fait ne semble pas poussé par une gorge d'homme, mais ressemble plutôt au hurlement d'un loup, au croassement d'un corbeau, au sifflement d'un ophidien ? » Le gosse se mettrait à rire aux éclats et penserait que son père était devenu fou. L'inquiétude le saisit à nouveau. Le pessimisme effaça en quelques secondes les moments de bonheur intense qu'il venait de partager avec Lucrecia, le plaisir que lui avait donné la relecture de ce chapitre du *Docteur Faustus*. Il éteignit la lumière et regagna sa chambre en traînant les pieds. Cela ne pouvait continuer ainsi, il devait interroger Fonfon avec prudence et astuce, démasquer ce qu'il y avait de vrai dans ces rencontres, dissiper une fois pour toutes cette absurde fantasmagorie forgée par l'imagination enfiévrée de son fils. Mon Dieu, l'époque ne se prêtait pas à ce que le diable donne à nouveau signe de vie et réapparaisse aux gens.

V

L'avis que Felícito Yanaqué fit paraître dans *El Tiempo*,
en le payant de sa poche, le rendit célèbre du jour au
lendemain dans tout Piura. Les gens l'arrêtaient dans la
rue pour le féliciter, lui montrer leur solidarité, lui
demander des autographes et, surtout, lui conseiller
d'être prudent : « Ce que vous avez fait est téméraire, don
Felícito. Che guá ! C'est maintenant, oui, que votre vie est
en danger pour de bon. »

Le transporteur ne se glorifia ni ne s'effraya de tout
cela. Ce qui l'impressionnait le plus, c'était de constater
le changement que le petit avis dans le principal journal
de Piura avait provoqué chez le sergent Lituma et surtout
chez le capitaine Silva. Ce gros capitaine ordinaire qui
sautait sur n'importe quelle occasion de se gargariser en
parlant du derrière des filles de Piura ne lui avait jamais
été sympathique et il pensait que l'antipathie était réciproque. Mais, à partir de là, son attitude était devenue
moins arrogante. L'après-midi même du jour où l'avis
avait paru, les deux policiers avaient débarqué dans sa
maison de la rue Arequipa, aimables et tout miel. Ils
venaient manifester leur souci pour ce qui lui arrivait, à

M. Yanaqué. Même au moment de l'incendie provoqué par les bandits à la petite araignée qui avait ravagé une partie du local des Transports Narihualá ils ne s'étaient pas montrés si attentionnés. Quelle mouche les piquait maintenant, cette paire de flics ? Ils avaient l'air pour de bon apitoyés par sa situation et avec l'envie de coincer les maîtres chanteurs.

Enfin, le capitaine Silva avait sorti de sa poche la coupure d'*El Tiempo* avec l'avis.

— Vous êtes fou d'avoir publié ça, don Felícito — avait-il dit, moitié en plaisantant moitié sérieusement —. Vous n'avez pas pensé qu'avec une bravade comme ça vous pouvez prendre un coup de couteau ou une balle dans la nuque ?

— Ça n'a pas été une bravade, j'y ai bien pensé avant de le faire — avait expliqué doucement le transporteur —. Je voulais que ces saligauds ils sachent une bonne fois qu'à moi ils me tireront même pas un centavo. Ils peuvent me brûler cette maison, tous mes camions, cars et taxis collectifs. Et même emmener ma femme et mes fils si ça leur chante. Pas un putain de centavo !

Petit et résolu, il le disait sans faire de simagrées, sans colère, les mains détendues et le regard ferme, avec une détermination tranquille.

— Je vous crois, don Felícito — avait acquiescé le capitaine, embarrassé. Et il était allé au fait —: L'emmerdant, c'est que, sans le vouloir, sans vous en rendre compte, vous nous avez foutus nous autres dans un sacré pétrin. Le colonel Rascachucha, notre chef régional, a appelé ce matin au commissariat à cause de ce petit avis. Vous savez dans quel but ? Dis-le-lui, Lituma.

— Pour nous dire qu'on est des cons et nous traiter d'inutiles et de ratés, m'sieur — avait expliqué le sergent, d'un air penaud.

Felícito s'était mis à rire. Pour la première fois depuis qu'il avait commencé à recevoir les lettres de la petite araignée il se sentait de bonne humeur.

— C'est ce que vous êtes tous les deux, capitaine — avait-il murmuré, en souriant —. Je suis bien content que votre chef il vous ait engueulés. C'est comme ça qu'il s'appelle, vraiment, avec ce gros mot ? Rascachucha[1] ?

Le sergent Lituma et le capitaine Silva avaient ri aussi, mal à l'aise.

— Bien sûr que non, ça c'est son surnom — avait expliqué le commissaire —. Il s'appelle le colonel Asundino Ríos Pardo. Je ne sais pas pourquoi ni qui lui a donné ce sobriquet. C'est un bon officier, mais un type très râleur. Il ne supporte pas la plaisanterie, il insulte les gens à tout bout de champ.

— Vous vous trompez en croyant qu'on a pas pris votre plainte au sérieux, monsieur Yanaqué — était intervenu le sergent Lituma.

— Fallait attendre que les bandits se manifestent pour agir — avait enchaîné le capitaine, avec une subite énergie —. Maintenant qu'ils l'ont fait, on est enfin en pleine action.

— Maigre consolation pour moi — avait dit Felícito Yanaqué, avec une grimace contrariée —. Je sais pas ce que vous fabriquez, mais, pour ma part, personne va me rendre le local qu'ils m'ont brûlé.

1. *Rascachucha* signifie littéralement « gratte vulve ».

— L'assurance ne prend pas en charge les dommages et intérêts ?

— Elle devrait, mais ils font les petits malins. Ils prétendent que seulement les véhicules étaient assurés, pas les installations. Mᵉ Castro Pozo, mon avocat, il dit que peut-être il faudra faire un procès. Ce qui veut dire que de toute façon je sortirai perdant. Alors vous voyez.

— Ne vous en faites pas, don Felícito — l'avait tranquillisé le capitaine, en lui donnant une petite tape dans le dos —. Ces bandits vont tomber. Tôt ou tard, ils vont tomber. Parole d'honneur. On vous tiendra au courant. À bientôt. Et saluez de ma part Mme Josefita, cette merveille de secrétaire que vous avez, s'il vous plaît.

Le fait est qu'à partir de ce jour-là les policiers commencèrent à montrer du zèle. Ils interrogèrent tous les chauffeurs et employés des Transports Narihualá. Miguel et Tiburcio, les deux fils de Felícito, ils les soumirent pendant des heures au commissariat à une avalanche de questions auxquelles les garçons ne savaient pas toujours quoi répondre. Et même ils tarabustèrent Lucindo pour lui faire identifier la voix de la personne qui était venue lui demander d'avertir don Felícito que son local était en train de brûler. Le petit aveugle jurait qu'il n'avait jamais entendu avant celui qui lui avait parlé. Mais, malgré tout ce remue-ménage des policiers, le transporteur se sentait abattu et sceptique. Il avait le sentiment intime que jamais ils ne leur mettraient la main dessus. Les maîtres chanteurs continueraient à le harceler et, peut-être, tout ça finirait par une tragédie. Cependant, ces sombres pensées ne firent pas reculer d'un pouce sa résolution de ne céder ni à leurs menaces ni à leurs agressions.

Ce qui l'avait le plus déprimé, c'est la conversation

avec son copain, collègue et concurrent, Vignolo le Rougeaud. Celui-ci était venu le trouver un beau matin aux Transports Narihualá, où Felícito s'était installé une table de travail improvisée — une grande planche sur deux barils d'huile — dans un coin du garage. De là on pouvait voir le gros tas de tôles ondulées, de murs et de meubles roussis en quoi l'incendie avait transformé ses anciens bureaux. Même une partie du toit avait été détruite par les flammes. Par le trou on apercevait là-haut un morceau de ciel bleu. Heureusement qu'à Piura il ne pleuvait pas souvent, sauf les années du Niño. Vignolo le Rougeaud était très inquiet.

— Vous auriez pas dû faire ça, camarade — lui dit-il, pendant qu'il lui tapotait le dos en lui montrant la coupure de presse d'*El Tiempo* —. Quelle idée de risquer votre peau comme ça ! Vous, toujours si tranquille pour tout, Felícito, quelle bête vous a piqué cette fois ? À quoi ils servent les amis, che guá ! Si vous m'aviez consulté, je vous laissais pas faire cette connerie.

— C'est pour ça que je vous ai pas consulté, camarade. J'ai flairé que vous alliez me donner le conseil de pas mettre l'avis. — Felícito montra les ruines de ses anciens bureaux —. Fallait que je leur réponde d'une manière ou d'une autre à ceux qui m'ont fait ça.

Ils allèrent prendre un café dans un bistrot qui venait d'ouvrir au coin de la place Merino et de la rue Tacna, à côté d'un chinois. Le local était sombre et dans la pénombre il voletait beaucoup de mouches. De là on apercevait les amandiers poussiéreux de la petite place et la façade décolorée de l'église du Carmel. Il n'y avait pas de clients et ils purent parler en toute tranquillité.

— Ça vous est jamais arrivé à vous, camarade ?

— demanda Felícito —. Vous avez jamais reçu une de
ces petites lettres, pour vous faire chanter ?

Il vit avec surprise Vignolo le Rougeaud faire une drôle
de tête, rester bouche bée et, un moment, ne pas savoir
quoi lui répondre. Il y avait une lueur coupable dans ses
yeux qui s'étaient obscurcis ; il battait des cils sans arrêt et
évitait de le regarder.

— Me dites pas que vous, camarade… — balbutia
Felícito, en serrant le bras de son ami.

— Je suis pas un héros et je veux pas l'être — acquiesça
tout bas Vignolo le Rougeaud —. Alors, je vous dis oui. Je
leur paie une petite contribution tous les mois. Et, j'en
suis pas sûr, mais je crois que toutes, ou presque toutes,
les compagnies de transport de Piura elles paient aussi
ces contributions. C'est ce que vous auriez dû faire au
lieu d'avoir la témérité de les affronter. On croyait tous
que vous les payiez aussi, Felícito. Quelle bêtise vous avez
faite, ni moi ni aucun de nos collègues on le comprend.
Vous êtes devenu fou ? On livre pas de batailles qu'on
peut pas gagner, que diable !

— J'ai du mal à croire que vous avez baissé votre froc
comme ça devant ces putains de leur mère — dit triste-
ment Felícito —. Ça me rentre pas dans la tête, je vous
jure. Vous qu'aviez toujours l'air si batailleur, camarade.

— C'est pas grand-chose, une petite somme qui entre
dans les frais généraux — le Rougeaud haussa les épaules,
honteux, sans savoir que faire de ses mains, en les agitant
comme si elles le gênaient —. Ça vaut pas la peine de
risquer sa vie pour une bagatelle, Felícito. Ces cinq cents
qu'ils vous demandaient ils vous les auraient baissés à la
moitié si vous aviez négocié avec eux à l'amiable, je vous
assure. Vous voyez pas ce qu'ils ont fait avec votre local ?

Et, par-dessus le marché, vous mettez cet avis dans *El Tiempo*. Vous risquez votre vie et celle de votre famille. Et même celle de la pauvre Mabel, vous vous rendez pas compte ? Vous allez jamais gagner avec eux, je vous assure, aussi vrai que je m'appelle Vignolo. La terre est ronde et pas carrée. Acceptez-le et n'essayez pas de redresser le monde tordu où on vit. La mafia elle est très puissante, elle est infiltrée partout, à commencer par le gouvernement et par les juges. Vous êtes un grand naïf d'avoir confiance dans la police. Ça m'étonnerait pas que les flics aussi ils soient de mèche. Vous savez pas dans quel pays on vit, camarade ?

Felícito Yanaqué l'écoutait à peine. C'était vrai, il avait du mal à croire ce qu'il avait entendu : Vignolo le Rougeaud payant des mensualités à la mafia. Il le connaissait depuis vingt ans et il l'avait toujours pris pour quelqu'un de très droit. Putain de ta mère, qu'est-ce que c'était ce monde ?

— Vous êtes sûr que toutes les compagnies de transport elles paient les contributions ? — insista-t-il, en regardant son ami dans les yeux —. Vous exagérez pas ?

— Si vous me croyez pas, demandez-leur. Aussi vrai que je m'appelle Vignolo. Si c'est pas toutes, presque toutes. Par les temps qui courent personne joue au héros, ami Felícito. L'important c'est de pouvoir travailler et que l'affaire elle fonctionne. Si on peut pas faire autrement que payer des contributions, on les paie, un point c'est tout. Faites la même chose que moi et jouez pas avec le feu, cher camarade. Vous pourriez vous en repentir. Risquez pas ce que vous avez construit avec tant de sacrifices. J'aimerais pas assister à votre messe des morts.

Depuis cette conversation, Felícito ne pouvait pas se remettre. Il éprouvait de la peine, de la pitié, de l'irritation, de la stupéfaction. Même quand, dans la solitude de la nuit, dans le petit salon chez lui, il mettait les chansons de Cecilia Barraza, il n'arrivait pas à se changer les idées. Comment était-il possible que ses collègues se laissent écraser de cette manière ? Ils ne se rendaient pas compte que, en leur obéissant, ils se liaient les pieds et les poings et compromettaient leur avenir ? Les maîtres chanteurs leur demanderaient de plus en plus, jusqu'à les mettre en faillite. Il avait l'impression que tout Piura s'était mis d'accord pour lui faire du mal, que même ceux qui dans la rue lui tapaient dans le dos et le félicitaient étaient des hypocrites fourrés dans la conspiration pour lui arracher ce qu'il avait obtenu au prix de tant d'années de sueur. « Quoi qu'il arrive, soyez tranquille, père. Votre fils se laissera pas marcher dessus par ces lâches ni par personne. »

La célébrité que lui donna le petit avis dans *El Tiempo* ne changea pas la vie ordonnée et diligente de Felícito Yanaqué, même s'il ne prit jamais l'habitude qu'on le reconnaisse dans la rue. Il perdait ses moyens et ne savait que répondre aux éloges et gestes de solidarité des passants. Il se levait toujours très tôt, faisait ses exercices de qi gong et arrivait aux Transports Narihualá avant huit heures. Il était préoccupé de constater que le nombre de voyageurs avait baissé, mais il le comprenait ; après l'incendie du local, il ne fallait pas s'étonner que quelques clients aient pris peur et aient craint que les bandits ne se livrent à des représailles contre les véhicules et n'aillent les attaquer et les brûler sur la route.

Les cars pour Ayabaca[1], qui devaient grimper plus de deux cents kilomètres le long d'une route étroite et en zigzags au bord de profonds précipices andins, avaient perdu près de la moitié de leur clientèle. Tant que le problème avec la compagnie d'assurances ne serait pas réglé on ne pouvait pas reconstruire les bureaux. Mais à Felícito ça lui était égal de travailler sur la planche et les barils dans le coin du dépôt. Il passa des heures et des heures avec Mme Josefita à éplucher ce qui restait des livres de comptabilité, des factures, des contrats, des reçus et de la correspondance. Heureusement, on n'avait pas perdu beaucoup de papiers importants. C'était sa secrétaire qui ne se consolait pas. Josefita essayait de dissimuler, mais Felícito voyait comme elle était tendue et contrariée de devoir travailler en plein vent, sous le nez de chauffeurs, de mécaniciens, de passagers qui arrivaient et partaient et de gens qui faisaient la queue pour envoyer des colis. Elle le lui avait avoué, avec sur son visage de lune une grimace de petite fille qui va pleurer :

— De travailler devant tout le monde ça me fait tout drôle, j'ai l'impression de faire du strip-tease. Pas à vous, don Felícito ?

— Y en a beaucoup de ceux-là qui seraient heureux que vous leur fassiez un strip-tease, Josefita. Vous avez bien vu les galanteries que vous lance le capitaine Silva chaque fois qu'il vous voit.

— J'aime pas du tout les ronds de jambe de ce policier — avait rougi Josefita, enchantée —. Et encore moins ces petits regards qu'il me jette là où vous savez, don Felícito.

1. Lieu de pèlerinage dans les Andes autour de la statue « miraculeuse » du Señor Cautivo, que nous retrouverons à la fin de ce chapitre.

Vous croyez que c'est un pervers ? C'est ce qu'on dit par ici. Que le capitaine il regarde que ça chez les femmes, comme si on avait pas aussi d'autres choses dans le corps, che guá.

Le jour même où l'avis parut dans *El Tiempo*, Miguel et Tiburcio lui demandèrent un rendez-vous. Ses deux fils travaillaient comme chauffeurs et inspecteurs dans les cars, camions et taxis collectifs de la compagnie. Felícito les emmena manger un ceviche[1] aux pétoncles et un seco de chabelo au restaurant de l'hôtel Oro Verde, à El Chipe. Il y avait une radio allumée et la musique les obligeait à parler en montant beaucoup la voix. Au lieu de bières, Felícito commanda des limonades. À la tête de ses fils, il soupçonna de quoi il s'agissait. C'est l'aîné, Miguel, qui parla le premier. Fort, athlétique, peau blanche, yeux et cheveux clairs, il s'habillait toujours avec un certain soin, contrairement à Tiburcio, qui abandonnait rarement ses jeans, polos et baskets. Ce jour-là même, Miguel portait des mocassins, un pantalon de velours côtelé et une petite chemise bleu clair avec des impressions de voitures de course. C'était un coquet incorrigible, avec une vocation et des manières de fils à papa. Quand Felícito l'avait obligé à faire son service militaire, il pensait qu'à l'armée on le débarrasserait de ces manières de gosse de bonne famille qu'il se donnait ; mais rien à faire, il était sorti de la caserne comme il y était entré. Une fois de plus dans sa vie, le transporteur pensa : « Est-ce qu'il est vraiment mon fils ? » Le garçon avait une montre et un

---

1. Le *ceviche*, plat péruvien par excellence, est préparé avec de petits morceaux de poisson ou de coquillages crus, marinés dans du citron et servis avec de l'oignon, du sel et du piment.

petit bracelet en cuir qu'il caressait pendant qu'il lui disait :

— On a pensé à une chose avec Tiburcio, père, et on en a aussi parlé avec maman — il était un peu embarrassé, comme chaque fois qu'il lui adressait la parole.

— Alors comme ça vous pensez ? — plaisanta Felícito —. Je suis content de le savoir, c'est une bonne nouvelle. Et on peut savoir quelle brillante idée vous avez eue ? J'espère que c'est pas que j'aille consulter les chamans de Huancabamba à propos des maîtres chanteurs à la petite araignée. Parce que la consultation je l'ai déjà faite avec Adelaida et même elle, qui devine tout, elle a pas le moindre soupçon de qui ça peut être.

— C'est sérieux, père — intervint Tiburcio. Dans les veines de celui-là c'était bien son propre sang qui coulait, sans le moindre doute. Il lui ressemblait beaucoup, avec sa peau très foncée, les cheveux noirs raides et le petit corps riquiqui de son géniteur —. Ne vous moquez pas, père, s'il vous plaît. Écoutez-nous. C'est pour votre bien.

— Bon, d'accord, je vous écoute. De quoi il s'agit, mes garçons ?

— Après cet avis que vous avez publié dans *El Tiempo* vous courez un grand danger — dit Miguel.

— Je ne sais pas si vous vous êtes rendu compte jusqu'à quel point — ajouta Tiburcio —. C'est comme si vous vous étiez mis la corde au cou.

— Je suis en danger depuis avant — les corrigea Felícito —. On l'est nous tous. Gertrudis et vous aussi. Depuis l'arrivée de la première lettre de ces fils de pute qui me font du chantage. Vous le savez pas, peut-être ? Ça touche pas seulement moi, mais toute la famille. Ou peut-être c'est pas vous qu'allez hériter des Transports Narihualá ?

— Mais maintenant vous êtes plus exposé qu'avant, parce que vous leur avez lancé un défi publiquement, père — dit Miguel —. Ils vont réagir, ils ne peuvent pas rester sans rien faire devant ce défi. Ils essaieront de se venger, parce que vous les avez tournés en ridicule. C'est tout Piura qui le dit.

— Les gens nous arrêtent dans la rue pour nous prévenir — intervint Tiburcio en lui coupant la parole —. «Faites attention à votre père, garçons, ces bandits ils vont pas lui pardonner cette bravade.» Ils nous le disent de tous les côtés.

— Autrement dit, c'est moi qui les provoque, les pauvres — l'interrompit Felícito, indigné —. Ils me menacent, ils me brûlent mes bureaux et le provocateur c'est moi parce que je leur fais savoir que je me laisserai pas faire du chantage comme mes couilles molles de collègues.

— On ne vous critique pas, père, au contraire — insista Miguel —. On vous soutient, on est fiers que vous ayez mis cet avis dans *El Tiempo*. Vous avez porté très haut l'honneur de la famille.

— Mais on ne veut pas qu'ils vous tuent, comprenez-nous, s'il vous plaît — le soutint Tiburcio —. Ce serait prudent d'embaucher un garde du corps. On a vérifié, il y a une compagnie très sérieuse. Elle prête ses services à tous les gros bonnets de Piura. Banquiers, agriculteurs, mineurs. Et ça ne revient pas si cher, on a ici les tarifs.

— Un garde du corps? — Felícito éclata de rire, d'un petit rire forcé et moqueur —. Un type qui me suivrait comme mon ombre avec son flingue dans la poche? Si j'en embauchais un pour me protéger, je donnerais du petit-lait à boire aux voleurs. Qu'est-ce que vous avez dans la tête, une cervelle ou de la mie de pain ? Ça serait avouer que j'ai la trouille, que je dépense mon argent à ça parce qu'ils m'ont fait peur. Ce serait la même chose que leur payer la contribution qu'ils me demandent. Parlons plus de cette affaire. Mangez, mangez, votre seco de chabelo refroidit. Et changeons de conversation.

— Mais, père, on le fait pour votre bien — tenta encore de le convaincre Miguel —. Pour qu'il ne vous arrive rien. Écoutez-nous, on est vos fils.

— Pas un mot de plus sur ce sujet — ordonna Felícito —. S'il m'arrive quelque chose, c'est vous qui resterez à la tête des Transports Narihualá et vous pourrez faire ce que vous voudrez. Même embaucher un garde du corps, si ça vous chante. Moi je le ferai pas, en tout cas.

Il vit ses fils baisser la tête et, sans appétit, commencer à manger. Tous les deux avaient toujours été assez dociles, même pendant cette adolescence où les garçons se révoltent d'habitude contre l'autorité paternelle. Il ne se rappelait pas qu'ils lui aient donné beaucoup de mal, sauf quelques bêtises sans grande conséquence. Comme l'accident de Miguel, qui avait tué un âne sur la route de Catacaos quand il apprenait à conduire et que l'animal avait traversé son chemin. Ils continuaient à être assez obéissants, bien qu'ils fussent des hommes faits. Même quand il avait ordonné à Miguel de se porter volontaire à l'armée pendant un an pour s'endurcir, celui-ci lui avait obéi sans broncher. Et ils étaient consciencieux dans leur travail, il fallait dire la vérité. Il n'avait jamais été très dur avec eux, mais pas non plus un de ces pères faibles qui gâtent trop leurs enfants et en font des bons à rien ou des tapettes. Il s'était efforcé de bien les former pour qu'ils sachent faire face aux difficultés et soient capables de diriger l'entreprise quand lui ne pourrait plus le faire. Il leur avait fait terminer le collège, apprendre la mécanique, avoir leur permis de conduire pour les cars et les camions. Et ils avaient tous les deux travaillé aux Transports Narihualá dans tous les métiers : gardiens, balayeurs, assistants comptables, aides conducteurs, inspecteurs, chauffeurs, et cetera, et cetera. Il pouvait mourir tranquille, les deux étaient préparés pour le remplacer. Et ils s'entendaient bien entre eux, étaient très unis, heureusement.

— Moi, ces fils de pute j'ai pas peur d'eux ! — s'exclama-t-il soudain, en frappant sur la table. Ses fils cessèrent de manger —. Le pire qu'ils pourraient me faire c'est de me tuer. Mais j'ai pas non plus peur de mourir. J'ai vécu cinquante-cinq ans et c'est assez. Ça me tranquillise de savoir que les Transports Narihualá ils resteront dans de bonnes mains quand je partirai rejoindre mon père.

Il se rendit compte que les deux garçons essayaient de sourire mais qu'ils avaient l'air troublés et nerveux.

— On ne veut pas que vous mouriez encore, père — murmura Miguel.

— Si ces bandits vous faisaient du mal, on le leur ferait payer très cher — affirma Tiburcio.

— Je crois pas qu'ils osent me tuer — les rassura Felícito —. C'est des voleurs et des maîtres chanteurs, voilà tout. Pour assassiner faut avoir plus de couilles que pour envoyer des lettres avec des dessins de petite araignée.

— Au moins, achetez-vous un revolver et portez-le sur vous, père — revint à la charge Tiburcio —. Pour pouvoir vous défendre, en cas.

— J'y penserai, on verra — transigea Felícito —. Maintenant, je veux que vous me promettiez que, quand je m'en irai de ce monde et que les Transports Narihualá resteront dans vos mains, vous accepterez pas de chantages de ces putains de leur mère.

Il vit ses fils échanger un regard moitié surpris, moitié alarmé.

— Jurez-le-moi sur Dieu, tout de suite — leur demanda-t-il —. Je veux être tranquille de ce côté, au cas où il m'arriverait quelque chose.

Tous les deux acquiescèrent et, en se signant, ils murmurèrent : « Nous le jurons sur Dieu, père. »

Ils passèrent le reste du déjeuner à parler d'autres choses. Une vieille idée se mit à tourner dans la tête de Felícito. Depuis qu'ils étaient partis vivre de leur côté, il ne savait presque rien de ce que faisaient Tiburcio et Miguel quand ils n'étaient pas au travail. Ils ne vivaient pas ensemble. L'aîné prenait pension dans une maison du lotissement de Miraflores, un quartier de p'tits Blancs, bien entendu, et Tiburcio louait un appartement avec un copain à Castilla, près du nouveau stade. Avaient-ils des amoureuses, des petites amies ? Étaient-ils noceurs, joueurs assidus ? Buvaient-ils avec des copains le samedi soir ? Fréquentaient-ils tavernes et chicherías, allaient-ils aux putes ? À quoi devaient-ils passer leur temps libre ? Les dimanches où ils débarquaient pour déjeuner à la maison de la rue Arequipa ils ne racontaient pas beaucoup de leur vie privée et ni Gertrudis ni lui ne leur posaient de questions là-dessus. Il devrait peut-être bavarder avec eux de temps en temps et se tenir un peu plus au courant de la vie intime de ses garçons.

Le pire de ces jours-là, ce furent les interviews qu'il dut

donner à la suite du petit avis dans *El Tiempo*. À diverses radios locales, à des reporters du *Correo*, de *La República* et au correspondant à Piura de *RPP Noticias*. Il était très stressé par les questions des journalistes ; ses mains devenaient moites et des frissons lui couraient dans le dos. Il répondait avec de longues pauses, cherchant ses mots, niant avec fermeté être un héros civil ou un exemple pour qui que ce soit. Rien de ça, quelle idée, lui il obéissait seulement à la philosophie de son père qui lui avait laissé en héritage ce conseil : « Te laisse jamais marcher dessus par personne, mon fils. » Ils souriaient et certains le regardaient avec des airs supérieurs. Ça lui était égal. Sans se laisser abattre, il continuait. Lui il était un travailleur, c'est tout. Il était né pauvre, très pauvre, tout près de Chulucanas, à Yapatera, et tout ce qu'il avait il se l'était gagné en travaillant. Il payait ses impôts, respectait les lois. Pourquoi il allait permettre à des brigands de lui enlever ce qu'il avait en lui envoyant des menaces sans même avoir le courage de se montrer ? Si personne ne cédait à ces chantages, les maîtres chanteurs disparaîtraient.

Il n'aimait pas non plus recevoir des distinctions, ça lui donnait des sueurs froides d'avoir à prononcer des discours. Bien sûr que, au fond, il était fier et pensait comme il aurait été heureux, son père, le yanacón[1] Aliño Yanaqué, de la médaille de Citoyen exemplaire que lui avait mise sur la poitrine le Rotary Club, au cours d'un déjeuner au Centro piurano auquel assistèrent le président de la région, le maire et l'évêque de Piura. Mais, quand il avait dû s'approcher du micro pour remercier, sa langue

1. *Yanacón* se dit de l'Indien qui loue la terre qu'il cultive.

s'était paralysée et il était resté sans voix. Il lui arriva la même chose quand la Société civico-culturo-sportive Enrique López Albújar le déclara Piurano de l'année.

C'est à peu près ces jours-là qu'il reçut à son domicile de la rue Arequipa une lettre du Club Grau, signée par son président, le distingué pharmacien chimiste docteur Garabito León Seminario. Elle lui communiquait que le comité directeur avait accepté à l'unanimité sa demande d'être membre de l'institution. Felícito ne pouvait en croire ses yeux. Il l'avait présentée deux ou trois ans plus tôt et, comme on ne lui avait jamais répondu, il avait pensé qu'il avait été refusé parce qu'il n'était pas un petit Blanc, comme croyaient l'être ces messieurs qui allaient au Club Grau jouer au tennis, au ping-pong, au tonneau, aux dés, se baigner dans la piscine et danser les samedis de bal au son des meilleurs orchestres de Piura. Il avait pris sur lui de présenter cette demande depuis qu'il avait vu chanter dans une fête du Club Grau Cecilia Barraza, l'artiste créole[1] qu'il admirait le plus. Il y était allé avec Mabel et s'était retrouvé assis à la table de Vignolo le Rougeaud, qui en était membre. Si on lui avait demandé quel avait été le jour le plus heureux de sa vie, Felícito Yanaqué aurait choisi cette soirée-là.

Cecilia Barraza avait été son amour secret, avant même qu'il l'ait vue en photo ou en personne. Il était tombé amoureux d'elle à cause de sa voix. Il ne l'avait raconté à personne, c'était quelque chose d'intime. Il se trouvait à La Reina, maintenant disparue, un restaurant qui faisait

---

1. Créole : au sens restrictif de populaire et traditionnel. S'applique le plus souvent à la musique (*música criolla*, *vals criollo*).

le coin entre le quai Eguiguren et l'avenue Sánchez Cerro, et où, le premier samedi de chaque mois, se réunissait à déjeuner le comité directeur de l'Association des Chauffeurs interrégionaux de Piura, auquel il appartenait. Ils étaient en train de trinquer avec un petit verre de liqueur de caroube quand, soudain, il avait entendu chanter, à la radio du restaurant, une de ses valses préférées, *Alma, corazón y vida*[1], avec plus de grâce, d'émotion et de sincérité qu'il ne l'avait jamais entendu auparavant. Ni Jesús Vásquez, ni Los Morochucos, ni Lucha Reyes, ni n'importe quel autre chanteur créole de ceux qu'il connaissait n'interprétait cette jolie valse avec autant de sentiment, de grâce et d'esprit que cette chanteuse qu'il entendait pour la première fois. Elle imprimait à chaque mot, à chaque syllabe, tant de vérité et d'harmonie, tant de délicatesse et de tendresse, que cela donnait envie de se mettre à danser et même de pleurer. Il demanda son nom et on le lui dit : Cecilia Barraza. En écoutant la voix de cette jeune fille il avait eu l'impression de comprendre exactement, pour la première fois, beaucoup de mots des valses créoles qu'il trouvait auparavant mystérieux et incompréhensibles, comme arpèges, nuées, extase, cadence, désir, céleste :

> *Âme pour te séduire*
> *cœur pour t'aimer*
> *et vie pour la vivre*
> *à tes côtés !*

1. *Alma, corazón y vida* : Âme, cœur et vie : *Alma para conquistarte / corazón para quererte / y vida para vivirla / ¡ junto a ti !*

Il s'était senti séduit, ému, ensorcelé, aimé. Depuis lors, le soir, avant de dormir, ou le matin très tôt, avant de se lever, il imaginait parfois qu'il vivait au milieu d'arpèges, de cadences, de nuées et d'extases aux côtés de cette chanteuse appelée Cecilia Barraza. Sans le dire à personne, et encore moins à Mabel, bien entendu, il avait vécu en amoureux platonique de ce petit visage rieur, aux yeux si expressifs et au sourire si séduisant. Il avait rassemblé une bonne collection de photos d'elle parues dans des journaux et des revues, qu'il rangeait jalousement sous clé dans un tiroir de son ancien bureau. L'incendie avait eu raison de ces photos, mais non de la collection de disques de Cecilia Barraza qu'il avait répartie entre sa maison de la rue Arequipa et celle de Mabel, à Castilla. Il croyait avoir tous ceux qu'avait enregistrés cette artiste qui, à son modeste avis, avait élevé à de nouvelles hauteurs la musique créole, les valses, les marineras, les tonderos, les pregones[1]. Il écoutait ces CD presque tous les jours, en général le soir, après dîner, quand Gertrudis allait se coucher, dans le petit salon où ils avaient la télé et la chaîne. Les chansons faisaient voler son imagination ; parfois il était si ému qu'il sentait ses yeux se mouiller d'entendre cette petite voix si douce et si caressante qui imprégnait la nuit. C'est pourquoi, quand on avait annoncé qu'elle viendrait à Piura chanter au Club Grau et que la représentation serait ouverte au public, il avait été un des premiers à prendre des billets. Il avait invité Mabel, et Vignolo le Rougeaud les avait fait

---

1. *Valses, marineras, tonderos, pregones* : danses, lentes ou vives, traditionnelles de diverses régions du Pérou, et prêtant leur rythme à l'inspiration du chanteur.

s'asseoir à sa table, où, avant le spectacle, ils avaient mangé comme quatre en buvant vin blanc et vin rouge. De voir la chanteuse en personne, même de pas tout près, mit Felícito en état de transe. Il la trouva plus jolie, plus gracieuse et plus élégante que sur les photos. Il applaudissait avec tant d'enthousiasme après chaque chanson que Mabel avait dit à Vignolo, en le désignant : « Regarde comme il est vert ce p'tit vieux, Rougeaud. »

— Aie pas l'esprit mal tourné, Mabelita — avait-il reparti, dissimulateur —, ce que j'applaudis c'est l'art de Cecilia Barraza, seulement son art.

La troisième lettre avec la petite araignée arriva assez longtemps après la deuxième, quand Felícito se demandait si, après l'incendie, son petit avis dans *El Tiempo* et le tapage qu'il avait fait, les mafieux, effrayés, ne se seraient pas résignés à le laisser en paix. Il s'était écoulé trois semaines depuis l'incendie et le différend avec la compagnie d'assurances n'était toujours pas réglé, quand un matin, devant la table de travail improvisée dans le garage, Mme Josefita, en train d'ouvrir le courrier, s'écria :

— Comme c'est bizarre, don Felícito, une lettre sans expéditeur !

Le transporteur la lui arracha des mains. C'était ce qu'il craignait.

Cher monsieur Yanaqué :

Nous sommes heureux que vous soyez maintenant un homme si populaire et si considéré dans notre chère ville de Piura. Nous faisons des vœux pour que cette popularité tourne au bénéfice des Transports Narihualá, surtout après le pépin subi par l'entreprise à cause de votre entêtement. Ce serait mieux pour vous d'accepter les enseignements de la réalité et d'être pragmatique au lieu de vous entêter comme une mule. Nous ne voudrions pas vous voir subir un autre dommage plus grave que le précédent. C'est pourquoi nous vous invitons à être souple et à répondre favorablement à notre mise en demeure.

Comme tout Piura, nous avons pris note de l'avis que vous avez fait paraître dans El Tiempo. *Nous ne vous en tenons pas rigueur. Plus encore, nous comprenons que vous ayez décidé de mettre cet avis en cédant à un coup de sang compte tenu de l'incendie qui a mis vos bureaux par terre. Nous l'oublions, oubliez-le vous aussi et repartons de zéro.*

Nous vous donnons un délai de deux semaines — quatorze jours à compter d'aujourd'hui — pour réfléchir, entendre raison et nous aider à liquider l'affaire qui nous occupe. En cas contraire, attendez-vous à des conséquences. Elles seront plus graves que celles que vous avez subies jusqu'à présent. À bon entendeur salut, comme dit le proverbe, monsieur Yanaqué.

Dieu vous garde.

La lettre, cette fois, était tapée à la machine, mais la signature était le même dessin à l'encre bleue que dans les deux précédentes : une petite araignée à cinq longues pattes avec un point au centre qui représentait la tête.

— Vous vous sentez mal, don Felícito ? Me dites pas que c'est une autre de ces petites lettres — insista sa secrétaire.

Son chef avait baissé les bras et avait l'air en état de choc sur sa chaise, très pâle, les yeux fixés sur le morceau de papier. Enfin, il fit signe que oui et mit un doigt devant sa bouche, pour lui indiquer de garder le silence. Les gens qui remplissaient le local ne devaient pas se rendre compte. Il lui demanda un verre d'eau et le but lentement, en faisant des efforts pour contrôler l'agitation qui s'était emparée de lui. Il sentait son cœur agité et respirait avec difficulté. Évidemment ces salauds n'avaient pas lâché prise, évidemment ils gardaient leur idée fixe. Mais ils se trompaient s'ils croyaient que Felícito Yanaqué se laisserait faire. Il débordait de colère, de haine, d'une rage qui le faisait trembler. Peut-être que Miguel et Tiburcio avaient raison. Pas pour le garde du corps, bien sûr, lui ne gaspillerait jamais ses économies à ça. Mais pour le revolver peut-être bien que oui. Rien ne lui ferait autant plaisir dans cette vie, si ces ordures il les avait à sa portée, que de les descendre. Les cribler de balles et même cracher sur leurs cadavres.

Quand il se calma un peu, il se dépêcha d'aller au commissariat, mais ni le capitaine Silva ni le sergent Lituma ne s'y trouvaient. Ils étaient sortis déjeuner et reviendraient vers quatre heures de l'après-midi. Il s'assit dans une cafétéria de l'avenue Sánchez Cerro et commanda une limonade bien fraîche. Deux dames s'approchèrent pour lui serrer la main. Elles l'admiraient, il était un modèle et une inspiration pour tous les Piuranos. Elles lui dirent au revoir en le bénissant, et il les remercia par un petit sourire. «Vraiment, maintenant je me sens pas un héros, loin de là, pensait-il. Un idiot, plutôt. Un con fini, voilà ce que je suis. Eux qui s'amusent de moi tant et plus et moi pas fichu de débrouiller ce maudit sac de nœuds. »

Il retournait à son bureau en marchant lentement sur les hauts trottoirs de l'avenue, entouré de bruyantes motos-taxis, de cyclistes et de piétons, quand, au milieu de son découragement, il eut une envie subite, énorme, de voir Mabel. La voir, bavarder avec elle, peut-être sentir que peu à peu lui venait l'appétit, un vertige qui un moment lui tournerait la tête et lui ferait oublier l'incendie, les difficultés avec l'assurance qu'avait Me Castro Pozo, la récente lettre de la petite araignée. Et peut-être, après avoir joui, pourrait-il dormir un peu, détendu et heureux. Autant qu'il s'en souvînt, jamais pendant ces huit ans il n'avait débarqué à l'improviste et à midi dans la maisonnette de Mabel, toujours quand la nuit tombait et les jours convenus d'avance avec elle. Mais il vivait des temps extraordinaires et il pouvait déroger à la règle. Il était fatigué, il faisait chaud et, au lieu de marcher, il prit un taxi. En descendant, à Castilla, il vit Mabel à la porte de chez elle. Elle s'en allait ou revenait ? Elle resta à le regarder, surprise.

— Toi par ici ? — lui dit-elle, en guise de bonjour —. Aujourd'hui ? À ces heures ?

— Je voudrais pas te déranger — s'excusa Felícito —. Si t'as un rendez-vous, je m'en vais.

— J'en ai un, mais je peux l'annuler — dit Mabel en lui souriant, une fois sa surprise passée —. Entre, je t'en prie. Attends-moi un instant, j'arrange la chose et je reviens.

Felícito remarqua que, malgré ses paroles aimables, elle était contrariée. Il était arrivé au mauvais moment. Elle partait faire les commissions, peut-être. Non, non. Plutôt retrouver une amie pour lécher un peu les vitrines et déjeuner ensemble. Ou, peut-être, elle était attendue par un homme jeune, comme elle, qui lui plaisait et avec qui ils se voyaient en cachette, si ça se trouvait. Il eut une rafale de jalousie en imaginant que Mabel allait retrouver un amant. Un type qui la déshabillerait et la ferait crier. Il avait fichu leur plan en l'air. Il sentit un grand courant de désir, des chatouillis à l'entrejambe, un commencement d'érection. Allons, après combien de jours ! Elle était jolie Mabel ce matin-là, avec cette petite robe blanche qui laissait ses bras et ses épaules à l'air, ces souliers ajourés à talons aiguilles, si bien coiffée, les yeux et les lèvres maquillés. Est-ce qu'elle avait un petit ami ? Il était entré dans la maison, avait enlevé sa veste et sa cravate. Quand Mabel revint, elle le trouva en train de lire une fois de plus la lettre de la petite araignée. Sa contrariété avait disparu. Maintenant, elle était aussi souriante et affectueuse qu'elle l'était toujours avec lui.

— C'est que j'ai reçu une autre lettre ce matin — s'excusa Felícito, en la lui tendant —. J'ai pris une grosse colère. Et, d'un coup, j'ai eu envie de te voir. C'est pour ça que je suis là, mon amour. Pardonne-moi d'avoir débarqué comme ça, sans te prévenir. J'espère que je t'ai flanqué aucun plan par terre.

— Tu es ici chez toi, p'tit vieux — dit Mabel, en lui souriant à nouveau —. Tu peux venir quand tu veux. Tu m'as flanqué par terre aucun plan. J'allais à la pharmacie acheter des médicaments.

Elle prit la lettre, s'assit à côté de lui et, au fur et à mesure de sa lecture, elle eut l'air de plus en plus inquiète. Un petit nuage voila ses yeux.

— Ça veut dire que ces maudits ils arrêtent pas ! — s'écria-t-elle, très sérieuse —. Qu'est-ce que tu vas faire maintenant ?

— Je suis allé au commissariat mais les flics ils étaient pas là. Je retournerai cet après-midi. Je sais pas pourquoi, cette paire d'imbéciles ils font rien. Ils me bercent, c'est la seule chose qu'ils savent faire. Me bercer avec des mots en l'air.

— Alors t'es venu pour que je te cajole un peu — Mabel lui remonta le moral, en lui souriant —. Pas vrai, p'tit vieux ?

Elle lui passa la main sur le visage et lui la prit et l'embrassa.

— Allons dans la chambre, Mabelita — lui chuchota-t-il à l'oreille —. J'ai très envie de toi, tout de suite.

— Bon, bon, si je m'attendais à ça ! — elle se remit à rire, en faisant l'effrayée —. À ces heures ? Je te reconnais pas, p'tit vieux.

— Tu vois — dit-il, la serrant contre lui et l'embrassant dans le cou, en la reniflant —. Que tu sens bon, chérie ! Je dois être en train de changer d'habitudes, de rajeunir, che guá.

Ils allèrent dans la chambre, se déshabillèrent et firent l'amour. Felícito était si excité qu'il eut son orgasme dès qu'il la pénétra. Il resta enlacé à elle, la caressant en silence, jouant avec ses cheveux, l'embrassant dans le cou et sur le corps, lui mordillant les mamelons, lui faisant des chatouilles, la touchant.

— Comme t'es affectueux, p'tit vieux — Mabel le saisit par les oreilles, en le regardant de tout près dans les yeux —. Un de ces jours tu vas me dire que tu m'aimes.

— Je te l'ai peut-être pas dit cent fois, petite sotte ?

— Tu me le dis quand t'es excité et de cette façon ça compte pas — le gronda Mabel, en plaisantant —. Mais tu me le dis jamais avant ni après.

— Eh ben je te le dis maintenant que je suis plus si excité. Je t'aime beaucoup, Mabelita. T'es la seule femme que j'aie aimée pour de vrai.

— Tu m'aimes plus que Cecilia Barraza ?

— Elle c'est rien qu'un rêve, mon conte de fées — dit Felícito, en riant —. Toi t'es mon seul amour dans la réalité.

— Je te prends au mot, p'tit vieux — dit-elle en le décoiffant, morte de rire.

Ils bavardèrent un bon moment, couchés au lit, puis Felícito se leva, se lava et s'habilla. Il retourna aux Transports Narihualá et s'occupa des affaires du bureau une bonne partie de l'après-midi. À la sortie, il repassa au commissariat. Le capitaine et le sergent étaient revenus et ils le reçurent dans le bureau du premier. Sans leur dire un mot, il leur tendit la troisième lettre de la petite araignée. Le capitaine Silva la lut à haute voix, en articulant chaque mot, sous le regard attentif du sergent Lituma, qui l'écoutait en tripotant un cahier de ses mains grassouillettes.

— Bien, tout suit son cours prévisible — affirma le capitaine Silva, quand il eut fini de lire. Il avait l'air très satisfait d'avoir prévu tout ce qui arrivait —. Ils ne se laissent pas faire, comme il fallait s'y attendre. Cette persévérance sera leur ruine, je vous l'ai déjà dit.

— Alors je devrais me réjouir ? — demanda Felícito, sur un ton sarcastique —. Non contents de brûler mes bureaux, ils continuent à m'envoyer des lettres anonymes et maintenant ils me lancent un ultimatum de deux semaines, en me menaçant de quelque chose de pire que l'incendie. Je viens ici et vous me dites que tout suit son cours prévisible. En réalité, vous avez pas avancé d'un millimètre dans vos recherches pendant que ces putains de leur mère ils font avec moi ce qui leur fait envie.

— Qui dit qu'on n'a pas avancé ? — protesta le capitaine Silva, en gesticulant et en haussant la voix —. On a pas mal avancé. Déjà, on a écarté que ces gens-là soient une des trois bandes connues de Piura qui rackettent les commerçants. En plus, le sergent Lituma a trouvé quelque chose qui pourrait être une bonne piste.

Il le dit d'une telle manière que Felícito le crut, malgré son scepticisme.

— Une piste ? Vraiment ? Où ? Laquelle ?

— C'est encore trop tôt pour vous informer. Mais c'est mieux que rien. Dès que la chose se concrétisera, vous le saurez. Croyez-moi, monsieur Yanaqué. On s'attache corps et âme à votre cas. On vous consacre plus de temps qu'à tout le reste. Vous êtes notre première priorité.

Felícito leur raconta que ses fils, inquiets, lui avaient suggéré d'embaucher un garde du corps et qu'il avait refusé. Ils lui avaient aussi suggéré de s'acheter un revolver. Qu'est-ce qu'ils en pensaient ?

— Je ne vous le conseille pas — répliqua le capitaine Silva, immédiatement —. On ne doit porter un pistolet que lorsqu'on est disposé à s'en servir et vous ne me semblez pas une personne capable de tuer qui que ce soit. Vous vous exposeriez inutilement, monsieur Yanaqué. Enfin, à vous de voir. Si, malgré mon conseil, vous voulez un permis de port d'armes, on vous facilitera les démarches. Ça prend du temps, je vous préviens. Vous devrez passer un examen psychologique. Enfin, pesez le pour et le contre.

Felícito arriva chez lui à la nuit tombée, quand déjà chantaient les grillons et coassaient les crapauds dans le jardin. Il dîna immédiatement, un bouillon de poulet, une salade et un flan que lui servit Saturnina. Au moment où il allait au salon regarder les nouvelles à la télé il vit s'approcher de lui cette silencieuse forme mobile qu'était Gertrudis. Elle avait un journal à la main.

— Toute la ville fait que parler de cet avis que tu as publié dans *El Tiempo* — dit sa femme, en s'asseyant dans le fauteuil à côté du sien —. Même le curé, à la messe de ce matin, il en a parlé dans son sermon. Tout Piura l'a lu. Sauf moi.

— Je voulais pas t'inquiéter, c'est pour ça que je t'ai rien dit — s'excusa Felícito —. Mais tu l'as ici. Pourquoi tu l'as pas lu, alors ?

Il la vit se tortiller sur son fauteuil, mal à l'aise, évitant son regard.

— J'ai oublié — l'entendit-il dire, entre ses dents —. Comme je lis jamais, à cause de ma vue, je comprends presque plus ce que je lis. J'ai les lettres qui dansent.

— Alors faut que t'ailles chez l'oculiste te faire mesurer la vue — la gronda-t-il —. Comment c'est possible que tu aies oublié de lire, je crois pas que cela arrive à personne, Gertrudis.

— Eh ben à moi ça m'arrive — dit-elle —. Oui, j'irai me faire mesurer la vue un de ces jours. Tu peux pas me lire ce que t'as fait publier dans *El Tiempo* ? J'ai demandé à Saturnina mais elle non plus elle sait pas lire.

Elle lui tendit le journal et, après avoir mis ses lunettes, Felícito lut :

Messieurs les maîtres chanteurs à la petite araignée :

Même si vous m'avez brûlé les bureaux des Transports Narihualá, entreprise que j'ai créée avec l'honnête effort de toute une vie, je vous fais savoir publiquement que je vous paierai jamais la contribution que vous me demandez pour me protéger. Je préfère plutôt être tué. Vous recevrez pas de moi un seul centavo, parce que je crois que des bandits et des voleurs comme vous, nous autres les personnes honnêtes, travailleuses et comme il faut, on doit pas en avoir peur, mais les affronter avec détermination jusqu'à les envoyer en prison, où ils méritent d'être.

Je le dis et je le signe :

Felícito Yanaqué (j'ai pas de nom maternel).

La masse féminine resta immobile un bon moment, à ruminer ce qu'elle venait d'entendre. Enfin, elle murmura :

— C'est vrai ce qu'il a dit le curé dans son sermon, alors. T'es un homme courageux, Felícito. Que el Señor Cautivo[1] il ait pitié de nous. Si on s'en sort, j'irai à Ayabaca le prier pour sa fête, le 12 octobre qui vient.

1. Señor Cautivo de Ayabaca : statue du « Christ prisonnier », à Ayabaca dans les Andes (région de Piura, à près de 3 000 m d'altitude). Une vive ferveur populaire entoure cette statue qui avait été, selon la légende, sculptée en 1871 par des anges.

VI

— Cette nuit, Rigoberto, pas d'histoire à te raconter — dit Lucrecia d'une voix inquiète lorsqu'ils se couchèrent et éteignirent.

— Moi non plus, ce soir, je n'ai pas l'esprit imaginatif, mon amour.

— Est-ce que tu as enfin eu de leurs nouvelles ?

Rigoberto fit oui. Cela faisait sept jours qu'Ismael et Armida s'étaient mariés et Lucrecia et lui avaient passé toute la semaine dans l'angoisse, attendant la réaction des hyènes à l'événement. Le temps s'écoulait et puis rien. Mais deux jours plus tard Me Claudio Arnillas, l'avocat d'Ismael, appela Rigoberto pour le prévenir. Les jumeaux avaient eu connaissance du mariage à la mairie de Chorrillos et savaient, par conséquent, qu'il était l'un des témoins. Il devait se préparer, ils pouvaient l'appeler à tout moment.

Ce qu'ils firent au bout de quelques heures.

— Miki et Escobita ont demandé à me voir et j'ai dû accepter, le moyen de faire autrement, Lucrecia ? — ajouta-t-il —. Ils viendront demain. Je ne te l'ai pas dit tout de suite pour ne pas empoisonner ta journée. Le problème nous tombe dessus. J'espère m'en sortir au moins avec tous mes os intacts.

— Tu sais une chose, Rigoberto ? Je ne m'inquiète pas tellement de ces deux gus, on savait bien que cela allait arriver — répondit son épouse —. On s'y attendait, non ? Un mauvais moment à passer, voilà tout. Le mariage d'Ismael et la crise de nerfs de ces deux crétins, je m'en balance. Moi, ce qui me tracasse et m'empêche de dormir, c'est Fonfon.

— Le zigoto une fois de plus ? — dit Rigoberto, préoccupé —. Il s'est encore manifesté ?

— Il n'a jamais cessé de lui apparaître, mon cœur — lui rappela Lucrecia, la voix brisée —. Ce qui se passe, je crois, c'est que le petit se méfie de nous et ne nous dit plus rien. C'est ce qui m'inquiète le plus. Tu ne vois pas comme il est, le pauvret ? Triste, l'air absent, replié sur lui-même. Avant il nous racontait tout, mais maintenant je crains qu'il ne garde ces choses pour lui. Et c'est peut-être pour ça qu'il est rongé d'angoisse. Tu ne l'as pas remarqué ? À force de penser aux hyènes, tu n'as pas vu combien ton fils a changé ces derniers mois. Si nous ne faisons pas quelque chose, et vite, il pourrait lui arriver n'importe quoi et on s'en mordrait les doigts le restant de nos jours. Tu ne t'en rends pas compte ?

— Je m'en rends parfaitement compte — dit Rigoberto en se retournant sous les draps —. Mais je ne sais pas ce qu'on peut faire de plus. Si tu as une idée, dis-le-moi et on le fera. Je suis perdu dans tout ça. On l'a emmené voir la meilleure psy de Lima, je suis allé trouver ses professeurs, j'essaie tous les jours de parler avec lui et de retrouver sa confiance. Dis-moi ce que tu veux que je fasse d'autre et je le ferai, Lucrecia. Je suis aussi tracassé que toi par Fonfon. Tu crois que je ne m'inquiète pas pour mon fils ?

— Je sais, je sais — convint-elle —. J'ai eu une idée qui, peut-être, enfin je ne sais pas, va te faire rire, je suis si remuée par ce qui lui arrive que, enfin, bon, c'est une idée, rien d'autre qu'une simple idée.

— Eh bien, dis-la-moi, Lucrecia, on verra bien. Quelle que soit ton idée, on le fera, je te le jure.

— Pourquoi n'en parles-tu pas à ton ami, le père O'Donovan ? Enfin, sans rire, je ne sais pas.

— Tu veux que j'aille parler de cette affaire avec un curé ? — dit Rigoberto, surpris, en lâchant un petit rire —. Pourquoi ? Pour qu'il exorcise Fonfon ? Tu as pris au sérieux cette blague du diable ?

Cela avait commencé depuis plusieurs mois, peut-être une année, de la façon la plus banale qui soit. Un week-end, au milieu du déjeuner, Fonfon, l'air de rien et comme si cela n'avait aucune importance, avait soudain raconté à son père et à sa belle-mère sa première rencontre avec ce personnage.

— Je sais quel est ton nom — avait dit le monsieur, en lui souriant aimablement de la table à côté —. Tu t'appelles Lucifer.

Le garçonnet l'avait regardé, surpris, sans savoir que dire. Il buvait un Inca Kola au goulot, son sac de collégien sur les genoux, quand il avait remarqué la présence de cet homme dans ce petit café isolé du parc de Barranco, non loin de chez lui. C'était un monsieur aux tempes argentées, l'œil vif, très mince, modeste d'allure mais très correct. Il portait un pull mauve à losanges blancs sous sa veste grise et sirotait une tasse de café.

— Fonfon, je t'ai formellement interdit de parler

avec des inconnus dans la rue — lui rappela don Rigoberto —. Tu l'as oublié ?

— Je ne m'appelle pas Lucifer mais Alfonso — avait-il répondu —. Fonfon pour mes amis.

— Ton papa te le dit pour ton bien, mon chéri — intervint sa belle-mère —. On ne sait jamais qui sont ces types qui cherchent à parler avec les écoliers à la porte des collèges.

— Ils te vendent de la drogue, ou bien ce sont des ravisseurs ou des pédophiles. Alors, sois très prudent.

— Eh bien, tu devrais t'appeler Lucifer ! — lui avait dit le monsieur en souriant. Sa voix lente et distinguée articulait chaque mot avec l'élégance d'un professeur de grammaire. Son visage allongé et osseux semblait rasé de près. Il avait de longs doigts aux ongles coupés court. « Je te jure, papa, qu'il avait l'air d'une personne comme il faut » —. Sais-tu ce que veut dire Lucifer ?

Fonfon avait fait non de la tête. « Lucifer, il t'a appelé ? dit don Rigoberto, intéressé. Tu as dit Lucifer ? »

— Celui qui apporte la lumière, le porteur de lumière — avait expliqué le monsieur, posément. « Il parlait comme au ralenti, papa » —. C'est une façon de dire que tu es beau garçon. Quand tu seras grand, toutes les filles de Lima seront folles de toi. On ne t'a pas appris à l'école qui était Lucifer ?

— Je le vois venir et j'imagine très bien ce qu'il cherchait — murmura Rigoberto, en prêtant alors grande attention à ce que disait son fils.

Fonfon avait à nouveau fait non de la tête.

— Je savais que je devais filer au plus vite, papa, je me rappelle très bien le nombre de fois où tu m'as dit de ne jamais parler à des inconnus comme ce monsieur qui voulait engager la conversation avec moi — expliqua-t-il, avec de grands gestes —. Mais, mais, je te dis, il y avait quelque chose chez lui, dans ses manières, dans sa façon de parler, qui n'avait rien de vilain. Et puis, il piquait ma curiosité. Au Markham, autant que je me rappelle, on ne nous a jamais parlé de Lucifer.

— C'était le plus bel archange là-haut, le préféré de Dieu — avait-il dit en montrant gravement le ciel du doigt, sans plaisanter, un léger sourire bienveillant sur son visage bien rasé —. Mais Lucifer, se sachant si beau, se haussa du col et commit le péché d'orgueil. Il se sentit l'égal de Dieu, rien de moins. Tu imagines ! Alors Lui le punit et transforma l'ange de lumière en prince des ténèbres. Et ce fut le début de tout : l'histoire, l'apparition du temps et du mal, la vie humaine.

— Il n'avait pas l'air d'un curé, papa, ni d'un de ces missionnaires évangélistes qui distribuent des revues religieuses de maison en maison. Je lui ai posé la question : « Vous êtes un prêtre, monsieur ? » « Non, non, je n'ai rien à voir avec un curé, Fonfon, je ne sais ce qui te fait dire pareille chose. » Et il a éclaté de rire.

— Tu as été imprudent de parler avec lui, peut-être même qu'il t'a suivi jusqu'ici — le gronda doña Lucrecia, en lui caressant le front —. Plus jamais, plus jamais, promets-le-moi, mon chéri !

— Je dois m'en aller, monsieur — avait dit Fonfon, en se levant —. On m'attend à la maison.

L'homme n'avait pas essayé de le retenir. En guise d'au revoir il lui avait fait un large sourire, avec une petite courbette et en agitant les doigts.

— Tu devines qui il était, non ? — répéta Rigoberto —. Tu as quinze ans et tu es au courant de ces choses, non ?

Un pervers. Un pédophile. Tu comprends bien ce que ça signifie, je n'ai pas besoin de te faire un dessin. Il te draguait, évidemment. Lucrecia a raison. Tu as mal fait de lui répondre. Tu aurais dû te lever et filer dès qu'il t'a adressé la parole.

— Il n'avait pas l'air d'un homo, papa — le rassura Fonfon —, je te jure. Les pédés qui courent après les garçons je les repère illico, à leur façon de regarder. Avant même qu'ils ouvrent la bouche, parole ! Et parce qu'ils essaient toujours de me toucher. Lui c'était tout le contraire, un monsieur très distingué, délicat. Il n'avait pas l'air d'avoir de mauvaises intentions.

— Ceux-là ce sont les pires, Fonfon — affirma doña Lucrecia, tout à fait inquiète —. Les saintes-nitouches, ceux qui ne semblent pas l'être mais qui le sont.

— Dis-moi, papa — dit Fonfon en changeant de sujet —, est-ce que c'est vrai ce que ce monsieur m'a raconté de l'archange Lucifer ?

— Bon, c'est ce que dit la Bible — hésita don Rigoberto —. C'est vrai, en tout cas, pour les croyants. C'est inouï qu'au collège Markham on ne vous fasse pas lire la Bible, au moins pour votre culture générale. Mais ne nous écartons pas du sujet. Je te le répète une fois de plus, fiston. Formellement interdit que tu acceptes quelque chose d'inconnus. Ni invitations, ni conversations, rien de rien, compris ? Ou tu veux que je t'interdise une fois pour toutes de te balader dans les rues ?

— Je suis trop grand maintenant, papa. J'ai quinze ans, tu sais.

— Oui, tu as atteint l'âge de Mathusalem — avait dit en riant doña Lucrecia. Mais, alors, Rigoberto l'entendit soupirer dans l'obscurité —. Si on avait su où toute cette affaire allait nous mener ! Quel cauchemar, mon Dieu ! Cela dure, d'après moi, depuis quelque chose comme un an.

— Un an ou peut-être un petit peu plus, mon amour.

Rigoberto avait oublié presque aussitôt cet épisode de l'inconnu qui avait parlé de Lucifer à Fonfon dans le petit café du parc de Barranco. Mais le souvenir lui en revint, et son inquiétude, une semaine après, lorsque au retour d'un match de football au collège San Agustín son fils lui dit que ce monsieur s'était à nouveau présenté.

— Je sortais des douches du collège et me préparais à retrouver Chato Pezzuolo pour rentrer avec lui à Barranco en taxi collectif, et puis voilà, papa, c'est incroyable, c'était lui, le même monsieur, qui était là.

— Bonjour, Lucifer — l'avait salué cet homme, avec toujours le même sourire affectueux —. Tu te souviens de moi ?

Il était assis dans le hall qui séparait le terrain de football de la porte de sortie du collège San Agustín. On voyait derrière lui une épaisse file de voitures, camionnettes et bus avancer sur l'avenue Javier Prado. Certains véhicules avaient déjà allumé leurs feux.

— Oui, oui, je me rappelle — avait dit Fonfon en se levant. Et, sur un ton catégorique, il l'avait affronté —: Mon père m'a défendu de parler avec des inconnus, excusez-moi.

— Rigoberto a fort bien fait — avait dit le monsieur, en hochant la tête. Il portait le même complet gris que la fois précédente, mais son pull mauve était différent, sans losanges blancs —. Lima est pleine de vilaines gens. Il y a partout des pervers et des dégénérés. Et les jolis petits garçons comme toi sont leur cible préférée.

Don Rigoberto ouvrit grands les yeux :

— Il m'a nommé, moi ? Il t'a dit qu'il me connaissait ?

— Vous connaissez mon père, monsieur ?

— Et j'ai connu aussi Eloísa, ta maman — avait acquiescé l'homme, d'un air grave —. Je connais également Lucrecia, ta marâtre. Je ne peux pas dire que nous soyons amis, parce que nous nous sommes à peine vus. Mais je les ai trouvés tous deux très sympathiques et, tels que je les ai vus la première fois, ils m'ont semblé former un couple magnifique. Je suis heureux de savoir qu'ils veillent sur toi et s'en occupent bien. Un garçon aussi mignon que toi n'est pas en sécurité dans cette Sodome et Gomorrhe qu'est Lima.

— Tu pourrais me dire ce que c'est Sodome et Gomorrhe, papa ? — demanda Fonfon, et Rigoberto remarqua dans son regard une petite lueur malicieuse.

— Deux villes de l'Antiquité, très corrompues, que Dieu, à cause de ça, a effacées de la carte — rétorqua-t-il, l'air soucieux —. Du moins d'après les croyants. Tu devrais lire un peu la Bible, fiston. Pour ta culture générale. Au moins le Nouveau Testament. Le monde où nous vivons est plein de références bibliques et si tu ne les comprends pas tu vivras dans la confusion et l'ignorance totale. Par exemple, tu ne comprendras rien à l'art classique, à l'histoire ancienne. C'est sûr que ce type t'a dit qu'il nous connaissait, Lucrecia et moi ?

— Et qu'il avait connu aussi ma maman — précisa Fonfon —. Il m'a même dit son nom : Eloísa. Il l'a fait d'une telle manière, papa, qu'il était impossible de ne pas croire qu'il disait la vérité.

— Il t'a dit comment il s'appelle ?

— Eh bien, ça non — dit Fonfon, confus —. Je ne le

lui ai pas demandé et ne lui ai même pas donné le temps de me le dire. Comme tu m'as ordonné de ne pas échanger un mot avec lui, je suis parti en courant. Mais c'est sûr qu'il te connaît, qu'il vous connaît. Sinon, il ne m'aurait pas dit ton nom, il n'aurait rien su de ma mère ni que belle-maman s'appelle Lucrecia.

— Si jamais tu le rencontres encore, ne manque pas de lui demander comment il s'appelle — dit Rigoberto en le scrutant d'un regard plein de méfiance : est-ce que c'était vrai ce que leur racontait le petit ou était-ce une autre de ses inventions ? —. Mais surtout ne reste pas à bavarder avec lui, et accepte encore moins qu'il t'offre un Coca-Cola ou autre chose. Je suis de plus en plus persuadé que c'est un de ces vicieux qui se baladent en ville à la recherche de garçons. Car sinon que pouvait-il bien faire au collège San Agustín ?

— Tu veux que je te dise une chose, Rigoberto ? — lui dit Lucrecia en se collant à lui dans les ténèbres, comme si elle lisait dans ses pensées —. Je crois parfois qu'il invente tout ça. C'est typique de Fonfon et de son imagination. Il nous a déjà fait le coup plusieurs fois, non ? Et je me dis qu'il n'y a pas de quoi s'inquiéter, que le monsieur en question n'existe pas et ne peut exister. Qu'il l'a inventé pour se rendre intéressant et qu'on soit attentifs à lui. Le problème c'est que Fonfon sait magnifiquement nous embobiner. Car lorsqu'il nous parle de ses rencontres, il me semble impossible que ce qu'il dit ne soit pas vrai. Il parle d'une façon si naturelle, si innocente, si convaincante, enfin, je ne sais pas. Tu ne trouves pas, toi aussi ?

— Bien sûr que oui, tout comme toi — avoua Rigoberto en serrant sa femme dans ses bras, en se réchauffant contre elle et en la réchauffant —. Un grand enjôleur, oui. J'espère qu'il a inventé toute cette histoire, Lucrecia. Je l'espère, je l'espère. Au début, je la prenais à la légère, mais maintenant ces apparitions tournent pour moi à l'obsession. Je me mets à lire et voilà que cette espèce d'individu distrait mon attention, j'écoute de la musique et c'est lui que j'ai en tête, je regarde mes gravures et c'est son visage que je vois, qui n'est pas un visage mais un point d'interrogation.

— Avec Fonfon on ne s'ennuie jamais, ça c'est vrai — dit doña Lucrecia en essayant de plaisanter —. Tâchons de dormir un peu. Je ne veux pas passer encore une nuit blanche.

Il s'était écoulé plusieurs jours sans que le gosse leur reparle de l'inconnu. Rigoberto commença à penser que Lucrecia avait raison. Tout n'avait été qu'une affabulation de son fils pour faire l'intéressant et attirer leur attention. Et puis voilà que ce soir d'hiver-là, avec sa froidure et sa bruine, Lucrecia avait accueilli Rigoberto avec un visage qui l'avait fait sursauter.

— Quelle tête tu fais ! — avait-il dit en l'embrassant —. C'est à cause de ma retraite anticipée ? Tu trouves que c'est une mauvaise idée ? Tu es épouvantée à la perspective de me voir toute la journée fourré dans tes jupons ?

— Fonfon — Lucrecia lui avait montré du doigt l'étage du bas, où se trouvait la chambre de l'enfant —. Il s'est passé quelque chose au collège et il n'a pas voulu me dire quoi. Je m'en suis rendu compte dès qu'il est rentré. Il était tout pâle et tout tremblant. J'ai cru qu'il avait de la fièvre. Je lui ai mis le thermomètre, mais non, ce n'était pas cela. Il était comme absent, effrayé, il pouvait à peine parler. « Non, non, je n'ai rien, belle-maman. » Un filet de voix. Va le voir, Rigoberto, il s'est enfermé dans sa chambre. Qu'il te dise ce qui lui est arrivé. On devrait peut-être appeler SOS Médecins, je n'aime pas du tout la mine qu'il a.

« Le diable, encore », pensa Rigoberto. Il descendit l'escalier quatre à quatre jusqu'à l'étage inférieur de l'appartement. En effet, c'était toujours l'histoire de ce type. Fonfon hésita un peu au début. — « Pourquoi te le dire, papa, puisque tu ne vas pas me croire ? » —, mais finalement il céda aux caresses de son père et à ses arguments : « Il vaut mieux que tu te sortes ça de la tête, fiston, et que tu le partages avec moi. Ça te fera du bien de m'en parler, tu vas voir. » Son fils, en effet, était pâle et avait perdu son naturel. Il parlait comme si on lui dictait les mots ou comme s'il allait à tout moment éclater en sanglots. Rigoberto l'écouta sans broncher, sans lui couper une seule fois la parole, totalement concentré sur ce qu'il entendait.

Cela s'était passé pendant les trente minutes de récréation au collège Markham en milieu d'après-midi, avant les derniers cours de la journée. Au lieu de gagner le terrain de football, où ses camarades jouaient au ballon ou bavardaient sur la pelouse, Fonfon s'était assis dans un coin des tribunes vides, pour réviser son dernier cours de maths, la matière qui lui donnait le plus de mal. Et il était là à se creuser la tête sur une équation compliquée de vecteurs et de racines cubiques quand quelque chose, « comme un sixième sens, papa », lui avait fait sentir qu'on l'observait. Il avait levé les yeux et ce monsieur était là, assis aussi tout près de lui dans la tribune déserte. Toujours aussi simplement et correctement vêtu, cravate et pull mauve sous sa veste grise. Une liasse de documents sous le bras.

— Salut, Fonfon — lui avait-il dit en lui souriant avec naturel, comme s'ils étaient de vieilles connaissances —. Alors que tes camarades sont en train de jouer, toi tu études. Un élève modèle, c'est ce que je pensais de toi. Un gars sérieux.

— À quel moment était-il arrivé, ce monsieur, et avait-il grimpé dans les tribunes ? Qu'est-ce qu'il faisait là ? Je te jure que je me suis mis à trembler, papa, et je ne sais pas pourquoi — son fils avait pâli un peu plus et semblait ahuri.

— Vous êtes professeur au collège, monsieur ? — lui avait demandé Fonfon, effrayé et sans savoir par quoi.

— Professeur, non, pas du tout — lui avait-il répondu, calmement et toujours avec les mêmes façons courtoises —. Je donne un coup de main au collège Markham de temps en temps, pour des questions pratiques. Je conseille le directeur sur le plan administratif. J'aime venir ici, s'il fait beau, vous voir, vous les élèves. Cela me rappelle ma jeunesse et, d'une certaine façon, cela me rajeunit. Mais le beau temps n'est pas au rendez-vous, dommage, voilà qu'il bruine à nouveau.

— Mon père veut savoir comment vous vous appelez, monsieur — avait dit Fonfon d'une voix tremblante, surpris que cela lui coûte un tel effort de parler —. Parce que vous le connaissez, non ? Et ma belle-mère aussi, non ?

— Je m'appelle Edilberto Torres, mais ni Rigoberto ni Lucrecia ne doivent se souvenir de moi, nous nous sommes connus tout à fait en passant — avait expliqué le monsieur, avec sa parcimonie habituelle. Mais ce jour-là, contrairement aux autres fois, son sourire poli et ses petits yeux aimables et pénétrants, loin de rassurer Fonfon, lui mettaient les nerfs à vif.

Rigoberto remarqua que la voix de son fils se brisait. Il claquait des dents.

— Calme-toi, fiston, rien ne presse. Tu te sens mal ? Je t'apporte un verre d'eau ? Tu préfères continuer ton histoire plus tard, ou demain ?

Fonfon fit non de la tête. Les mots lui sortaient avec difficulté, comme si sa langue s'était endormie.

— Je sais que tu ne vas pas me croire, papa, je sais que je te raconte tout ça pour rien. Mais, mais, c'est qu'il s'est passé alors quelque chose de très bizarre.

Il détourna les yeux de son père et regarda par terre. Il était assis au bord du lit, portant encore l'uniforme du collège, à moitié recroquevillé et le visage tourmenté. Don Rigoberto sentit un flot de tendresse et de compassion pour son petit garçon. Il était évident qu'il souffrait, et lui ne savait comment l'aider.

— Si tu me dis que c'est vrai, je te croirai — le rassura-t-il, en lui passant la main dans les cheveux, un geste caressant qui n'était pas fréquent chez lui —. Je sais très bien que tu ne m'as jamais menti, Fonfon, et que tu ne vas pas commencer maintenant.

Don Rigoberto, qui était debout, s'assit sur la chaise du bureau de son fils. Il voyait les efforts que faisait ce dernier pour parler et comme il était angoissé, regardant le mur, parcourant les livres sur l'étagère, afin d'éviter son regard. Finalement il reprit courage et put continuer :

— Là-dessus, tandis que je bavardais avec ce monsieur, Chato Pezzuolo est venu en courant. C'est mon ami, celui que tu connais. Il arrivait en criant :

— Qu'est-ce qui t'arrive, Fonfon ! La récréation est finie, tout le monde est rentré en classe. Magne-toi, vieux.

Fonfon s'était levé d'un bond.

— Excusez-moi, je dois m'en aller, la récréation est terminée — il avait pris congé de M. Edilberto Torres et était parti en courant en direction de son ami.

— Chato Pezzuolo m'accueillit en faisant la grimace et en se touchant la tête, papa, comme s'il me manquait un boulon.

— Tu es cinglé, vieux, ou quoi ? — lui avait-il demandé, tout en regagnant la classe en courant —. On peut savoir à qui diable tu disais au revoir ?

— Je ne sais pas qui est ce type — lui avait expliqué Fonfon en haletant —. Il s'appelle Edilberto Torres et dit qu'il aide le directeur du collège pour des choses pratiques. Tu l'as déjà vu auparavant, toi, par ici ?

— Mais de quel type tu me parles, connard ! — s'était écrié Chato Pezzuolo, en s'arrêtant pour souffler et en se tournant vers lui —. Tu n'étais avec personne, tu parlais dans le vide, comme ceux qui sont fêlés du ciboulot. Est-ce que tu ne perds pas la boule, vieux ?

Ils étaient arrivés devant la classe et de là ils ne pouvaient voir les tribunes du terrain de foot.

— Tu ne l'as pas vu ? — avait dit Fonfon en le saisissant par le bras —. Ce monsieur aux cheveux blancs, complet, cravate et pull mauve, qui était assis là-bas, à côté de moi ? Jure-moi que tu ne l'as pas vu, Chato.

— Fais pas chier, dis — Chato Pezzuolo avait à nouveau porté l'index à sa tempe —. Tu étais tout seul comme un con, il n'y avait personne d'autre que toi. Ou alors tu es devenu dingue et tu as des visions. Tu chies dans la colle, Alfonso. Si tu veux te payer ma tête, hein ? je te jure que tu perds ton temps.

— Je savais que tu n'allais pas me croire, papa — murmura Fonfon en soupirant, et il affirma tout aussitôt — : Mais je sais très bien ce que je vois et ce que je ne vois pas. Tu peux être sûr que je n'ai pas pété un câble, non plus. Ce que je te raconte est vraiment arrivé. Tel quel.

— Bon, bon — tâcha de le calmer Rigoberto —. Si ça se trouve c'est ton ami Pezzuolo qui n'a pas vu cet Edilberto Torres. Il devait se trouver dans un angle mort, un obstacle quelconque gênait sa vision. Inutile de chercher plus loin. Quelle autre explication peut-il y avoir ? Ton ami Chato n'a pas réussi à le voir, un point c'est tout. On ne va quand même pas se mettre à croire aux fantômes à cet âge de la vie, hein, fiston ? Oublie tout ça et, surtout, Edilberto Torres. Disons qu'il n'existe pas, qu'il n'a jamais existé. Que ça ne va pas le faire, comme vous dites maintenant.

— Une autre des affabulations enfiévrées de cet enfant — devait dire doña Lucrecia, ensuite —. Il ne cessera jamais de nous surprendre. Autrement dit un type lui apparaît et lui seul le voit, sur le terrain de foot de son collège. Quelle épouvantable petite tête il a, mon Dieu !

Mais, plus tard, c'est elle qui avait poussé Rigoberto à aller au Markham, à l'insu de Fonfon, pour parler avec Mr. McPherson, le directeur. Cette conversation avait fait passer un mauvais moment à don Rigoberto.

— Bien entendu il ne connaissait pas cet Edilberto Torres, et n'en avait jamais entendu parler — raconta-t-il à Lucrecia, la nuit venue, à l'heure où ils avaient l'habitude de bavarder —. De plus, comme il fallait s'y attendre, ce gringo s'est moqué de moi tout à son

135

aise. Arguant qu'il était absolument impossible qu'un inconnu puisse entrer au collège, et moins encore au terrain de foot. Personne à l'exception d'un professeur ou d'un employé n'était autorisé à y mettre les pieds. Mr. McPherson croit aussi qu'il s'agit d'une de ces affabulations auxquelles sont enclins les garçons intelligents et sensibles. Il m'a dit qu'il ne fallait pas accorder la moindre importance à l'affaire. Qu'à l'âge de mon fils il est plus que normal qu'un enfant voie de temps à autre un fantôme, à moins d'être sot. Nous sommes convenus que ni lui ni moi ne parlerions à Fonfon de cet entretien. Il a raison, me semble-t-il. À quoi bon entrer dans son jeu avec quelque chose qui n'a ni queue ni tête.

— Eh bien, voilà que le diable existe, qu'il est péruvien et s'appelle Edilberto Torres — dit Lucrecia en éclatant de rire. Mais Rigoberto remarqua que c'était un rire nerveux.

Ils étaient couchés et il était évident qu'à cette heure de la nuit il n'y aurait plus d'histoires, de fantaisies et qu'ils ne feraient pas l'amour. Cela leur arrivait fréquemment ces derniers temps. Au lieu de s'inventer des histoires qui les exciteraient, ils se mettaient à discuter et étaient tellement pris que le temps s'écoulait jusqu'à ce qu'ils s'écroulent de sommeil.

— Je crains qu'il n'y ait pas de quoi rire — se rétracta-t-elle d'elle-même, un moment après, à nouveau sérieuse —. Cette affaire a pris trop d'importance, Rigoberto. Nous devons faire quelque chose. Je ne sais pas quoi, mais quelque chose. Nous ne pouvons fermer les yeux, comme s'il ne se passait rien.

— Cette fois j'en suis sûr, il s'agit bien d'une affabulation, quelque chose de très typique chez lui — réfléchit

136

Rigoberto —. Mais qu'est-ce qu'il cherche avec ces fariboles ? Tout cela n'est pas gratuit, il y a une raison, des racines dans son inconscient.

— Je le vois parfois tellement silencieux, enfermé en lui-même, que je meurs de chagrin, mon amour. Je sens que le petit souffre en silence et ça me crève le cœur. Comme il sait que nous ne croyons pas à ses apparitions, il ne nous les raconte plus. Et c'est encore pire.

— Il se peut qu'il ait des visions, des hallucinations — divagua don Rigoberto —. Cela arrive aux gens les plus normaux, intelligents ou sots. Il croit voir ce qu'il ne voit pas, ce qui est seulement dans sa caboche.

— Bien sûr, ce sont certainement des inventions — conclut doña Lucrecia —. On sait bien que le diable n'existe pas. J'y croyais quand je t'ai connu, Rigoberto. Je croyais en Dieu et au diable, comme dans toute famille catholique normale. Tu m'as convaincue que c'étaient des superstitions, des sottises de gens ignorants. Et maintenant voilà que celui qui n'existe pas s'est introduit dans notre famille, qu'en dis-tu ?

Elle lança un autre petit rire nerveux, puis aussitôt se tut. Rigoberto sentit qu'elle réfléchissait.

— Pour être franc, je ne sais s'il existe ou pas — admit-il —. La seule chose dont je sois sûr maintenant c'est de ce que tu viens de dire. Il se peut qu'il existe, je pourrais aller jusque-là. Mais je ne peux accepter qu'il soit péruvien, qu'il s'appelle Edilberto Torres et consacre son temps à rôder derrière les élèves du collège Markham. Faut quand même pas pousser !

Ils tournèrent maintes fois le sujet dans leur tête et décidèrent, finalement, qu'il fallait faire examiner Fonfon par un psychologue. Ils s'enquirent auprès de leurs amis. Qui tous recommandèrent Mme le docteur Augusta Delmira Céspedes. Elle avait fait ses études en France, était spécialiste de psychologie des enfants et ceux qui lui avaient confié leurs fils ou filles à problèmes disaient monts et merveilles de sa science et de son bon jugement. Ils craignirent que Fonfon ne s'y refuse et prirent mille précautions pour lui présenter délicatement la chose. Mais, à leur grande surprise, le garçon ne fit aucune objection. Il accepta de la voir, alla plusieurs fois en consultation, fit tous les tests auxquels le soumit le docteur Céspedes et s'ouvrit à elle avec la meilleure bonne volonté. Quand Rigoberto et Lucrecia allèrent la voir, elle les reçut avec un sourire rassurant. C'était une femme qui devait avoir dans les soixante ans, assez pote-lée, vive, sympathique et amusante :

— Fonfon est tout ce qu'il y a de plus normal — leur assura-t-elle —. Cet enfant est un enchantement, quel dommage de ne l'avoir en soins que pour si peu de temps ! Chaque séance avec lui a été un délice. Il est intel-ligent, sensible, ce qui fait qu'il se sent parfois un peu loin de ses camarades. Mais vraiment, il est tout à fait normal. Et vous pouvez être sûrs d'une chose, Edilberto Torres n'est pas une affabulation, c'est une personne en chair et en os. Aussi réelle et concrète que vous deux et que moi. Fonfon ne vous a pas menti. Il a un peu brodé, sans doute. C'est à cela que lui sert son imagination si riche. Il n'a jamais pris ces rencontres avec ce monsieur comme des apparitions célestes ou diaboliques. Jamais ! Quelle sottise ! Ce garçon a les pieds sur terre et la tête bien en place. C'est vous qui avez inventé tout cela et vous, de ce fait, qui avez vraiment besoin d'un psychologue. Je vous fixe un rendez-vous ? Je ne m'occupe pas seulement des enfants, mais aussi des adultes qui, tout à trac, se mettent à croire que le diable existe et qu'il passe son temps à se promener dans les rues de Lima, Barranco et Miraflores.

Le docteur Augusta Delmira Céspedes continua à plaisanter pendant qu'elle les raccompagnait à la porte. En leur disant au revoir, elle demanda à don Rigoberto de lui montrer un jour sa collection de gravures érotiques. «Fonfon m'a dit qu'elle est formidable», blagua-t-elle encore. Rigoberto et Lucrecia quittèrent le cabinet médical plongés dans une confusion totale.

— Je t'avais dit que recourir à un psy était vachement dangereux — rappela Rigoberto à Lucrecia —. Je ne sais pourquoi diable je t'ai écoutée. Un psychologue peut se montrer plus terrible que le démon lui-même, je l'ai su du jour où j'ai lu Freud.

— Tant pis pour toi si tu crois qu'il faut prendre cette affaire à la légère, comme le fait le docteur Céspedes — se défendit Lucrecia —. Puisses-tu ne pas le regretter !

— Je ne la prends pas à la légère — rétorqua-il, redevenu sérieux —. Il valait mieux croire qu'Edilberto Torres n'existait pas. Si ce que dit le docteur Céspedes est vrai, et si cet individu existe et poursuit Fonfon, dis-moi ce que diable nous allons faire maintenant.

Ils ne firent rien et, pendant un bout de temps, le petit ne leur reparla pas de l'affaire. Il poursuivait sa vie normalement, allant au collège et en revenant aux heures habituelles, s'enfermant une heure et parfois deux, l'après-midi, pour faire ses devoirs, et sortant quelques fins de semaine avec Chato Pezzuolo. Mais, poussé par don Rigoberto et doña Lucrecia, il sortait aussi, bien qu'en rechignant, avec d'autres garçons du quartier, pour aller au cinéma, au stade jouer au football, ou à quelque fête. Cependant, dans leurs conversations nocturnes, Rigoberto et Lucrecia étaient d'accord sur un point : bien qu'apparemment normal le petit n'était pas le même qu'avant.

Qu'est-ce qui avait changé en lui ? Il n'était pas facile de le dire, mais tous deux étaient sûrs d'une transformation. Et elle était profonde. Un problème d'âge ? Cette difficile transition entre l'enfance et l'adolescence, quand, en même temps que sa voix mue en devenant plus rauque, et qu'un léger duvet commence à pousser sur son visage, annonçant la future barbe, l'enfant commence à sentir qu'il n'en est plus un mais qu'il n'est pas encore un homme non plus, et essaie, dans sa façon de s'habiller, de s'asseoir, de gesticuler, de parler avec ses amis et avec les filles, d'être déjà l'homme qu'il sera plus tard. On le voyait plus laconique et plus concentré, bien plus économe de paroles pour répondre aux questions sur le collège et ses amis, pendant les repas.

— Je sais ce qui t'arrive, mon chéri — lui lança Lucrecia, un jour —. Tu es amoureux ! C'est ça, Fonfon ? Une fille t'a tapé dans l'œil ?

Sans se troubler le moins du monde, il fit non de la tête.

— Je n'ai pas de temps à perdre à ces choses, actuellement — répondit-il gravement, sans une once d'humour —. Les examens vont arriver et je voudrais rafler de bonnes notes.

— Voilà qui me fait plaisir, Fonfon — approuva don Rigoberto. Tu auras ensuite du temps à revendre pour les filles.

Et, soudain, le petit visage aux joues roses s'éclaira

d'un sourire, et dans les yeux de Fonfon apparut la petite lueur malicieuse d'autrefois :

— Et puis, tu sais bien que la seule femme au monde qui me plaise, belle-maman, c'est toi.

— Ah, Jésus Marie, laisse-moi te donner un baiser, mon chéri — dit doña Lucrecia en battant des mains —. Mais qu'est-ce que viennent faire ces mains, monsieur mon mari ?

— Ça veut dire qu'à force de parler du diable, soudain moi aussi j'ai l'imagination en feu, et d'autres choses aussi, mon amour.

Et, pendant un bon moment, ils prirent leur plaisir, en s'imaginant que cette blague du diable et de Fonfon était terminée. Mais non, ce n'était pas encore fini.

VII

Cela se produisit un matin où le sergent Lituma et le capitaine Silva, ce dernier se détournant un moment de son obsession pour les Piuranas et pour Mme Josefita en particulier, s'étaient plongés dans le travail, leurs cinq sens en alerte, à la recherche d'un fil conducteur susceptible d'orienter l'enquête. Le colonel Ríos Pardo, alias Rascachucha, chef de la police régionale, les avait à nouveau engueulés la veille, fou de colère, car le défi lancé par Felícito Yanaqué aux mafieux dans *El Tiempo* était parvenu à Lima. Le ministre de l'Intérieur en personne l'avait appelé pour exiger que la chose soit réglée dans les plus brefs délais. La presse s'était fait l'écho de l'affaire et non seulement la police, mais le gouvernement lui-même se ridiculisaient à cette heure devant l'opinion publique. Mettre la main sur les maîtres chanteurs et faire un exemple sévère, telle était la consigne de l'autorité supérieure !

— Nous devons réhabiliter la police, bordel de merde — avait bramé, derrière ses énormes moustaches, ses yeux jetant des éclairs, Rascachucha, hargneux —. Une poignée de canailles ne peuvent se foutre de nous de cette façon. Ou vous les pincez ipso facto ou vous le regretterez le restant de votre carrière. Je le jure sur San Martín de Porres[1] et sur Dieu !

Lituma et le capitaine Silva analysèrent à la loupe les déclarations de tous les témoins, firent des fiches, des comparaisons, confrontèrent des informations, brassant des hypothèses et les éliminant les unes après les autres. De temps en temps, pour souffler un peu, le capitaine poussait des exclamations flatteuses, chargées de fièvre sexuelle, sur les rondeurs de Mme Josefita, dont il était tombé amoureux. Sérieux comme un pape et avec des gestes scabreux, il expliquait à son subordonné que ces fesses-là non seulement étaient grandes, rondes et symétriques, mais qu'en plus « elles tressautaient légèrement quand elle marchait », ce qui lui remuait le cœur et les roubignoles à l'unisson. C'est pourquoi, soutenait-il, « malgré son âge, sa figure de lune et ses jambes un peu de traviole, Josefita est une femme de première ».

— Plus baisable que cette pin-up de Mabel, si tu me forces à faire des comparaisons, Lituma — précisa-t-il, les yeux lui sortant de la tête comme s'il avait sous la main les derrières des deux dames et les soupesait —. Je reconnais que la petite amie de don Felícito elle a une jolie silhouette, des nénés agressifs, des jambes et des bras bien galbés et en chair, mais son popotin, tu l'as sûrement remarqué, laisse pas mal à désirer. Il ne donne pas vraiment envie de le toucher. Il n'a pas fini de se développer, il n'a pas fleuri, à un moment il s'est atrophié. Dans mon système de classification, c'est un petit cul timide, si tu vois ce que je veux dire.

1. Saint péruvien, dominicain du XVIIe siècle célèbre pour ses miracles.

— Pourquoi vous vous concentrez pas plutôt sur l'enquête, mon capitaine? — lui demanda Lituma —. Vous avez vu comme il est furieux, le colonel Ríos Pardo. À ce rythme on sortira jamais de cette affaire et tintin pour l'avancement.

— J'ai déjà remarqué que tu ne t'intéresses pas du tout au cul des femmes, Lituma — énonça le capitaine, compatissant, en prenant l'air affligé. Mais il se mit immédiatement à sourire et à se pourlécher comme un raminagrobis —. Un défaut de ta formation virile, je t'assure. Un bon cul c'est le don le plus divin que Dieu ait mis dans le corps des femmes pour le bonheur des mecs. Même la Bible le reconnaît, à ce qu'on m'a dit.

— Bien sûr que je m'intéresse, mon capitaine. Mais chez vous c'est pas seulement de l'intérêt, c'est de l'obsession et du vice, sauf votre respect. Revenons aux petites araignées maintenant.

Ils passèrent des heures à lire, relire et examiner mot après mot, lettre après lettre et signe après signe les textes et dessins des maîtres chanteurs. Ils avaient demandé un examen graphologique des lettres anonymes au bureau central, mais le spécialiste était à l'hôpital, opéré d'hémorroïdes, et avait deux semaines d'arrêt. Ce fut un de ces jours-là, tandis qu'ils confrontaient les lettres aux signatures et écrits de délinquants fichés au tribunal, que, soudain, petite étincelle dans le noir, jaillit dans la tête de Lituma ce soupçon. Un souvenir, une association. Le capitaine Silva se rendit compte qu'il arrivait quelque chose à son adjoint.

— Je t'ai vu comme abasourdi tout à coup. Qu'est-ce qui s'est passé, Lituma?

— Rien, rien, mon capitaine — dit le sergent en haussant les épaules —. Une bêtise. C'est que je viens de me souvenir d'un type que j'ai connu. Il dessinait toujours des petites araignées, si ma mémoire est bonne. Une connerie, sûrement.

— Sûrement — répéta le capitaine, en le regardant fixement. Il rapprocha de lui son visage et changea de ton —. Mais, comme on n'a rien, une connerie c'est mieux que rien. Qui était ce type ? Allez, raconte-moi.

— Une histoire qui date pas d'hier, mon capitaine — le commissaire remarqua que la voix et les yeux de son adjoint se remplissaient de malaise, comme si ça l'embêtait de fouiller dans ces souvenirs à son corps défendant —. Ça doit rien avoir à faire avec cette histoire, j'imagine. Mais, oui, je me souviens bien, ce putain de sa mère il faisait toujours des petits dessins, des gribouillis qu'étaient peut-être des araignées. Sur des papiers, des journaux. Des fois même, par terre dans les chicherías, avec un bout de bois.

— Et qui c'était le putain de sa mère en question, Lituma ? Accouche, et cesse de me faire tourner en rond.

— Allons prendre un petit jus de fruit et sortons un peu de cette fournaise, mon capitaine — lui proposa le sergent —. C'est pas une histoire courte et, si elle vous ennuie pas, je vais vous la raconter. C'est moi qui paie les jus, vous en faites pas.

Ils allèrent à La Perla del Chira, un troquet de la rue Libertad à côté d'un terrain vague sur lequel, raconta Lituma à son chef, il y avait dans sa jeunesse des combats de coqs où on pariait sec. Il était venu là des fois, mais il aimait pas ce truc, ça lui faisait de la peine de voir les pauvres bêtes se déchirer à coups de bec et d'éperons. Il n'y avait pas la climatisation, mais en revanche des ventilateurs rafraîchissaient le local. Il était désert. Ils commandèrent deux jus de lucuma[1] avec beaucoup de glace et allumèrent des cigarettes.

— Ce putain de sa mère il s'appelait Josefino Rojas et c'était le fils du patron de barcasse Carlos Rojas, celui qu'autrefois amenait le bétail des haciendas aux abattoirs, par la rivière, les mois de crue — dit Lituma —. Je l'ai connu quand j'étais très jeune, encore un gamin. On avait notre groupe. On aimait la noce, les guitares, les petites bières et les nénettes. Quelqu'un nous avait baptisés, ou peut-être nous-mêmes, « les Indomptables ». On s'était fait notre hymne.

Et, d'une voix très basse et éraillée, Lituma se mit à chanter, émoustillé et souriant :

> On est les Indomptables
> qui veulent pas travailler
> rien que la cuite !
> rien que le jeu !
> rien que la baise !

Le capitaine lui fit fête, éclatant de rire et applaudissant :

— Extra, Lituma. Alors comme ça, au moins dans ta jeunesse, toi aussi tu bandais.

— Les Indomptables on était trois, au début — poursuivit le sergent, nostalgique, plongé dans ses souvenirs —. Mes cousins, les frères León — José et le Babouin — et

---

1. *Lucuma* : fruit des régions subtropicales andines, ressemblant à une grosse mangue. Très doux, on le consomme au Pérou et en Équateur, surtout en jus et en sorbets.

votre serviteur. Trois Mangaches. Je sais pas comment Josefino il s'est collé avec nous. Lui il était pas de la Mangachería mais de la Gallinacera, là où y avait l'ancien marché et les abattoirs. Je sais pas pourquoi on l'a fait entrer dans le groupe. Entre les deux quartiers y avait à ce moment-là une rivalité terrible. C'étaient batailles rangées et coups de couteau. Une guerre qui a fait couler beaucoup de sang à Piura, je vous jure.

— Purée, tu me parles de la préhistoire de cette ville — dit le capitaine —. La Mangachería je sais très bien où elle était, là vers le nord, en descendant l'avenue Sánchez Cerro, du côté du vieux cimetière de San Teodoro. Mais la Gallinacera ?

— Ici pas loin, tout près de la place d'Armes, le long de la rivière, vers le sud — dit Lituma, en tendant son doigt —. On appelait ça la Gallinacera à cause de la quantité de charognards attirés par les abattoirs, quand on dépeçait le bétail. Nous les Mangaches on était partisans de Sánchez Cerro[1] et les Gallinazos de l'APRA[2]. Ce putain de sa mère de Josefino il était gallinazo et disait que gamin il avait été apprenti équarrisseur.

— Vous étiez une bande de vauriens, alors.

— Seulement de garnements, mon capitaine. On faisait des diableries, rien de très sérieux. Des bagarres, ça allait pas plus loin. Mais, ensuite, Josefino il est devenu

1. Le colonel Luis Miguel Sánchez Cerro, métis né à Piura, fut deux fois élu président de la République péruvienne dans les années 30. Il mourut assassiné, sans pouvoir terminer son second mandat.
2. APRA (Alliance populaire révolutionnaire américaine) : parti populiste, anticapitaliste, anti-impérialiste et pro-indigéniste, fondé en 1924 par Raúl Haya de la Torre.

maquereau. Il tombait des filles et il les mettait comme putes à la Maison Verte. C'était le nom du bordel, à la sortie vers Catacaos, quand Castilla s'appelait pas encore Castilla mais Tacalá. Vous avez eu l'occasion de voir ce bordel ? Le grand luxe.

— Non, mais j'ai beaucoup entendu parler de la fameuse Maison Verte. Tout un mythe à Piura. Alors comme ça maquereau. C'était celui qui dessinait les petites araignées ?

— Celui-là même, mon capitaine. Je crois que c'étaient des petites araignées, mais peut-être ma mémoire elle me joue des tours. Je suis pas très sûr.

— Et pourquoi tu le détestes tant ce maquereau, Lituma, on peut savoir ?

— Pour plein de raisons — le visage fruste du sergent s'assombrit et ses yeux s'injectèrent de rage ; il s'était mis à palper son double menton à toute allure —. La principale, à cause de ce qu'il m'a fait quand j'ai été au bloc. Vous connaissez bien cette histoire, on m'a coffré pour avoir joué à la roulette russe avec un proprio d'ici. À la Maison Verte, précisément. Un p'tit Blanc poivrot qui se nommait Seminario et qui dans le jeu s'est brûlé la cervelle. En profitant que j'étais en prison, Josefino il m'a enlevé ma petite amie. Il l'a mise à faire la pute pour lui à la Maison Verte. Elle s'appelait Bonifacia. Je me l'étais emmenée du Haut Marañón, de Santa María de Nieva, là-bas en Amazonie. Quand elle a mal tourné, on l'a surnommée la Fille des Bois.

— Ah, bon, tu avais plein de raisons de le détester — admit le capitaine, en hochant la tête —. Alors comme ça tu as tout un passé, Lituma. Personne ne le croirait, en te voyant maintenant si père tranquille. Tu n'as même

148

pas l'air d'avoir jamais tué une mouche. Je ne t'imagine pas en train de jouer à la roulette russe, ma parole. Moi j'ai joué une seule fois, avec un copain, une nuit bien arrosée. Mes couilles se glacent encore quand j'y pense. Et, ce Josefino, pourquoi tu ne l'as pas tué, on peut savoir ?

— Pas par manque d'envie, mais pour pas retourner en taule — expliqua le sergent, sobrement —. En revanche, je lui ai flanqué une raclée que tous ses os doivent lui faire encore mal. Je vous parle de vingt ans en arrière, au moins, mon capitaine.

— Tu es sûr que le maquereau passait son temps à dessiner des petites araignées ?

— Je sais pas si c'étaient des araignées — rectifia Lituma une fois de plus —. Mais il dessinait, oui, tout le temps. Sur des serviettes en papier, sur n'importe quoi qui lui tombait sous la main. C'était sa manie. Peut-être que ça a rien à voir avec ce qu'on cherche.

— Pense et essaie de te rappeler, Lituma. Concentre-toi, ferme les yeux, regarde en arrière. Des petites araignées comme celles des lettres que reçoit Felícito Yana-qué ?

— Ma mémoire elle va pas si loin, mon capitaine — s'excusa Lituma —. Je vous parle d'une paye en arrière, je vous ai déjà dit peut-être vingt ans, si c'est pas plus. Je sais pas pourquoi j'ai fait cette association. Vaut mieux qu'on l'oublie.

— Tu sais ce que ce maquereau de Josefino est devenu ? — insista le capitaine. Il avait l'air grave et ne quittait pas le sergent des yeux.

— Je l'ai plus jamais revu, et pas non plus les deux autres Indomptables, mes cousins. Depuis qu'on m'a réintégré dans la police, j'ai été dans la cordillère, dans la forêt, à Lima. À faire le tour du Pérou, comme qui dirait. Y a pas longtemps que je suis revenu à Piura. C'est pour ça que je vous disais que le plus probable c'est que ce soit une bêtise qui m'est passée par la tête. Je suis pas sûr que c'étaient des araignées, je vous dis. Il dessinait quelque chose, ça oui. Il le faisait tout le temps et nous les Indomptables on se moquait de lui.

— Si ce maquereau de Josefino est vivant, j'aimerais le voir — dit le commissaire, en donnant un petit coup sur la table —. Vérifie ça, Lituma. Je ne sais pas pourquoi, mais je flaire quelque chose de bon. Peut-être qu'on a mordu un morceau de viande. Tendre et juteuse. Je le sens à ma salive, à mon sang, à mes roustons. Dans ces trucs je ne me trompe jamais. Je vois déjà une petite lumière au fond du tunnel. Extra, Lituma.

Le capitaine était si content que le sergent regretta de lui avoir parlé de son pressentiment. Était-il bien sûr que, à l'époque des Indomptables, Josefino dessinait sans arrêt ? Il ne l'était plus tant que ça. Ce soir-là, à la fin de son service, au moment où, comme d'habitude, il remontait l'avenue Grau vers la pension où il habitait, dans le quartier de Buenos Aires, près de la caserne Grau, il se creusa les méninges en essayant de s'assurer que ce n'était pas là un faux souvenir. Non, non, même si maintenant il n'était plus si convaincu. À sa mémoire revenaient, par vagues, des images de ses années de gamin, dans les rues poussiéreuses de la Mangachería, quand avec le Babouin et José ils allaient à la sablière qui était là pour ainsi dire collée à la ville mettre des pièges à iguanes au pied des caroubiers, chasser des petits oiseaux avec des frondes qu'ils fabriquaient eux-mêmes, ou, cachés der-

150

rière les buissons et les bancs de sable, espionner les lavandières qui, plus près du Réservoir, s'installaient pour laver le linge plongées jusqu'à la taille dans la rivière. Parfois, avec l'eau, on leur voyait les nénés par transparence et leurs yeux et leurs braguettes s'enflammaient d'excitation. Comment est-ce que Josefino s'était joint au groupe ? Il ne se rappelait plus comment, quand ni pourquoi. En tout cas, quand le Gallinazo s'était rapproché d'eux ils n'étaient plus si gamins. Parce que à ce moment-là ils allaient déjà aux chicherías dépenser les quatre sous qu'ils se faisaient avec des petits boulots occasionnels, comme de vendre des paris pour les courses de chevaux, là où on tapait la carte, faisait la foire ou s'enivrait. Peut-être que ce n'étaient pas des araignées, mais des petits dessins c'est sûr, Josefino en faisait tout le temps. Il s'en souvenait très clairement. Pendant qu'il causait, chantait ou qu'il se mettait à réfléchir à ses mauvais tours, en s'isolant du reste. Ce n'était pas un faux souvenir, mais peut-être qu'il dessinait des crapauds, des couleuvres, des quéquettes. Il fut assailli par les doutes. Si ça se trouve c'étaient les croix et les cercles du jeu de michi[1], ou des caricatures des gens qu'ils voyaient dans le petit bar de la Chunga, un de leurs refuges. La Chunga chunguita ! Est-ce qu'elle existait toujours ? Impossible. Si elle était vivante, elle serait à l'heure qu'il est si vieille qu'elle n'aurait pas les conditions physiques pour tenir un bar. Bien que, qui sait ? C'était une femme à poigne, elle n'avait peur de personne, elle tenait tête aux ivrognes d'égal à égal. Une fois, elle avait remis à sa place Josefino en personne qui avait voulu jouer au petit malin avec elle.

1. Jeu un peu semblable à ce qu'on appelle le « carré arabe ».

Les Indomptables ! La Chunga ! Putain, comme le temps passait vite ! Peut-être bien les León, Josefino et Bonifacia étaient maintenant morts et enterrés et il ne restait d'eux que le souvenir. Quelle tristesse !

Il marchait presque dans le noir parce que les lumières de l'éclairage public, après qu'on avait laissé en arrière le Club Grau et qu'on était entré dans le quartier d'habitations de Buenos Aires, s'espaçaient et s'appauvrissaient. Il allait lentement, trébuchant dans les trous de la chaussée, au milieu de bâtiments qui, après avoir eu des jardins et un étage, étaient de plus en plus bas et misérables. Au fur et à mesure qu'il approchait de sa pension, les maisons devenaient des cabanes, de rustiques constructions aux murs en torchis, étais de caroubier et toits de tôle édifiées dans des rues sans trottoirs, où les automobiles avaient du mal à circuler.

À son retour à Piura, après avoir servi de longues années à Lima et dans la cordillère, il s'était installé dans un petit studio de la ville de garnison, où les agents avaient aussi le droit d'habiter, à égalité avec les soldats. Mais il n'avait pas aimé cette promiscuité avec ses camarades de la police. C'était comme être toujours en service, à voir les mêmes personnes et à parler des mêmes choses. Aussi au bout de six mois avait-il déménagé pour la maison des Calancha, qui avaient cinq pièces pour des pensionnaires. Elle était très modeste et la chambre de Lituma minuscule, mais il ne payait pas cher et s'y sentait plus indépendant. Le ménage Calancha regardait la télé quand il arriva. Lui avait été maître d'école et sa femme employée municipale. Ils étaient à la retraite depuis longtemps. La pension ne comprenait que le petit déjeuner, mais, si le locataire le souhaitait, les Calancha lui faisaient apporter les repas midi et soir d'un petit restau voisin où la tambouille était assez nourrissante. Le sergent leur demanda si par hasard ils se souvenaient d'un petit bar, près du vieux stade, tenu par une femme un peu hommasse qui s'appelait, ou qu'on appelait, la Chunga. Ils le regardèrent, déconcertés, en faisant non de la tête.

Cette nuit-là il resta longtemps éveillé et en proie à un certain malaise. Quelle maudite idée d'avoir parlé de Josefino au capitaine Silva ! Maintenant, il était sûr que le maquereau ne dessinait pas des petites araignées mais autre chose. Remuer ce passé ne lui faisait pas de bien. Ça l'attristait de se rappeler sa jeunesse, l'âge qu'il avait — il frisait déjà les cinquante ans —, l'existence solitaire qu'il menait, les malheurs qu'il avait eus, cette bêtise de roulette russe avec Seminario, les années en prison, l'histoire de Bonifacia qui, chaque fois qu'elle lui revenait en mémoire, lui laissait un goût amer dans la bouche.

Il dormit enfin, mais mal, avec des cauchemars qui au réveil lui laissèrent le souvenir d'images extravagantes et terrifiantes. Il se lava, prit son petit déjeuner et avant sept heures il était déjà dans la rue, en direction de l'endroit où sa mémoire supposait que se trouvait le petit bar de la Chunga. Il n'était pas facile de s'orienter. Dans son souvenir, c'étaient là les environs de la ville, des petites baraques clairsemées construites de glaise et de roseaux bruts sur le sable. Il y avait maintenant des rues, du ciment, des maisons en matériau noble, des poteaux électriques, des trottoirs, des autos, des collèges, des stations-service, des boutiques. Quels changements ! L'ancien faubourg faisait à présent partie de la ville et rien ne ressemblait à ses souvenirs. Ses tentatives avec les habitants — il ne s'approcha que de personnes âgées pour poser ses

153

questions — furent inutiles. Personne ne se souvenait du petit bar ni de la Chunga, beaucoup n'étaient même pas originaires de Piura mais de la montagne. Il avait la désagréable impression que sa mémoire lui mentait ; rien de ce qu'il se rappelait n'avait existé, c'étaient des hallucinations et ça l'avait toujours été, pur produit de son imagination. Il était effrayé d'y penser.

Au milieu de la matinée il renonça à poursuivre sa recherche et regagna le centre de Piura. Avant de retourner au commissariat, mort de chaleur, il prit au coin une limonade. Déjà les rues étaient pleines de bruit, de voitures, de bus, d'écoliers en uniforme. Marchands de loterie et de camelote qui criaient leur marchandise à tue-tête, personnes pressées, en nage, qui encombraient les trottoirs. Et, alors, sa mémoire lui délivra le nom et le numéro de la rue où habitaient ses cousins León : 17 rue Morropón. En plein cœur de la Mangachería. Fermant à demi les yeux, il vit la façade décolorée de la maisonnette à un seul étage, ses fenêtres grillagées, ses pots avec des fleurs en cire, sa chichería au-dessus de laquelle ondulait, accroché à un roseau, un petit drapeau blanc indiquant qu'on servait là de la chicha fraîche.

Il prit une moto-taxi jusqu'à l'avenue Sánchez Cerro et, sentant les gouttes de sueur ruisseler sur son visage et lui mouiller le dos, il s'enfonça à pied dans l'ancien dédale de rues, de ruelles, de culs-de-sac, de coupe-gorge, de terrains vagues, qu'avait été la Mangachería, ce quartier qui, à ce qu'on disait, s'appelait comme ça parce qu'il avait été peuplé, au temps de la colonie, d'esclaves malgaches, importés de Madagascar. Tout cela avait aussi changé de forme, d'habitants, de texture et de couleurs. Les rues de terre étaient goudronnées, les maisons en brique et en ciment, il y avait quelques immeubles, l'éclairage public, il ne restait pas une seule chichería ni un âne dans les rues, seulement des chiens errants. Le chaos était devenu de l'ordre, des rues droites et parallèles. Rien ne ressemblait plus à ses souvenirs mangaches. Le quartier s'était arrangé, il était devenu quelconque et impersonnel. Mais la rue Morropón existait et aussi le numéro 17. Sauf qu'au lieu de la maisonnette de ses cousins il trouva un grand atelier de mécanique, avec un panneau qui disait : «Vente de pièces de rechange pour toutes marques de voitures, camionnettes, camions et cars.» Il entra et dans le vaste local sombre qui sentait l'huile de graissage il vit des carrosseries et des moteurs à moitié montés, entendit un bruit de chalumeau, observa trois ou quatre ouvriers en bleu de travail, penchés sur leurs machines. Une radio jouait une musique amazonienne, *La Contamanina*[1]. Il entra dans un bureau où ronronnait un ventilateur. Assise devant un ordinateur, il y avait une très jeune femme.

— Bonjour — dit Lituma, en enlevant son képi.

— Qu'y a-t-il pour votre service ? — elle le regardait avec cette légère inquiétude avec laquelle les gens regardaient d'ordinaire les policiers.

— Je fais une recherche sur une famille qui habitait là — lui expliqua Lituma, en montrant le local —. Quand c'était pas un atelier mais une petite maison familiale. Leur nom était León.

— Si je me souviens bien, ça a toujours été un atelier — dit la fille.

---

1. *Contamanina* : valse péruvienne, tirant son nom de la ville de Contamana, au bord de l'Ucayali, affluent de l'Amazone.

155

— Vous êtes toute jeune, vous pouvez pas vous souvenir — répliqua Lituma —. Mais, possible que le patron il sache quelque chose.

— Si vous voulez, vous pouvez l'attendre — la fille lui montra une chaise. Et, soudain, son visage s'éclaira —: Ah, que je suis bête ! Bien sûr ! Le patron de l'atelier s'appelle León, précisément. Don José León. Si ça se trouve lui peut vous aider.

Lituma se laissa tomber sur la chaise. Son cœur battait très fort. Don José León. Putain, c'était lui, c'était son cousin José ! C'était forcément l'Indomptable. Qui, sinon ?

Il était sur les nerfs pendant qu'il attendait. Les minutes lui semblèrent interminables. Quand José León l'Indomptable se montra enfin dans l'atelier, quoiqu'il fût maintenant un gros homme ventru, avec des mèches blanches dans ses cheveux clairsemés, vêtu comme un petit Blanc, avec veste, chemise à col et souliers cirés comme des miroirs, il le reconnut sur-le-champ. Il se leva, tout ému, et ouvrit les bras. José ne le reconnut pas et l'examina en approchant beaucoup son visage, étonné.

— Je vois que tu sais pas qui je suis, cousin — dit Lituma —. J'ai tant changé ?

Le visage de José s'épanouit dans un grand sourire.

— Je peux pas y croire ! — s'écria-t-il, en ouvrant lui aussi les bras —. Lituma ! Quelle vache de surprise, mon frère ! Après tant d'années, che guá !

Ils s'embrassèrent, se donnèrent de grandes tapes dans le dos, sous les yeux surpris de la secrétaire et des ouvriers. Ils s'examinèrent, souriants et expansifs.

— T'as le temps d'aller prendre un café, cousin ?

156

— lui demanda Lituma —. Ou tu préfères qu'on se voie plus tard ou bien demain ?

— J'expédie deux ou trois bricoles et on s'en va se rappeler le bon vieux temps des Indomptables — dit José, en lui donnant encore une grande tape —. Assieds-toi, Lituma. Je me libère en un clin d'œil. Quelle vache de plaisir, mon frère !

Lituma se rassit sur la chaise et de là il vit León parcourir des papiers dans le bureau, vérifier quelque chose dans de gros livres avec l'employée, sortir du secrétariat et faire un tour dans l'atelier, pour passer en revue le travail des mécaniciens. Il remarqua comme il paraissait sûr de lui en donnant des ordres, en recevant les saluts des employés et avec quelle aisance il communiquait des instructions ou répondait à des questions. « Le jour et la nuit avec ce que t'étais, cousin », pensa-t-il. Il avait du mal à reconnaître le José débraillé de sa jeunesse, courant pieds nus au milieu des chèvres et des ânes de la Mangachería, dans ce petit Blanc propriétaire d'un grand atelier de mécanique qui portait un complet et des souliers de fête à midi.

Ils allèrent, bras dessus bras dessous, dans une cafétéria-restaurant appelée Piura Linda. Son cousin déclara que ces retrouvailles il fallait les célébrer et commanda des bières. Ils trinquèrent au passé et restèrent un bon moment à confronter avec nostalgie leurs souvenirs communs. Le Babouin avait été l'associé de José à l'atelier quand ce dernier l'avait ouvert. Mais ensuite ils avaient eu des différends et il s'était séparé de l'affaire, ce qui n'empêchait pas les deux frères d'être toujours très unis et de se voir souvent. Le Babouin était marié et avait trois enfants. Il avait travaillé quelques années à la

157

municipalité, puis ouvert une briqueterie. Elle marchait bien, beaucoup d'entreprises de construction de Piura faisaient appel à lui, surtout maintenant, une période de vaches grasses où surgissaient de nouveaux quartiers. Tous les Piuranos rêvaient d'avoir une maison à eux et c'était formidable que les vents soufflent du bon côté. José, lui, ne pouvait pas se plaindre. Ça avait été difficile au début, il y avait beaucoup de concurrence, mais peu à peu la qualité du service s'était imposée, et à présent, sans se vanter, son atelier était un des meilleurs de la ville. Il avait du travail plus qu'il n'en fallait, grâce à Dieu.

— Alors comme ça, toi et le Babouin vous avez cessé d'être indomptables et mangaches, et vous êtes devenus p'tits Blancs et riches — plaisanta Lituma —. Je suis seul à être toujours pauvre comme Job et à rester flic pour l'éternité.

— Depuis combien de temps tu es ici, Lituma ? Pourquoi tu m'as pas cherché avant ?

Le sergent lui dit en mentant que c'était depuis peu et que les recherches qu'il avait faites pour trouver son domicile ne lui avaient pas donné de résultat, jusqu'à ce qu'il ait l'idée de venir faire un tour dans les vieux quartiers. C'est comme ça qu'il était tombé sur le 17 rue Morropón. Jamais il n'aurait pu imaginer que cette sablière avec des bicoques minables serait devenue ça. Et avec un atelier de mécanique à tirer son chapeau !

— Les temps changent et, heureusement, en mieux — acquiesça José —. On vit une bonne époque pour Piura et pour le Pérou, cousin. Pourvu que ça dure, touchons du bois.

Lui s'était marié aussi, avec une de Trujillo, mais leur

158

mariage avait été un désastre. Ils s'entendaient comme chien et chat et avaient divorcé. Ils avaient deux filles, qui vivaient avec leur mère à Trujillo. José allait les voir de temps en temps et elles venaient passer leurs vacances avec lui. Elles étaient à l'université, l'aînée faisait des études d'odontologie et la plus jeune de pharmacie.

— Félicitations, cousin. Elles auront un métier toutes les deux, quelle chance !

Et, alors, au moment où Lituma se disposait à introduire dans la conversation le nom du maquereau, José, comme lisant dans ses pensées, prit les devants :

— Tu te souviens de Josefino, cousin ?

— Comment je vais oublier ce putain de sa mère ! — soupira Lituma. Et, après une longue pause, comme pour dire quelque chose, il demanda — : Qu'est-ce qu'il est devenu ?

José haussa les épaules et fit une moue de mépris.

— Ça fait des années que je ne sais rien. Il avait mal tourné, tu sais bien. Il vivait des femmes, il faisait bosser des putes pour lui. Il est devenu de pire en pire. Le Babouin et moi on s'était mis à l'écart. Il venait de temps à autre nous faire un emprunt, en nous racontant des histoires de maladies et de créanciers qui le menaçaient. Il a même trempé dans une sale affaire, à l'occasion d'un crime. On l'a accusé d'être complice ou recéleur. Ça ne m'étonnerait pas qu'un jour on le trouve assassiné quelque part par ces vauriens qu'il aimait tant. Il est peut-être en train de moisir dans une prison, qui sait ?

— Sûr, de faire le mal ça l'attirait comme le miel attire les mouches — dit Lituma —. Ce salaud il était né pour être délinquant. Je m'explique pas pourquoi on s'est mis avec lui, cousin. Lui gallinazo, en plus, et nous autres mangaches.

Et, à cet instant-là, Lituma, qui avait regardé sans les voir les mouvements d'une des mains de son cousin sur la table, remarqua que, avec l'ongle du pouce, José faisait des petits traits sur le grossier plateau plein d'inscriptions, de brûlures et de taches. Le souffle presque coupé, il regarda avec beaucoup d'attention et se dit et se répéta qu'il n'était pas fou ni obsédé parce que ce que son cousin, sans s'en rendre compte, était en train de tracer avec son ongle, c'étaient des petites araignées. Oui, des petites araignées, comme celles des lettres anonymes menaçantes que recevait Felícito Yanaqué. Il ne rêvait pas et n'avait pas de visions, putain. Des araignées, des araignées. Merde alors, merde alors.

— En ce moment on a un problème de tous les diables — murmura-t-il, en cachant sa nervosité et en montrant la direction de l'avenue Sánchez Cerro —. Tu dois être au courant. T'as dû lire dans *El Tiempo* la lettre aux maîtres chanteurs de Felícito Yanaqué, le patron des Transports Narihualá.

— La paire de couilles les mieux accrochées de Piura ! — s'exclama son cousin, dont les yeux brillaient d'admiration —. Cette lettre non seulement je l'ai lue, comme tous les Piuranos. Je l'ai découpée, je l'ai fait encadrer et je l'ai mise au mur de mon bureau, cousin. Felícito Yanaqué est un exemple pour ces dégonflés d'entrepreneurs et de commerçants qui baissent leur pantalon devant les mafieux et se laissent racketter. Je connais don Felícito depuis longtemps. À l'atelier on fait les réparations et les réglages aux cars et aux camions des

Transports Narihualá. Je lui ai écrit quelques lignes pour le féliciter de sa petite lettre dans *El Tiempo*.

Il donna un coup de coude à Lituma, en lui désignant les galons de ses épaulettes.

— Vous avez l'obligation de protéger ce type, cousin. Ce serait une tragédie que les mafieux envoient un tueur à gages descendre don Felícito. Tu as bien vu que, déjà, ils lui ont brûlé son local.

Le sergent le regardait, en acquiesçant. Tant d'indignation et d'admiration ne pouvaient pas être de la blague ; c'est lui qui s'était trompé, José n'avait pas dessiné avec son ongle des araignées mais des petits traits. Une coïncidence, un hasard comme il y en avait tant. Mais, à ce moment-là, sa mémoire lui joua un autre tour, parce que, en s'allumant pour qu'il voie la chose de façon plus claire et plus évidente, elle lui rappela, avec une lucidité qui le faisait trembler, que celui qui pour de vrai, depuis qu'ils étaient gamins, dessinait toujours avec un crayon, des branchettes ou des couteaux, ces petites étoiles semblables à des araignées c'était son cousin José, et pas ce maquereau de Josefino. Bien sûr, bien sûr. C'était José. Bien avant qu'ils connaissent Josefino, José était toujours à ses petits dessins. Le Babouin et lui s'étaient souvent foutus de lui à cause de cette manie qu'il avait. Merde alors, merde alors.

— Quand est-ce qu'on peut déjeuner ou dîner ensemble, pour que tu voies le Babouin, Lituma ? Quelle vache de plaisir ça va lui faire de te voir !

— Et à moi aussi, José. Parce que mes meilleurs souvenirs ils sont à Piura. De l'époque où on était ensemble tous les trois, celle des Indomptables. La meilleure de ma vie, je crois. En ce temps-là j'ai été heureux. C'est après

161

que les malheurs sont venus. En plus, que je sache, toi et le Babouin vous êtes les seuls parents qui me restent au monde. Quand tu voudras, vous me dites la date et moi je m'adapte.

— Plutôt déjeuner que dîner, alors — dit José —. Rita, ma belle-sœur, c'est une jalouse pas possible, elle surveille le Babouin comme t'imagines pas. Elle lui fait de grandes scènes chaque fois qu'il sort le soir. Et même il paraît qu'elle le bat.

— Déjeuner, alors, y a pas de problème — Lituma se sentait si agité que, craignant que José ne soupçonne ce qui lui tournait dans la cervelle, il prétexta n'importe quoi pour s'en aller.

Il revint au commissariat suffoquant, troublé, la tête en révolution, sans très bien savoir où il mettait les pieds, au point que le triporteur d'un marchand de fruits faillit le renverser au coin d'une rue. Quand il arriva, le capitaine Silva ne l'eut pas plus tôt vu qu'il se rendit compte de son état d'esprit.

— M'apporte pas plus d'embrouilles que j'en ai déjà sur le dos, Lituma — le prévint-il, en se relevant de son bureau si furieusement que le cagibi se mit à trembler —. Qu'est-ce qui t'arrive maintenant, putain de merde ? Qui t'as enterré ?

— J'ai enterré le soupçon que celui des petites arai-gnées ce soit Josefino Rojas — balbutia Lituma, enlevant son képi et s'épongeant la sueur avec son mouchoir —. Total, maintenant le suspect c'est pas le maquereau, mais mon cousin José León. Un des Indomptables dont je vous ai parlé, mon capitaine.

— Tu te fous de ma gueule, Lituma ? — s'exclama le

162

capitaine, déconcerté —. Explique-moi un peu comment ça se mange, cette connerie que tu viens de dire.

Le sergent s'assit, en faisant en sorte que la brise du ventilateur lui tombe en plein sur la figure. Dans le moindre détail il rapporta au commissaire tout ce qui lui était arrivé durant la matinée.

— Alors comme ça maintenant c'est ton cousin José qui dessine des petites araignées avec les ongles — se fâcha le capitaine —. Et, en plus, il est si abruti fini qu'il se trahit devant un sergent de la police, alors qu'il sait très bien que les petites araignées de Felícito Yanaqué et des Transports Narihualá sont la fable de tout Piura. Je vois que tu as une bouillie terrible dans le crâne, Lituma.

— Je suis pas sûr que c'étaient des araignées qu'il dessinait avec les ongles — s'excusa son subordonné, contrit —. Je peux me tromper là-dessus aussi, je vous prie de m'excuser. Je suis plus sûr de rien, mon capitaine, même pas d'où je mets les pieds. Oui, vous avez raison. Ma tête c'est un sac de nœuds.

— Un sac d'araignées, plutôt — dit le capitaine en riant —. Tiens, regarde qui arrive. La seule chose qui nous manquait. Bonjour, monsieur Yanaqué. Entrez, entrez.

Lituma sut immédiatement, au visage du transporteur, qu'il arrivait quelque chose de grave : une autre petite lettre de la mafia ? Felícito était livide, avait de grands cernes, la bouche entrouverte avec un air stupide, les yeux dilatés d'effroi. Il venait d'enlever son chapeau et ses cheveux étaient en bataille, comme s'il avait oublié de se coiffer. Lui, toujours si bien mis, avait fermé son gilet de travers, le premier bouton dans la deuxième boutonnière. Cela lui donnait une apparence ridicule, négligée

163

et clownesque. Il ne pouvait parler. Il ne répondit pas au salut, se borna à tirer une enveloppe de sa poche et la tendit au capitaine d'une petite main tremblante. Il semblait plus minuscule et plus fragile que jamais, presque un nain.

— Putain de merde — dit le commissaire entre ses dents, en sortant la lettre et en commençant à la lire à voix haute :

Cher monsieur Yanaqué :

Nous vous avons dit que votre entêtement et votre défi dans El Tiempo *auraient des conséquences désagréables. Nous vous avons dit que vous regretteriez votre refus d'être raisonnable et de vous entendre avec nous qui voulons seulement mettre vos affaires à l'abri et votre famille en sécurité. Nous faisons toujours ce que nous disons. Nous avons en notre pouvoir un de vos êtres chers et nous le garderons jusqu'à ce que vous baissiez les bras et vous mettiez d'accord avec nous.*

Nous savons bien que vous avez la mauvaise habitude d'aller vous plaindre à la police, comme si elle servait à quelque chose, mais nous supposons que dans votre intérêt vous observerez cette fois-ci la discrétion voulue. Il ne convient à personne qu'on sache que nous détenons cette personne, surtout s'il vous importe qu'elle ne souffre pas des suites d'une autre imprudence de votre part. Cela doit rester entre nous et se régler avec discrétion et rapidité.

Puisque vous aimez utiliser la presse, mettez un petit avis dans El Tiempo, *en remerciant le Señor Cautivo de Ayabaca d'avoir fait pour vous le miracle que vous lui aviez demandé. Comme ça nous saurons que vous êtes d'accord avec les conditions que nous vous avons proposées. Et, aussitôt, la petite per-*

164

sonne en question reviendra chez elle saine et sauve. Dans le cas
contraire, il se peut que vous n'ayez plus jamais de ses nouvelles.

Dieu vous garde.

Lituma ne la vit pas, mais il devina la petite araignée qui signait cette lettre.

— Qui ont-ils séquestré, monsieur Yanaqué ? — demanda le capitaine Silva.

— Mabel — articula, en s'étouffant, le transporteur. Lituma vit les yeux du petit homme se mouiller et de grosses larmes couler sur ses joues.

— Asseyez-vous là, don Felícito — le sergent lui céda la chaise qu'il occupait et l'aida à s'asseoir.

Le transporteur s'assit et plongea son visage dans ses mains. Il pleurait doucement, sans bruit. Son petit corps chétif était parcouru de brusques frissons. Lituma eut de la peine pour lui. Pauvre homme, cette fois les salauds avaient trouvé la manière de le forcer à obéir. Ils n'avaient pas le droit, quelle injustice !

— Je peux vous garantir une chose, monsieur — le capitaine semblait lui aussi ému de ce qui arrivait à Felícito Yanaqué —. À votre amie ils ne vont pas lui toucher un cheveu. Ils veulent vous faire peur, c'est tout. Ils savent qu'ils n'ont pas intérêt à faire le moindre mal à Mabel. Qu'ils ont dans les mains quelqu'un d'intouchable.

— Pauvre petite — balbutia, au milieu de hoquets, Felícito Yanaqué —. C'est ma faute, c'est moi qui l'ai fourrée là-dedans. Qu'est-ce qu'elle va devenir, mon Dieu, jamais je ne me le pardonnerai.

Lituma vit la figure dodue et avec une ombre de barbe du capitaine Silva passer de la pitié à la rage et de

165

nouveau à la pitié. Il le vit tendre le bras, tapoter don Felícito sur l'épaule et, en avançant la tête, lui dire avec fermeté :

— Je vous jure sur ce que j'ai de plus sacré, qui est le souvenir de ma mère, qu'il ne va rien arriver à Mabel. Ils vous la rendront saine et sauve. Sur ma très sainte mère je jure que je vais résoudre cette affaire et que ces fils de pute vont le payer très cher. Je ne fais jamais ces serments, don Felícito. Vous êtes un homme qui a des couilles, tout Piura le dit. Ne craquez pas maintenant, je vous en supplie sur ce que vous aimez le plus.

Lituma était impressionné. C'était vrai ce que disait le commissaire : jamais il ne faisait des serments comme celui qu'il venait de faire. Il sentit le moral lui revenir : il le ferait, ils le feraient. Ils l'aideraient de toutes leurs forces. Ces ordures regretteraient d'avoir fait une crapulerie comme ça à ce pauvre homme.

— Je vais pas craquer maintenant ni jamais — balbutia le transporteur, en s'essuyant les yeux.

VIII

Miki et Escobita arrivèrent ponctuellement, à onze heures pile du matin. Lucrecia elle-même leur ouvrit la porte, ils l'embrassèrent sur la joue. Puis, une fois qu'ils furent assis dans le petit salon, Justiniana vint leur demander ce qu'ils voulaient boire. Miki demanda un café crème et Escobita un verre d'eau gazeuse. La matinée était grise et, dans la baie de Lima, des nuages bas survolaient la mer vert foncé piquetée d'écume. On apercevait au large quelques barques de pêcheurs. Les fils d'Ismael Carrera portaient un complet sombre, avec cravate et pochette, et une rutilante Rolex au poignet. En voyant entrer Rigoberto ils se levèrent : « Bonjour, l'oncle. » « Satanée habitude », pensa le maître de maison. Il ne savait pourquoi, mais cela l'exaspérait, cette mode, si répandue chez les jeunes Liméniens depuis quelques années, d'appeler « oncle » ou « tante » tous les amis de la famille et les grandes personnes, en s'inventant une parenté qui n'existait pas. Miki et Escobita lui serraient la main, lui souriaient, en manifestant une cordialité trop débordante pour être sincère. « La bonne mine que tu as, oncle Rigoberto », « La retraite te réussit,

167

l'oncle », « Depuis la dernière fois qu'on t'a vu, tu as rajeuni de je ne sais combien d'années ».

— Tu as une jolie vue d'ici — dit enfin Miki, en montrant du doigt le malecón de Barranco et la mer —. Quand le ciel est dégagé tu dois voir depuis La Punta jusqu'à Chorrillos, n'est-ce pas, l'oncle ?

— Et je vois aussi, et eux nous voient, tous ces types qui font du parapente et du deltaplane et qui passent en frôlant les fenêtres de l'immeuble — acquiesça Rigoberto —. Un beau jour un coup de vent nous flanquera un de ces intrépides hommes volants au beau milieu du salon.

Ses « neveux » saluèrent la plaisanterie d'un rire excessif. « Ils sont plus nerveux que moi », se surprit à penser Rigoberto.

Ils étaient jumeaux mais ne se ressemblaient en rien, sauf par la taille, leur corps athlétique et leurs mauvaises manières. Sans doute passaient-ils des heures et des heures au gymnase du Club de Villa ou du Regatas à faire de la musculation et à soulever des poids. Comment ces muscles s'accordaient-ils avec leur vie de patachons, la boisson, la cocaïne et la bringue ? Miki avait une tête ronde et satisfaite, une grande bouche aux dents carnivores et les oreilles décollées. Il avait le teint très blanc, on aurait presque dit un gringo, les cheveux clairs et, de temps en temps, il souriait mécaniquement, comme un pantin articulé. Escobita, en revanche, très brun, avait des yeux noirs pénétrants, une bouche sans lèvres et une voix fluette et criarde. Avec aux joues de longues pattes de chanteur flamenco ou de torero. « Qui des deux est le plus bête ? pensa Rigoberto. Et le plus méchant ? »

— Tu ne regrettes pas le boulot, maintenant que tu as tout ton temps de libre, l'oncle ? — demanda Miki.

— À vrai dire, non, le neveu. Je lis beaucoup, j'écoute de la bonne musique, je passe des heures plongé dans mes livres d'art. J'ai toujours aimé la peinture plus que les assurances, comme Ismael a dû te le dire. Maintenant je peux enfin y consacrer beaucoup de temps.

— Quelle bibliothèque tu te paies, l'oncle ! — s'écria Escobita, en pointant du doigt les étagères ordonnées du bureau contigu —. Combien de livres, nom de Dieu ! Et tu les as tous lus ?

— Non, pas tous, pas encore — « Celui-ci est le plus crétin », décida-t-il —. Les uns sont seulement des ouvrages de consultation, comme les dictionnaires et les encyclopédies de cette étagère du coin. Mais j'estime qu'il y a plus de possibilités de lire un livre si on l'a à la maison que s'il est dans une librairie.

Les deux frères le regardèrent, déconcertés, en se demandant sans doute s'il avait fait une plaisanterie ou s'il parlait sérieusement.

— Avec tous ces livres d'art c'est comme si tu avais ici dans ton bureau tous les musées du monde — décréta Miki, en se donnant l'air d'un homme astucieux et sage. Et il conclut —: Comme ça tu peux les visiter sans prendre la peine de sortir de chez toi, quel avantage !

« Face à quelqu'un d'aussi bête que ce bipède, on est forcément intelligent », pensa Rigoberto. Impossible de savoir lequel l'était le plus : ils faisaient match nul. Un silence pesant, interminable, s'était installé au salon et, pour dissimuler la tension, ils regardaient tous trois la table de travail. « L'heure a sonné », pensa Rigoberto, en sursautant légèrement ; mais il était curieux de savoir ce qui allait se passer. Il se sentait absurdement protégé en

169

étant sur son propre terrain, entouré de ses livres et de ses gravures.

— Bon, l'oncle — dit Miki en battant très vite des paupières, le doigt en l'air en direction de sa bouche —, je crois que le moment est venu de prendre le taureau par les cornes. De passer aux choses tristes.

Escobita continuait à boire l'eau minérale de son verre à moitié vide en glougloutant. Il se grattait sans cesse le front et ses petits yeux allaient et venaient de son frère à Rigoberto.

— Tristes ? Pourquoi tristes, Miki ? — dit Rigoberto en prenant un air surpris —. Que se passe-t-il, les gars ? Nous avons à nouveau nos petits problèmes ?

— Tu sais parfaitement ce qui se passe, l'oncle ! — s'écria Escobita d'une voix légèrement offensée —. Ne fais pas semblant, s'il te plaît.

— Il s'agit d'Ismael ? — Rigoberto fit l'imbécile —. C'est de lui que vous voulez qu'on parle ? De votre père ?

— Nous sommes la risée et l'objet de tous les potins de Lima — Miki prit un air mélodramatique, en mordillant rageusement son auriculaire. Il parlait sans ôter son doigt de sa bouche et cela rendait sa voix maniérée —. Tu as dû t'en rendre compte, parce que ça a traversé même les murs. On ne parle de rien d'autre dans cette ville et peut-être dans tout le Pérou. Voir la famille mêlée à un tel scandale, je n'aurais jamais imaginé ça.

— Un scandale que tu aurais pu éviter, oncle Rigoberto — affirma Escobita, dont la bouche grimaça comme s'il allait pleurer. Il s'aperçut alors que son verre était vide. Il le posa sur la table du milieu avec des précautions exagérées.

« D'abord le mélodrame et ensuite les menaces »,
pensa Rigoberto. Il était inquiet, bien sûr, mais de plus
en plus intrigué par ce qui se passait. Il observait les
jumeaux comme deux acteurs sans talent. Il les regardait,
attentif et courtois. Sans savoir pourquoi il avait envie de
rire.

— Moi ? — dit-il, faussement troublé —. Je ne sais pas
ce que tu veux me dire, le neveu.

— Tu es la personne que mon père a toujours écoutée
— affirma Escobita, sur un ton emphatique —. La seule,
peut-être, dont il faisait grand cas. Tu le sais très bien,
l'oncle, alors ne fais pas l'innocent, s'il te plaît. On n'est
pas ici pour jouer aux devinettes. S'il te plaît !

— Si tu l'avais conseillé, si tu t'y étais opposé, si tu lui
avais fait voir l'énormité de sa conduite, ce mariage
n'aurait pas eu lieu — affirma Miki, en donnant un petit
coup sur la table —. Il avait changé maintenant, au fond
de ses yeux clairs zigzaguait une petite vipère. Sa voix
avait forci.

Rigoberto entendit une musique au loin, sur le
malecón : c'était la flûte de Pan du rémouleur. Il l'entendait toujours à la même heure. Un gars ponctuel ce bonhomme. Un jour il devrait aller voir son visage.

— Un mariage qui, par ailleurs, ne vaut pas tripette,
parce que c'est rien qu'une saloperie — ajouta Escobita
en reprenant son frère —. Une farce sans la moindre
valeur juridique. Ça tu le sais aussi, l'oncle, tu n'es pas
avocat pour rien. Alors jouons cartes sur table, tu veux ?
Appelons un chat un chat.

« Qu'est-ce qu'il essaie de dire cet imbécile ? se
demanda don Rigoberto. Ils utilisent tous les deux les

proverbes au hasard, comme si c'étaient des jokers, sans trop savoir ce qu'ils signifient. »

— Si tu nous avais informés à temps de ce que tramait mon père, nous on arrêtait les frais, en faisant au besoin intervenir la police — insista Miki. Il parlait encore avec une tristesse forcée, mais on sentait déjà dans ses paroles pointer la colère. Maintenant ses petits yeux sous ses paupières lourdes se faisaient menaçants.

— Mais toi, au lieu de nous prévenir, tu t'es prêté à cette mascarade et tu as même apposé ta signature comme témoin, l'oncle — dit Escobita en levant la main et en faisant dans l'air une passe furibonde —. Tu as signé avec Narciso. Même le chauffeur, un pauvre analphabète, vous l'avez embarqué dans cette vilaine, très vilaine combine. C'est très moche d'abuser ainsi d'un ignorant. Vraiment, on ne s'attendait pas à ça de ta part, oncle Rigoberto. J'ai beau me creuser la tête, je ne comprends pas que tu te sois prêté à cette pitrerie de la pire espèce.

— Tu nous as déçus, l'oncle — paracheva Miki, en se tortillant, comme si ses vêtements le serraient —. C'est la triste vérité : dé-çus. Comme tu l'entends. Ça me fait peine de te le dire, mais c'est comme ça. Je te le crache en face et en toute franchise parce que c'est la triste vérité. Tu as une terrible responsabilité dans ce qui est arrivé, l'oncle. Ce n'est pas seulement nous qui le disons. Les avocats aussi le disent. Et pour jouer franc-jeu, tu ne sais pas à quoi tu t'exposes. Ça pourrait avoir de très mauvaises conséquences dans ta vie privée et dans l'autre.

« Quelle autre ? » pensa don Rigoberto. Les deux jeunes avaient monté le ton et l'affectueuse courtoisie du commencement s'était dissipée, en même temps que leurs sourires. Les jumeaux étaient maintenant très sérieux ; ils ne dissimulaient plus leur ressentiment. Rigoberto les écoutait, impassible, immobile, feignant une tranquillité qu'il ne sentait pas. « Vont-ils me proposer de l'argent ? Mettre à mes trousses un tueur à gages ? Dégainer un revolver ? » On pouvait s'attendre à tout de la part de ces deux-là.

— On n'est pas venus te faire des reproches — Escobita changea subitement de stratégie, en prenant une voix plus douce. Il souriait, en se caressant la joue, mais son sourire avait quelque chose de torve et d'agressif.

— Nous t'aimons beaucoup, l'oncle — corrobora Miki, en soupirant —. On te connaît depuis tout gosses, tu es comme notre plus proche parent. Sauf que...

Il ne put aller jusqu'au bout de son idée et resta la bouche ouverte, le regard indécis, accablé. Il choisit de se mordiller à nouveau le petit doigt, furieusement. « Oui, c'est lui le plus crétin », conclut don Rigoberto.

— Et c'est réciproque, les neveux — Il profita du silence pour placer une phrase —. Calmez-vous un peu, s'il vous plaît, et parlons comme des personnes rationnelles et civilisées.

— C'est plus facile pour toi que pour nous — lui répondit Miki, en haussant le ton. « En effet, pensa-t-il. Il ne sait pas ce qu'il dit, mais parfois il tombe juste » —. Ce n'est pas ton père mais le nôtre qui s'est marié avec sa bonniche, une chola ignorante et pouilleuse, en faisant de nous la risée de toute la bonne société de Lima.

— Un mariage qui, en plus, ne vaut pas un clou ! — rappela à nouveau Escobita, avec des gesticulations frénétiques —. Une pantalonnade sans la moindre valeur juridique. Je suppose que tu t'en rends bien

173

compte, oncle Rigoberto. Alors cesse de jouer au con, ça ne te va pas du tout.

— Je dois me rendre compte de quoi, le neveu ? — demanda-t-il, tout à fait serein, avec une curiosité qui semblait sincère —. J'aimerais que tu m'expliques ce que tu entends par jouer au con. Tu veux dire faire l'imbécile, c'est cela ?

— Je veux dire que tu t'es fourré dans un sac d'embrouilles par ignorance — explosa Escobita —. Un putain de sac de nœuds, si tu me permets la crudité. Peut-être sans le vouloir, en croyant rendre un service à ton bon ami. On veut bien croire à tes bonnes intentions. Mais peu importe, la loi est la loi, et plus que jamais dans ce cas.

— Ça pourrait t'attirer de graves ennuis, à toi et à ta famille — fit Miki d'un air de pitié, et tout en parlant il se fourrait à nouveau le petit doigt dans la bouche —. On ne voudrait pas te faire peur, mais les choses sont ce qu'elles sont. Tu n'aurais jamais dû signer ce papier. Je te le dis en toute objectivité et impartialité. Et en toute affection, tu le sais.

— On te le dit pour ton bien, oncle Rigoberto — nuança son frère —. En pensant plus à ton propre intérêt qu'au nôtre, crois-le bien. Puisses-tu ne pas regretter la gaffe que tu as faite !

« Bientôt viendra l'hystérie et ces animaux sont capables de me frapper », déduisit Rigoberto. Les jumeaux se laissaient entraîner par la colère et leurs regards, leurs mimiques, leurs gestes étaient de plus en plus agressifs. « Est-ce qu'il va falloir me défendre à coups de poing contre ces deux énergumènes ? » pensa-t-il. Il ne se rappelait même plus la dernière fois qu'il s'était battu. Au collège de La Recoleta, sûrement, à la récréation.

— Nous avons consulté les meilleurs avocats de Lima. Nous savons de quoi nous parlons. C'est pourquoi nous pouvons t'assurer que tu t'es fourré dans des putains de sales draps, l'oncle. Pardonne-moi de te le dire sur ce ton, mais nous devons regarder la vérité en face, nous les hommes. Il vaut mieux que tu sois au courant.

— Complicité et dissimulation — expliqua Miki, sur un ton solennel, en articulant chaque mot pour lui donner plus de poids. Sa petite voix déraillait tout le temps et ses yeux étaient deux charbons ardents.

— L'annulation du mariage est en marche et le verdict ne va pas tarder — l'informa Escobita —. Aussi, le mieux que tu puisses faire c'est de nous aider, oncle Rigoberto. Le mieux pour toi, je veux dire.

— Pour mieux dire, ce n'est pas nous qu'il faut aider, mais mon père, oncle Rigoberto. Ton ami de toute la vie, la personne qui a été un grand frère pour toi. Et t'aider toi-même à sortir de ce foutu bourbier où tu t'es fourré et où tu nous as fourrés. Tu t'en rends compte ?

— Franchement non, les neveux. Je ne me rends compte de rien, sauf que vous êtes très perturbés — Rigoberto les reprenait sereinement, de façon affectueuse, en leur souriant —. Comme vous parlez tous les deux à la fois, je vous avoue que ça me donne un peu le tournis. Je ne comprends pas très bien de quoi il s'agit. Pourquoi ne pas m'expliquer plus calmement ce que vous attendez de moi ?

Les jumeaux avaient-ils cru qu'ils gagnaient la partie ? Ils le pensaient vraiment ? Parce que leur attitude s'était soudain modérée. Ils s'étaient mis à l'observer en souriant, acquiesçant et échangeant entre eux de petits regards complices et satisfaits.

— Oui, oui, pardon, nous nous sommes laissé un peu emporter — s'excusa Miki —. Tu sais que nous t'aimons beaucoup, l'oncle.

« Il a les oreilles aussi grandes que les miennes, pensait Rigoberto. Mais, en plus, les siennes battent de l'aile. »

— Et pardon, surtout, si nous avons élevé la voix — enchaîna Escobita, gesticulant toujours dans tous les sens, comme un macaque frénétique —. Mais, les choses étant ce qu'elles sont, cela s'explique, tu dois le comprendre. Cette folie de notre vieux gâteux de père nous a pris la tête, à Miki et à moi.

— C'est très simple — expliqua Miki —. Nous comprenons très bien que, mon père étant ton supérieur à la compagnie, tu ne pouvais refuser de signer ce papier comme témoin. Tout comme le malheureux Narciso, donc. Le juge va en tenir compte, bien sûr. Cela servira de circonstance atténuante. Il ne vous arrivera rien. Les avocats le garantissent.

« Dans sa bouche, le mot avocat est comme une baguette magique », pensa Rigoberto, amusé.

— Vous vous trompez, ni Narciso ni moi n'avons accepté d'être les témoins de ton père parce que nous étions à son service — le reprit-il, aimablement —. Moi je l'ai fait parce que Ismael est, outre mon chef, un ami de toute la vie. Et Narciso aussi, à cause de la grande affection qu'il a toujours eue pour ton père.

— Eh bien tu as rendu un fichu service à ton cher ami — se fâcha à nouveau Escobita. Maintenant son visage s'était empourpré, comme sous l'effet d'une soudaine insolation, et ses yeux sombres le foudroyaient —. Le

176

vieux ne savait pas ce qu'il faisait. Ça fait longtemps qu'il est gâteux. Depuis belle lurette il ne sait plus où il est, ni qui il est, et moins encore ce qu'il faisait en se laissant embobiner par cette salope de chola avec qui il s'enfoufoune, si tu me passes l'expression.

« S'enfoufouner ? pensa don Rigoberto. Quel vilain mot, ça sent le fauve et ça a des poils ! »

— Tu crois que si mon père, qui a toujours été un monsieur, avait eu toute sa jugeote, il serait allé se marier avec une bonniche qui, pour comble, doit avoir quarante ans de moins que lui ? — le soutint Miki, en ouvrant sa large bouche et en montrant ses grandes dents.

— Est-ce que tu crois une chose pareille ? — maintenant, Escobita avait les yeux rouges et la voix brisée —. Ce n'est pas possible, tu es intelligent et cultivé, ne te trompe pas et n'essaie pas de nous tromper. Parce que nous on ne va pas se laisser entuber, ni par toi ni par personne, tu peux en être sûr.

— Si j'avais cru qu'Ismael n'avait pas toute sa jugeote, les neveux, je n'aurais pas accepté d'être son témoin. Je vous prie de me laisser parler. Je comprends que vous soyez très affectés. Il y a de quoi, j'en conviens. Mais vous devez prendre sur vous et accepter les faits comme ils sont. Ce n'est pas ce que vous pensez. Moi aussi j'ai été très surpris par le mariage d'Ismael. Comme tout le monde, je présume. Mais Ismael savait très bien ce qu'il faisait, j'en suis persuadé. Il a pris la décision de se marier en toute lucidité, pleinement conscient de ce qu'il allait faire. Et des conséquences.

Tandis qu'il parlait, il voyait croître sur le visage des jumeaux l'indignation et la haine.

— Je suppose que tu n'oseras pas répéter devant le

177

juge les conneries que tu dis là — Escobita se leva de sa chaise et avança hardiment vers lui. Maintenant il n'était plus congestionné mais livide et il tremblait.

Don Rigoberto ne bougea pas de son siège. Il s'attendait qu'il le secoue et le frappe peut-être, mais le jumeau, se contenant, fit demi-tour et se rassit. Son visage rond dégoulinait de sueur. « Les menaces sont arrivées. À quand les coups ? »

— Si tu as voulu me faire peur, Escobita, tu as réussi — dit-il, avec un calme invariable —. Pour mieux dire, vous avez réussi tous les deux. Vous voulez que je vous dise, les neveux ? Je suis mort de trouille. Vous êtes jeunes, forts, impulsifs et avec une réputation qui ferait faire dans son froc le plus malin. Je vous connais très bien, parce que, comme vous vous rappellerez, je vous ai aidés maintes fois à sortir du bourbier et des sales draps où vous ne cessez de vous fourrer depuis tout jeunes. Comme lorsque vous avez violé cette jeune fille à Pucusana, vous vous rappelez ? Je me souviens même de son nom : Floralisa Roca. Elle s'appelait comme ça. Et vous n'avez certes pas oublié non plus que j'ai dû remettre cinquante mille dollars à ses parents pour que vous n'alliez pas en prison pour cette bagatelle que vous aviez commise. Je sais très bien que, si vous le vouliez, vous pourriez me réduire en bouillie, c'est clair.

Déconcertés, les jumeaux se regardaient entre eux, devenaient sérieux, essayaient de sourire sans y parvenir, s'agitaient sur leur chaise.

— Ne le prends pas comme ça — finit par dire Miki, en retirant son petit doigt de sa bouche et en lui tapotant le bras —. On est entre gens civilisés, l'oncle.

— On ne lèvera jamais la main sur toi — affirma

Escobita, inquiet —. Nous t'aimons, l'oncle, même si tu ne le crois pas. Même si tu t'es mal conduit envers nous en signant ce répugnant papier.

— Laissez-moi terminer — les calma Rigoberto, en faisant des mains un geste apaisant —. Mais, malgré ma peur, si le juge me convoque, je lui dirai la vérité. Qu'Ismael a pris la décision de se marier en sachant parfaitement ce qu'il faisait. Qu'il n'est ni gâteux ni fou, et qu'il ne s'est laissé embobiner ni par Armida ni par personne. Parce que votre père est toujours en possession d'un esprit plus vif que vous deux ensemble. C'est la stricte vérité, les neveux.

Il y eut à nouveau dans la pièce un silence dense et chargé de menaces. Dehors, le ciel était noir et là-bas au loin, à l'horizon marin, il y avait des petites lumières électriques qui pouvaient être les réflecteurs d'un bateau ou les éclairs d'une tempête. Rigoberto sentait son cœur s'agiter. Les jumeaux restaient livides et leur regard était tel qu'ils devaient, se dit-il, faire de grands efforts pour ne pas s'élancer sur lui et le triturer. « Tu m'as rendu un bien piètre service, Ismael, en me mêlant à cela », pensa-t-il.

Escobita fut le premier à parler. Il le fit en baissant la voix, comme s'il allait lui dire un secret, et en le regardant fixement dans les yeux avec des éclairs de mépris.

— Mon père t'a payé pour ça ? Combien t'a-t-il payé, l'oncle, est-ce qu'on peut savoir ?

La question le prit tellement au dépourvu qu'il en resta bouche bée.

— Ne le prends pas mal — Miki voulut arranger les choses, en baissant également la voix et en faisant de la main un geste apaisant —. Tu n'as pas à en avoir honte, tout le monde a ses besoins. Escobita te demande ça parce que, s'il s'agit d'argent, nous sommes aussi disposés à te donner une gratification. Car, à dire vrai, nous avons besoin de toi, l'oncle.

— Nous avons besoin que tu ailles chez le juge et déclares que tu as signé comme témoin sous la pression et les menaces — expliqua Escobita —. Si Narciso et toi vous déclarez cela, tout ira plus vite et le mariage sera annulé en moins de deux. Il est évident que nous sommes prêts à te dédommager, l'oncle. Et généreusement.

— Les services se paient et nous savons très bien dans quel monde nous vivons — ajouta Miki —. Et, bien sûr, dans la plus grande discrétion.

— Et puis tu rendras un grand service à mon père, l'oncle. Le pauvre doit être désespéré à cette heure, sans savoir comment échapper au piège dans lequel il a été pris dans un moment de faiblesse. Nous le tirerons de ce bourbier et il nous en sera reconnaissant, tu verras.

Rigoberto les écoutait sans broncher ni bouger, pétrifié sur sa chaise, comme s'il était plongé dans de profondes réflexions. Les jumeaux attendaient sa réponse, anxieux. Le silence se prolongea près d'une minute. Au loin, on entendait de temps en temps, cette fois très faible, la flûte de Pan du rémouleur.

— Je vais vous demander de sortir d'ici et de ne plus y remettre les pieds — dit enfin don Rigoberto, toujours avec le même calme —. Vraiment, vous êtes pires que je croyais, petits. Et si quelqu'un vous connaît bien, c'est moi, depuis que vous étiez en culottes courtes.

— Tu nous offenses — dit Miki —. Ne te fais pas d'illusions, l'oncle. Nous respectons tes cheveux blancs, mais basta !

— Nous n'allons pas te permettre n'importe quoi — affirma Escobita, en frappant la table —. Tu as toutes les chances de perdre, sache-le. Ta retraite elle-même est compromise.

— N'oublie pas qui va prendre les commandes de la compagnie dès que ce vieux fou aura cassé sa pipe — le menaça Miki.

— Je vous ai demandé de vous en aller — dit Rigoberto, en se levant et en leur montrant la porte —. Et, surtout, ne remettez plus les pieds ici. Je ne veux plus vous voir.

— Tu crois que tu vas nous chasser comme ça de chez toi, espèce d'entremetteur? — dit Escobita, en se levant aussi et en serrant les poings.

— Tais-toi — le coupa son frère, en le maintenant par le bras —. Les choses ne peuvent pas finir en dispute. Excuse-toi auprès d'oncle Rigoberto pour l'avoir insulté, Escobita.

— Ce n'est pas nécessaire — dit Rigoberto —. Il suffit que vous partiez pour ne plus revenir.

— C'est lui qui nous a offensés, Miki. Il nous flanque à la porte comme deux chiens galeux. Tu ne l'as peut-être pas entendu?

— Excuse-toi, bon sang — ordonna Miki, en se levant aussi —. Tout de suite. Fais-lui tes excuses.

— C'est bon — céda Escobita, qui tremblait comme une feuille —. Je te fais des excuses pour ce que je t'ai dit, l'oncle.

— Tu es excusé — acquiesça Rigoberto —. Cette conversation est terminée. Merci pour votre visite, petits. Adieu.

— Nous en reparlerons une autre fois, à tête reposée

— dit Miki en partant —. Je regrette que cela se soit terminé comme ça, oncle Rigoberto. Nous voulions parvenir avec toi à un accord à l'amiable. Vu ton intransigeance, l'affaire devra passer par la justice.

— Et ce ne sera pas à ton avantage, et je te le dis bien gentiment parce que tu vas le regretter — dit Escobita —. Tu devrais y regarder à deux fois.

— Bon, frérot, maintenant tais-toi — Miki prit son frère par le bras et l'entraîna jusqu'à la porte.

Dès que les jumeaux furent partis, Rigoberto vit apparaître Lucrecia et Justiniana, rongées d'inquiétude. Cette dernière tenait dans ses mains, comme une arme contondante, un gros rouleau à pâtisserie.

— Nous avons tout entendu — dit Lucrecia, en mettant son bras sous celui de son mari —. S'ils t'avaient fait quelque chose, nous étions prêtes à intervenir et à nous lancer sur ces hyènes.

— Ah, c'est pour ça le rouleau à pâtisserie — dit Rigoberto, et Justiniana acquiesça, très sérieuse, en faisant tournoyer en l'air son gourdin improvisé.

— Et moi j'avais à la main le tisonnier — dit Lucrecia —. Je leur aurais crevé les yeux à ces bâtards. Je te le jure, mon amour.

— Je me suis bien comporté, non ? — dit Rigoberto en bombant le torse —. Je ne me suis laissé intimider à aucun moment par ces deux déchets d'humanité.

— Tu t'es comporté en grand seigneur — dit Lucrecia —. Et cette fois, au moins, l'intelligence a triomphé de la force brute.

— Comme un homme, un vrai, monsieur — dit en écho Justiniana.

— Pas un mot de tout cela à Fonfon — ordonna Rigoberto —. Le petit a déjà suffisamment de maux de tête pour ne pas lui en donner davantage.

Elles acquiescèrent et, soudain, tous trois en même temps éclatèrent de rire.

IX

Six jours après la publication du deuxième avis de don Felícito Yanaqué dans *El Tiempo* (anonyme, contrairement au premier), les ravisseurs ne donnaient pas signe de vie. Le sergent Lituma et le capitaine Silva, malgré leurs efforts, n'avaient pas trouvé trace de Mabel. La nouvelle de l'enlèvement n'était pas parvenue à la presse et le capitaine Silva disait qu'un tel miracle ne durerait pas ; il était impossible que, avec l'intérêt qu'éveillait dans tout Piura le cas du patron des Transports Narihualá, un événement de cette importance tarde à occuper la une des journaux, la radio et la télévision. Un de ces jours on saurait tout et le colonel Rascachucha piquerait une nouvelle colère retentissante, avec engueulades, jurons et tout le tremblement.

Lituma connaissait assez son chef pour deviner l'inquiétude du commissaire, même s'il ne le disait pas, avait l'air tranquille et continuait à faire ses habituels commentaires cyniques et cochons. Sans doute se demandait-il, comme lui-même, si les mafieux à la petite araignée n'auraient pas eu la main lourde et si la jolie brunette, la maîtresse de don Felícito, ne serait pas déjà morte et enterrée dans une décharge des environs. Chaque fois qu'ils se réunissaient avec le transporteur, miné par ce malheur, le sergent et le capitaine étaient impressionnés par ses cernes, le tremblement de ses mains, la façon dont sa voix se coupait au milieu d'une phrase, le laissant hébété, à regarder le vide avec terreur, muet et en proie à un clignement frénétique de ses petits yeux mouillés. « Un de ces jours il va avoir une crise cardiaque et nous tomber raide », craignait Lituma. Son chef fumait maintenant le double de cigarettes qu'auparavant, en gardant les mégots entre ses lèvres et en les mordillant, chose qu'il ne faisait que dans ses périodes de grande préoccupation.

— Qu'est-ce qu'on va faire si on retrouve pas Mme Mabel, mon capitaine ? Je vous assure que cette affaire elle m'empêche toutes les nuits de dormir.

— Nous suicider, Lituma — essayait de plaisanter le commissaire —. On jouera à la roulette russe et comme ça on quittera ce bas monde avec les couilles bien accrochées, comme le Seminario de ton pari. Mais on la retrouvera, ne sois pas si pessimiste. Ils savent par le petit avis dans *El Tiempo*, ou du moins ils le croient, que Yanaqué ils l'ont enfin cassé. Maintenant ils le font souffrir un peu pour bien enfoncer le clou. Ce n'est pas ça qui me tracasse, Lituma. Tu sais quoi, en revanche ? J'ai peur que don Felícito perde la tête et que tout à coup il décide de mettre un autre avis en faisant marche arrière et en flanquant notre plan par terre.

Ça n'avait pas été facile de le convaincre. Le capitaine mit des heures à le faire céder, en lui donnant tous les arguments possibles pour qu'il apporte l'avis à *El Tiempo* le jour même. Il lui parla d'abord au commissariat et ensuite au Pie Ajeno [1], un petit bar où Lituma et lui l'amenèrent presque en le traînant. Ils le regardèrent siffler, l'un après l'autre, une demi-douzaine de petits cocktails à la liqueur de caroube, lui qui, comme il le leur répéta plusieurs fois, ne picolait jamais. L'alcool lui faisait mal à l'estomac, lui donnait des brûlures et des diarrhées. Mais maintenant c'était différent. Il avait encaissé un choc terrible, le plus douloureux de sa vie, et l'alcool l'empêcherait d'avoir une nouvelle crise de larmes.

— Je vous supplie de me croire, don Felícito — lui expliquait le commissaire, avec des prodiges de patience —. Je ne vous demande pas de capituler devant la mafia, comprenez-le. Loin de moi l'idée de vous conseiller de leur payer les contributions qu'ils vous demandent.

— Ça je le ferais jamais — répétait, tremblant et catégorique, le transporteur —. Même s'ils tuaient Mabel et que je sois obligé de me suicider pour pas vivre avec ce remords sur ma conscience.

— Je vous demande seulement de faire semblant, c'est tout. Faites-leur croire que vous acceptez leurs conditions — insistait le capitaine —. Vous aurez pas à leur allonger un seul centavo, je vous le jure sur ma mère. Et sur Josefita, cette merveille. Nous avons besoin qu'ils relâchent la jeune fille, ça nous mettra sur leurs traces. Je sais très bien ce que je dis, croyez-moi. C'est ma profession et je connais sur le bout du doigt la façon d'agir de ces charognes. Ne vous entêtez pas, don Felícito.

— Je le fais pas par entêtement, capitaine — le transporteur s'était apaisé et il avait maintenant un air tragi-

---

1. *Pie ajeno* (littéralement « pied d'autrui ») a donné *piajeno*, mot typique du Pérou pour désigner un âne.

comique parce qu'une mèche de ses cheveux était tombée sur son front et lui bouchait une partie de l'œil droit ; il ne semblait pas s'en rendre compte —. Moi, Mabel, je l'aime beaucoup, je l'aime d'amour. Ça me déchire le cœur qu'une personne comme elle, qu'a rien à voir avec cette histoire, soit victime de la cupidité et de la méchanceté de ces criminels. Mais je peux pas les satisfaire. C'est pas à cause de moi, comprenez-le, capitaine. Je peux pas manquer à la mémoire de mon père.

Il demeura silencieux un moment, observant son petit verre vide de liqueur de caroube, et Lituma pensa qu'il allait se remettre à pleurer. Mais il ne le fit pas. Au contraire, tête basse, sans les regarder, comme s'il ne s'adressait pas à eux mais parlait avec lui-même, le petit homme chétif serré dans sa veste et son gilet gris souris se mit à évoquer son géniteur. Des mouches bleues voletaient en bourdonnant autour de leur tête et au loin on entendait la discussion retentissante de deux hommes au sujet d'un accident de la circulation. Felícito parlait avec lenteur, en cherchant ses mots pour donner l'emphase voulue aux choses solennelles qu'il racontait, et en se laissant par moments gagner par le sentiment. Lituma et le capitaine Silva n'avaient pas tardé à comprendre que le yanacón Aliño Yanaqué, de l'hacienda Yapatera, à Chulucanas, était la personne que Felícito avait le plus aimée de sa vie. Et pas seulement parce que le même sang coulait dans leurs veines. Mais parce que c'était grâce à son père qu'il avait pu se hisser depuis la pauvreté ou, plus exactement, depuis la misère dans laquelle il était né et avait passé son enfance — une misère qu'eux ne pouvaient même pas imaginer — jusqu'à sa position d'entrepreneur, propriétaire de toute une flotte de voitures, de camions et de cars, d'une compagnie de transports réputée qui donnait du lustre à son humble patronyme. Il s'était gagné le respect des gens ; ceux qui le connaissaient savaient qu'il était comme il faut et honorable. Il avait pu donner une bonne éducation à ses fils, une vie digne, une profession, et il leur laisserait les Transports Narihualá, une entreprise bien considérée par ses clients et ses concurrents. Tout cela était dû, plus qu'à son travail, aux sacrifices d'Aliño Yanaqué. Il n'avait pas été seulement son père, mais aussi sa mère et sa famille, parce que la femme qui l'avait mis au monde, Felícito ne l'avait jamais connue, pas plus qu'aucun parent. Il ne savait même pas pourquoi il était né à Yapatera, un village de Noirs et de mulâtres, où les Yanaqué, étant criollos, c'est-à-dire cholos, semblaient des étrangers. Ils menaient une vie bien isolée, parce que les moricauds de Yapatera ne se liaient pas d'amitié avec Aliño et son fils. Ou parce qu'ils n'avaient pas de famille, ou parce que son père n'avait pas voulu que Felícito sache qui étaient et à quoi s'occupaient ses oncles et ses cousins, ils avaient toujours vécu seuls. Lui ne se le rappelait pas, il était tout petit quand c'était arrivé, mais il savait que, peu de temps après sa naissance, sa mère avait foutu le camp, allez savoir où et avec qui. Elle n'était plus jamais revenue. Du plus loin qu'il s'en souvînt, il revoyait son père travailler comme une bête, sur la petite parcelle que lui donnait son patron ou dans l'hacienda de ce dernier, sans dimanches ni fêtes, tous les jours de la semaine et tous les mois de l'année. Aliño Yanaqué dépensait tout ce qu'il recevait, qui était peu de chose, à nourrir Felícito, à l'envoyer à l'école, à lui acheter des souliers, des vêtements, des cahiers et des crayons. Parfois, il lui offrait un jouet pour la Noël ou lui donnait une pièce pour qu'il se paie une sucette ou une gomme de canne à sucre. Il n'était pas de ces pères qui sont tout le temps à bécoter et à gâter leurs enfants. Il était sobre, austère, jamais il ne l'avait embrassé ni serré dans ses bras, et ne lui avait pas raconté non plus des histoires drôles pour le faire rire. Mais il s'était privé de tout pour que son fils ne soit pas plus tard un yanacón analphabète comme lui. À cette époque, Yapatera n'avait même pas une maternelle. Felícito devait faire à pied de sa maison à l'école publique de Chulucanas cinq kilomètres à l'aller et cinq autres au retour, et il ne tombait pas toujours sur un chauffeur charitable pour le prendre dans son camion et lui éviter la trotte. Il ne se rappelait pas avoir manqué la classe un seul jour. Il avait toujours eu de bonnes notes. Comme son père ne savait pas lire, c'est Felícito qui devait lui faire la lecture du bulletin et il se sentait heureux quand il voyait Aliño se rengorger comme un paon en écoutant les commentaires élogieux des professeurs. Pour que Felícito puisse continuer ses études, comme il n'y avait pas de place dans l'unique collège d'enseignement secondaire de Chulucanas, ils durent venir à Piura. À la grande joie d'Aliño, Felícito fut accepté au groupe scolaire San Miguel de Piura, le collège national le plus prestigieux de la ville. À ses camarades et à ses maîtres, Felícito, sur ordre de son père, cacha que celui-ci gagnait sa vie en chargeant et déchargeant des marchandises au marché central, par là du côté de la Gallinacera, et que, la nuit, il faisait la tournée des ordures dans les camions de la mairie. Tous ces efforts pour que son fils fasse des études et que, plus tard, il ne soit pas yanacón, ni portefaix ni éboueur. Le conseil que lui donna Aliño avant de mourir, « Te laisse jamais marcher dessus par personne, mon fils », avait été la devise de sa vie. Il n'allait pas non plus se laisser marcher dessus maintenant par ces fils de pute de voleurs, d'incendiaires et de kidnappeurs.

— Jamais mon père a demandé l'aumône ni s'est laissé humilier par personne — conclut-il.

— Votre père a dû être une personne aussi respectable que vous, don Felícito — le flatta le commissaire —. Je ne vous demanderais jamais de le trahir, je vous le jure. Je vous demande seulement de faire une feinte, un bluff, en mettant dans *El Tiempo* ce petit avis qu'ils vous demandent. Ils croiront qu'ils vous ont fait céder et relâcheront Mabel. C'est le plus important pour le moment. Ils se laisseront voir et on pourra leur mettre la main au collet.

Finalement, don Felícito accepta. Entre le capitaine et lui ils rédigèrent le texte qui sortirait le lendemain dans le journal :

Remerciement au Señor Cautivo de Ayabaca

Je remercie du fond du cœur le divin Señor Cautivo de Ayabaca de m'avoir, dans son infinie bonté, fait le miracle que je lui avais demandé. Je lui serai toujours reconnaissant et suivrai tous les pas que dans sa grande sagesse et miséricorde il lui plaira de m'indiquer.

Un dévot

Ces jours-là, tandis qu'ils attendaient un signe quelconque des mafieux à la petite araignée, Lituma reçut un message des frères León. Ils avaient convaincu Rita, la femme du Babouin, de le laisser sortir le soir, de sorte qu'au lieu de déjeuner ils auraient un dîner, le samedi. Ils devaient se retrouver chez un chinois, près du couvent des bonnes sœurs du collège Lourdes. Lituma laissa son uniforme à la pension des Calancha et s'habilla en civil, avec le seul costume qu'il possédait. Il l'apporta auparavant à la blanchisserie pour le faire laver et repasser. Il ne mit pas de cravate, mais s'acheta une chemise dans une boutique qui soldait ses stocks. Il se fit cirer les chaussures dans la rue et prit une douche dans des bains publics avant de se rendre au rendez-vous avec ses cousins.

Il eut plus de mal à reconnaître le Babouin que José. Celui-là oui qu'il avait changé. Pas seulement physiquement, bien qu'il fût beaucoup plus gros que dans sa jeunesse, avec peu de cheveux, des poches violacées sous les yeux et des petites rides au coin des oreilles, autour de la bouche et dans le cou. Il était habillé sport, avec des vêtements élégants, et il avait aux pieds des mocassins de petit Blanc. Il portait une chaîne au poignet et une autre sur la poitrine. Mais son changement le plus grand c'étaient ses façons calmes, tranquilles, de quelqu'un qui a une grande confiance en lui parce qu'il a découvert le secret de l'existence et la manière de bien s'entendre avec tout le monde. Il n'y avait plus trace en lui des singeries et pitreries qu'il faisait quand il était gosse et qui lui avaient valu son surnom.

Il le serra dans ses bras avec beaucoup d'affection : « Quelle grande chose de te revoir, Lituma ! »

— La seule chose qui manque, c'est de chanter l'hymne des Indomptables ! — s'écria José. Et en frappant dans ses mains il demanda au Chinois d'apporter des bières de Cusco bien fraîches.

La réunion fut un peu raide et difficile au début, parce

que, après avoir confronté leurs souvenirs communs, il se produisait de grandes parenthèses de silence, accompagnées de petits rires forcés et de regards nerveux. Beaucoup de temps avait passé, chacun avait vécu sa vie, il n'était pas facile de ressusciter la camaraderie d'autrefois. Lituma se tortillait mal à l'aise sur sa chaise, se disant que peut-être il aurait mieux valu éviter ces retrouvailles. Il se souvenait de Bonifacia, de Josefino, et quelque chose se serrait dans son estomac. Cependant, au fur et à mesure que se vidaient les bouteilles de bière dont ils accompagnaient les plats de riz cantonais, les nouilles chinoises, le canard laqué, la soupe aux raviolis, les beignets de crevette, leur sang s'échauffait et leur langue se déliait. Ils commencèrent à se sentir plus détendus et plus naturels. José et le Babouin racontèrent des blagues et Lituma poussa son cousin à faire quelques-unes des imitations qui dans sa jeunesse étaient sa spécialité. Par exemple, les sermons du père García dans sa paroisse de la Vierge du Carmel, sur la place Merino. Au début le Babouin se fit prier, mais soudain il se décida et se mit à prêcher et à lancer les invectives bibliques du vieux curé espagnol, philatéliste et ronchonneur, sur qui courait la légende d'avoir mis le feu, en compagnie d'une troupe de dévotes, au premier bordel de l'histoire de Piura, celui qui était en pleine sablière, sur la route de Catacaos et qu'administrait le papa de la Chunga chunguita. Pauvre père García ! Comme les Indomptables lui avaient pourri la vie en lui criant dans les rues « Incendiaire ! Incendiaire ! » ! Ils avaient transformé en calvaire les dernières années du vieux ronchonneur. Lui, chaque fois qu'il les croisait, s'égosillait à leur lancer des injures : « Traîne-savates ! Soûlots ! Dégénérés ! » Ah, quelles rigolades ! Qu'il était

192

bon ce temps qui, comme dit le tango, a disparu à tout jamais !

Une fois le dîner couronné par un dessert de petites pommes[1] de Chine, comme ils continuaient à boire, la tête de Lituma était devenue un tourbillon doux et agréable. Tout tournait et il lui venait par moments des bâillements irrépressibles qui pour un peu lui auraient décroché la mâchoire. Tout à coup, dans cette espèce de demi-sommeil à moitié lucide, il s'aperçut que le Babouin s'était mis à parler de Felícito Yanaqué. Il était en train de lui poser une question. Il sentit s'évaporer ce commencement de cuite et récupéra le contrôle de sa conscience.

— Où il en est, ce pauvre don Felícito, cousin ? — répéta le Babouin —. Toi tu dois savoir quelque chose. Il s'entête toujours à pas payer les mensualités qu'on lui demande ? Miguelito et Tiburcio ils se font du souci, ce truc les enquiquine un maximum. Parce que, même s'il a été très dur avec eux comme père, ils aiment leur vieux. Ils ont peur que les mafieux le tuent.

— Tu connais les fils de don Felícito ? — demanda Lituma.

— José t'a pas raconté ? — répliqua le Babouin —. Ça fait un bon bout de temps qu'on les connaît.

— C'est eux qui amenaient à l'atelier les véhicules des Transports Narihualá, pour les réparations et les mises au point — José avait l'air contrarié par la confidence du Babouin —. Ce sont des braves types tous les deux.

1. Probablement des jamboses, appelées aussi « pommes roses » ou « pommes d'eau », très parfumées et à l'odeur évoquant l'eau de rose.

C'est pas qu'on soit très amis. Des connaissances, c'est tout.

— On a souvent joué aux cartes avec eux — ajouta le Babouin —. Et Tiburcio est vachement bon aux dés.

— Dites-m'en un peu plus sur ces deux-là — insista Lituma —. Je les ai vus que deux fois, quand ils sont venus faire leurs déclarations au commissariat.

— De très braves types — affirma le Babouin —. Ils souffrent beaucoup de ce qui arrive à leur père. Bien que le vieux ait été avec eux un vrai tyran, on dirait. Il leur a fait faire de tout dans son entreprise, en commençant par le plus bas. Il les a encore comme chauffeurs, en les payant soi-disant au même prix que les autres. Il fait pas de préférences, même s'ils sont ses fils. Il les paie pas un sou de plus, et leur donne pas plus de congés. Et, comme tu dois savoir, il a obligé Miguelito à faire son service, soi-disant pour le redresser, parce qu'il allait de travers. Quelle poigne il a ce vieux !

— Don Felícito est un de ces types rares qu'on rencontre que de temps en temps dans la vie — décréta Lituma —. La personne la plus droite que j'aie connue. N'importe quel autre entrepreneur serait déjà à payer les mensualités, pour se débarrasser de ce cauchemar.

— Bon, de toute façon, Miguelito et Tiburcio hériteront des Transports Narihualá et seront pas dans la mouise — José essaya de changer de sujet —. Et toi comment ça va, cousin ? Question bonnes femmes, je veux dire, par exemple. T'es marié, t'as une petite amie, des petites amies ? Ou seulement les putes ?

— Exagère pas, José — intervint le Babouin, en faisant de grands gestes en l'air comme autrefois —.

Regarde comme tu as mis le cousin mal à l'aise avec ta curiosité de fouine.

— Tu regretterais pas toujours, par hasard, celle que Josefino il a mise pute, cousin ? — dit José en riant —. On l'appelait la Fille des Bois, non ?

— Je me rappelle même plus qui c'est — assura Lituma, en regardant le plafond.

— Ressuscite pas des choses tristes au cousin, che guá, José.

— Parlons plutôt de don Felícito — leur proposa Lituma —. Ma parole, quel homme de caractère et quelles couilles il a ! Moi il m'impressionne.

— Qui c'est qu'est pas impressionné, il est devenu le héros de Piura, presque aussi célèbre que l'amiral Grau[1], — dit le Babouin —. Peut-être, avec la popularité qu'il a maintenant, la mafia elle osera pas le descendre.

— Au contraire, justement ils essaieront de le descendre parce qu'il est célèbre ; il les a tournés en ridicule et ça, ils peuvent pas le permettre — objecta José —. L'honneur des mafieux est en jeu, mon frère. Si don Felícito gagnait la partie, tous les entrepreneurs qui paient des contributions ils cesseraient de les payer du jour au lendemain et la mafia ferait faillite. Vous croyez, vous, qu'ils vont supporter ça ?

Est-ce que son cousin José était devenu nerveux ? Lituma, entre deux bâillements, se rendit compte que José recommençait à faire des petits traits sur le plateau

1. L'amiral Grau (1834-1879), né près de Piura, fut tué lors de la guerre dite du Pacifique (1879-1884) déclarée par le Chili. Il est considéré comme un héros à Piura, où une avenue porte son nom, ainsi que la caserne, l'équipe de football et un fameux club.

de la table avec le bout de l'ongle. Il ne regarda pas fixement, pour ne pas s'autosuggestionner comme la fois précédente en croyant qu'il dessinait des petites araignées.

— Et pourquoi vous faites pas quelque chose, vous, cousin ? — protesta le Babouin —. La garde civile, je veux dire. Excuse-moi, Lituma, mais la police, ici à Piura au moins, c'est un emplâtre sur une jambe de bois. Elle ne fait rien de rien et ne sert qu'à demander des pots-de-vin.

— Pas seulement à Piura — Lituma lui emboîta le pas —. On est un emplâtre sur une jambe de bois dans tout le Pérou, cousin. Mais, par exemple, je te signale que, moi au moins, depuis toutes les années que je porte cet uniforme, j'ai pas encore demandé un seul pot-de-vin à personne. Et c'est pour ça que je suis plus pauvre qu'un mendiant. Pour revenir à don Felícito, faut dire que si la chose n'avance pas c'est qu'on a peu de moyens techniques. Le graphologue qui devrait nous aider est en congé parce qu'on l'a opéré d'hémorroïdes. Toute l'enquête en panne à cause du cul en compote de ce monsieur, rendez-vous compte.

— Tu veux dire que vous n'avez toujours pas la moindre piste au sujet des mafieux ? — insista le Babouin. Lituma aurait juré que des yeux José demandait à son frère de laisser tomber ce sujet.

— On a quelques pistes, mais aucune très sûre — nuança le sergent —. Mais tôt ou tard ils feront un faux pas. Le problème c'est que maintenant, à Piura, il y a pas qu'une mafia qui opère, mais plusieurs. Mais ils tomberont. Ils font toujours une gaffe et finissent par se trahir. Malheureusement, jusqu'à présent ils ont commis aucune erreur.

Il leur reposa des questions sur Tiburcio et Miguelito,

les fils du transporteur, et à nouveau il eut l'impression que ce sujet dérangeait José. À un moment donné, une contradiction surgit entre les deux frères :

— En réalité, ça fait très peu de temps qu'on les connaît — insistait tout le temps José.

— Comment très peu, ça fait six ans au moins — le corrigea le Babouin —. Tu te souviens pas de cette fois où Tiburcio nous a amenés à Chiclayo dans une de leurs camionnettes ? Ça fait combien de ça ? Un temps fou. Au moment de cette combine qui a foiré.

— C'était quelle combine, cousin ?

— Vendre des machines agricoles aux communautés et aux coopératives du Nord — dit José —. Ces salauds ils payaient jamais. Ils se faisaient protester toutes les lettres de change. On a perdu presque toute la mise de fonds.

Lituma n'insista pas. Ce soir-là, après avoir dit bonsoir au Babouin et à José, en les remerciant pour le chinois, pris un taxi collectif jusqu'à sa pension et s'être mis au lit, il resta longtemps éveillé, à penser à ses cousins. Surtout, à José. Pourquoi il se méfiait tant de lui ? À cause des petits dessins qu'il faisait avec son ongle sur la table, seulement ? Ou, vraiment, il y avait quelque chose de suspect dans son comportement ? Il devenait bizarre, comme inquiet, chaque fois que dans la conversation on parlait des fils de don Felícito. Ou bien c'est lui qui se faisait des idées parce qu'ils étaient perdus dans leur recherche ? Est-ce qu'il ferait part de ces doutes au capitaine Silva ? Valait mieux attendre que tout ça soit moins fumeux et prenne forme.

Cependant, la première chose qu'il fit le lendemain matin, ce fut de tout raconter à son chef. Le capitaine

Silva l'écouta avec attention, sans l'interrompre, en prenant des notes dans un tout petit carnet avec un crayon si minuscule qu'il disparaissait entre ses doigts. À la fin, il murmura : « Ici je n'ai pas l'impression qu'il y ait rien de sérieux. Aucune piste à suivre, Lituma. Tes cousins León ont l'air blancs comme neige. » Mais il resta à réfléchir, silencieux, en mordillant son crayon comme si c'était un mégot. Tout à coup, il prit une décision :

— Tu sais une chose, Lituma ? On va parler à nouveau avec les fils de don Felícito. D'après ce que tu m'as raconté, on dirait qu'à ces deux-là on ne leur a pas encore tiré tout le jus. Faut les presser un peu plus. Convoque-les pour demain et séparément, bien entendu.

À ce moment-là, l'agent de la réception frappa à la porte du cagibi et passa son imberbe tête de jeunot par l'ouverture : M. Felícito Yanaqué au téléphone, mon capitaine. C'était très urgent. Lituma vit le commissaire décrocher le vieil appareil, l'entendit murmurer « Bonjour, monsieur ». Et il vit son visage s'illuminer comme si on venait de lui annoncer qu'il avait gagné le gros lot à la loterie. « On y va tout de suite ! » glapit-il et il raccrocha.

— Mabel est revenue, Lituma. Elle est dans sa maisonnette de Castilla. Allez, cours. Je te l'avais pas dit ? Ils ont avalé le bobard ! Ils l'ont relâchée !

Il était aussi heureux que s'ils avaient déjà mis la main au collet des mafieux à la petite araignée.

X

— En voilà une surprise ! — s'écria le père O'Donovan en voyant apparaître Rigoberto dans la sacristie où il venait d'enlever la chasuble avec laquelle il avait célébré la messe de huit heures —. Toi ici, Oreillettes ? Après si longtemps. Je ne peux pas le croire.

C'était un homme grand, gros, jovial, avec des petits yeux rieurs qui étincelaient derrière des lunettes à monture d'écaille, et une calvitie avancée. Il semblait occuper tout l'espace de cette petite pièce aux murs décrépits, délavés, et au sol carrelé ébréché, où la lumière du jour parvenait à travers une haute et étroite fenêtre d'où pendaient des toiles d'araignée.

Ils s'embrassèrent avec leur vieille cordialité ; ils ne s'étaient pas vus depuis des mois, peut-être une année. Ils avaient été condisciples à La Recoleta, du cours primaire au cours moyen, c'étaient de bons amis et même, une année, des voisins de pupitre. Ensuite, en entrant tous deux à l'Université catholique pour faire leur droit, ils avaient continué à se voir souvent. Ils militaient à l'Action catholique, suivaient les mêmes cours et étudiaient ensemble. Jusqu'à ce qu'un beau jour Pepín

O'Donovan fasse à son ami Rigoberto la surprise de sa vie.

— Ne me dis pas que la raison de ta présence ici c'est que tu t'es converti et que tu veux que je t'entende en confession, Oreillettes — se moqua le père O'Donovan, en le conduisant par le bras jusqu'au petit bureau qu'il avait dans l'église. Il lui avança une chaise. Il y avait des étagères pleines de livres et de revues, un crucifix, une photo du pape et une autre des parents de Pepín. Le plafond s'était écaillé à un endroit et montrait le mélange de roseaux et de terre avec lequel il était construit. Cette église était-elle une relique coloniale ? Elle était en ruine et menaçait de s'effondrer à tout moment.

— Je suis venu te voir parce que j'ai besoin de ton aide, tout simplement — Rigoberto se laissa tomber sur la chaise qui craqua sous son poids et soupira, accablé. Pepín était la seule personne qui l'appelait encore du surnom qu'on lui avait donné au collège : Oreillettes. Dans son adolescence, cela le complexait un peu. Plus maintenant.

Quand, ce matin lointain, à la cafétéria de l'Université catholique, au début de la deuxième année de droit, Pepín O'Donovan lui avait annoncé soudain, aussi naturellement que s'il lui avait parlé d'un cours de droit civil ou du dernier match entre l'Alianza et l'équipe universitaire, qu'ils n'allaient plus se voir pendant un certain temps parce qu'il partait le soir même à Santiago du Chili entreprendre son noviciat, Rigoberto avait cru à une plaisanterie de la part de son ami. « Tu veux dire que tu vas devenir curé ? Ne blague pas, vieux. » Certes, ils avaient tous deux milité à l'Action catholique, mais Pepín n'avait jamais laissé voir à son ami Oreillettes qu'il avait la vocation. Ce qu'il lui disait maintenant n'était pas une blague, absolument pas, mais une décision longuement mûrie, dans la solitude et le silence, des années durant. Rigoberto devait apprendre par la suite que Pepín avait eu beaucoup de problèmes avec ses parents, parce que sa famille avait tenté par tous les moyens de le dissuader d'aller au séminaire.

— Oui, mon vieux, bien sûr — dit le père O'Donovan —. Si je peux te donner un coup de main, tu m'en vois ravi, Rigoberto, il ne manquerait plus que ça.

Pepín n'avait jamais été un de ces garçons confits en dévotion qui communiaient à toutes les messes du collège, que les curés encourageaient et tâchaient de convaincre qu'ils avaient la vocation, que Dieu les avait choisis pour le sacerdoce. C'était le garçon le plus normal du monde, sportif, fêtard, rigolard, et il avait même eu un moment une petite amie, Julieta Mayer, une volleyeuse à taches de rousseur du collège Santa Úrsula. Il allait scrupuleusement à la messe, comme tous les élèves de La Recoleta, et avait été un membre assez actif de l'Action catholique, mais, pour autant que Rigoberto s'en souvînt, pas plus dévot que les autres, ni spécialement intéressé par les causeries sur les vocations religieuses. Il ne fréquentait même pas les retraites organisées de temps en temps par les curés dans une maison diocésaine qu'ils avaient à Chosica. Non, ce n'était pas une blague, mais une décision irréversible. Il avait entendu l'appel depuis l'enfance et avait bien réfléchi, sans le dire à personne, avant de faire le grand saut. Plus moyen de faire marche arrière à présent. Le soir même il était parti au Chili. Quand ils s'étaient revus, bien des années après, Pepín était devenu le père O'Donovan, habillé en curé, portant lunettes, arborant une calvitie précoce, et entreprenant sa carrière de cycliste acharné. Il était demeuré quelqu'un de simple et de sympathique, au point que chaque fois qu'ils se voyaient c'était devenu une sorte de leitmotiv pour Rigoberto de lui dire : « Encore heureux que tu n'aies pas changé, Pepín, encore heureux que, tout en l'étant, tu n'aies pas l'air d'un curé. » À quoi l'autre répondait toujours en plaisantant sur le surnom qu'il avait, jeune homme : « Et toi ces excroissances d'âne continuent à te pousser, Oreillettes. Comment ça se fait ? »

— Il ne s'agit pas de moi — lui expliqua Rigoberto —. Mais de Fonfon. Lucrecia et moi nous ne savons plus que faire avec ce garçon, Pepín. On se fait un sang d'encre, je t'assure.

Ils avaient continué à se voir assez fréquemment. C'est le père O'Donovan qui avait marié Rigoberto à Eloísa, sa première femme, feu la mère de Fonfon, et, après son veuvage, lui qui l'avait marié encore à Lucrecia, au cours d'une cérémonie intime avec seulement une poignée d'amis. C'est lui qui avait baptisé Fonfon et il allait, de temps en temps, déjeuner et écouter de la musique à l'appartement de Barranco, où on le recevait très affectueusement. Rigoberto l'avait quelquefois soutenu en faisant des dons (de sa part et de celle de la compagnie d'assurances) pour les œuvres caritatives de la paroisse. Quand ils se voyaient, ils parlaient surtout musique, que Pepín O'Donovan avait toujours beaucoup aimée. Et il arrivait parfois que Rigoberto et Lucrecia l'invitent aux concerts que la Société philharmonique de Lima organisait à l'auditorium de Santa Úrsula.

— Ne t'inquiète donc pas, mon vieux, ce n'est sûrement rien — dit le père O'Donovan —. Tous les jeunes de la terre à quinze ans ont et posent des problèmes. Sinon ce sont des imbéciles. Il n'y a rien là que de très normal.

— Ce qui aurait été normal c'est qu'il soit porté sur la boisson, les filles, un joint de marijuana, les quatre cents coups comme toi et moi quand nous étions à l'âge ingrat — dit Rigoberto, soucieux —. Mais non, mon vieux, Fonchito n'est pas dans la norme. Au contraire, tu vas rire, depuis quelque temps il s'est mis dans la tête que le diable lui apparaît.

Le père O'Donovan essaya de se retenir, mais il ne put et éclata d'un rire sonore.

— Je ne ris pas de Fonfon, mais de toi — expliqua-t-il, en riant toujours —. De t'entendre toi, Oreillettes, parler du diable. Ce personnage dans ta bouche c'est tellement drôle. Il détonne.

— Je ne sais pas si c'est le diable, je ne t'ai jamais dit qu'il l'est, je n'ai jamais employé ce mot, je ne sais pas pourquoi tu l'emploies toi, papa — avait protesté Fonfon, dans un filet de voix, au point que son père, pour ne pas perdre un mot de ce que le petit disait, avait dû se pencher et rapprocher sa tête.

— C'est bon, excuse-moi, fiston — s'était-il excusé —. Je te demande seulement de me dire une chose. Je te parle très sérieusement, Fonfon. As-tu froid chaque fois qu'Edilberto Torres t'apparaît ? Comme s'il entrait avec lui, là où tu es, un vent glacé ?

— Quelles bêtises tu dis, papa ! — Fonfon avait ouvert grands les yeux, hésitant entre rire ou demeurer sérieux —. Tu te paies ma tête ou quoi ?

— Il lui apparaît comme le diable apparaissait au

célèbre père Urraca, sous forme de femme à poil ? — fit le père O'Donovan en se remettant à rire —. Je suppose, Oreillettes, que tu connais ce chapitre des *Traditions péruviennes* de Ricardo Palma, c'est un des plus amusants.

— C'est bon, c'est bon — s'était encore excusé Rigoberto —. Tu as raison, tu ne m'as jamais dit que cet Edilberto Torres serait le diable. Je te demande pardon, je sais que je ne dois pas plaisanter avec ce sujet. Je parle du froid à cause d'un roman de Thomas Mann, où le diable apparaît au personnage principal, un compositeur. Oublie ma question. C'est que je ne sais, fiston, comment l'appeler, cet individu. Une personne qui t'apparaît et disparaît comme en un clic, qui surgit dans les endroits les plus inattendus, ne peut être en chair et en os, quelqu'un comme toi et moi. N'est-ce pas vrai ? Je te jure que je ne me moque pas de toi. Je te parle le cœur sur la main. Si ce n'est pas le diable, alors, ce doit être un ange.

— Tu vois comme tu te moques de moi, papa ? — avait protesté Fonfon —. Je n'ai pas dit qu'il était le diable ni un ange non plus. Moi ce monsieur me donne l'impression d'être quelqu'un comme toi et moi, en chair et en os, naturellement, et très normal. Si tu veux, laissons là cette conversation et ne parlons plus jamais de M. Edilberto Torres.

— Ce n'est pas un jeu, ça n'en a pas l'air — dit Rigoberto, très sérieux. Le père O'Donovan avait cessé de rire et l'écoutait maintenant avec attention —. Le petit, bien qu'il ne nous le dise pas, est totalement troublé par ce sujet. C'est une autre personne, Pepín. Il a toujours eu très bon appétit, il n'a jamais eu de problèmes avec la nourriture et maintenant il ne mange presque rien. Il a cessé de faire du sport, ses amis viennent le chercher et il s'invente des prétextes. Lucrecia et moi devons le pousser pour qu'il se décide à sortir. Il est devenu laconique, introverti, renfrogné, lui qui était si sociable et si loquace. Il reste jour et nuit enfermé en lui-même, comme si un gros souci le dévorait de l'intérieur. Je ne reconnais plus mon fils. Nous l'avons emmené voir une psychologue, qui lui a fait toutes sortes de tests. Et a diagnostiqué qu'il ne lui arrivait rien, qu'il était l'enfant le plus normal du monde. Je te jure que nous ne savons plus que faire, Pepín.

— Si je te racontais la quantité de gens qui croient voir des apparitions, Rigoberto, tu tomberais à la renverse — essaya de le tranquilliser le père O'Donovan —. Généralement ce sont des vieilles femmes. Des enfants, c'est plus rare. Eux ont de mauvaises pensées, surtout.

— Est-ce que tu ne pourrais pas lui parler, mon vieux ? — Rigoberto n'était pas d'humeur à plaisanter —. Lui donner des conseils ? Enfin, je ne sais pas. C'est une idée qui vient de Lucrecia, pas de moi. Elle pense qu'à toi il pourrait peut-être davantage se confier qu'à nous.

— La dernière fois, papa, c'est arrivé au cinéma de Larcomar — Fonfon avait baissé les yeux et hésitait en parlant —. Vendredi soir, quand je suis allé avec Chato Pezzuolo voir le dernier James Bond. J'étais absorbé à fond par le film, à prendre mon pied, quand soudain, soudain…

— Soudain quoi ? — l'avait pressé don Rigoberto.

— Soudain je l'ai vu, là, assis à côté de moi — avait dit Fonfon, la tête basse et respirant profondément —. C'était lui, il n'y avait pas le moindre doute. Je te le jure, papa, il était là. M. Edilberto Torres. Ses yeux brillaient et j'ai vu alors couler des larmes sur ses joues. Ce ne pouvait pas être à cause du film, papa, il ne se passait rien de triste à l'écran, c'était seulement des bagarres, des baisers et des aventures. Ça veut dire qu'il pleurait pour autre chose. Et alors, je ne sais comment te le dire, mais j'ai pensé que c'était pour moi qu'il était si triste. Qu'il pleurait sur moi, je veux dire.

— Sur toi ? — avait articulé Rigoberto avec difficulté —. Et pourquoi ce monsieur pouvait-il pleurer sur toi, Fonfon ? Qu'est-ce qui lui faisait pitié chez toi ?

— Ça, papa, je ne le sais pas, je ne fais que deviner. Mais pourquoi tu crois qu'il pleurait, sinon, assis là à côté de moi ?

— Et quand le film s'est terminé et que les lumières se sont rallumées, Edilberto Torres était-il toujours assis sur le fauteuil à côté de toi ? — avait demandé Rigoberto, en se doutant parfaitement de la réponse.

— Non, papa. Il était parti. Je ne sais à quel moment il avait dû se lever et s'en aller. Je ne l'ai pas vu.

— C'est bon, c'est bon, je suis d'accord — dit le père O'Donovan —. Je parlerai avec lui, à condition que Fonfon veuille parler avec moi. Surtout, n'essaie pas de le forcer. Il ne faut pas l'obliger à venir. Pas du tout. Qu'il vienne de son plein gré, s'il en a envie. Pour bavarder ensemble comme deux amis, dis-le-lui comme ça. N'y attache pas tant d'importance, Rigoberto. Je te parie que c'est une bêtise de gosse, rien d'autre.

— Ce n'était pas le cas, au début — acquiesça Rigoberto —. Comme c'est un garçon qui a beaucoup d'imagination, on croyait, Lucrecia et moi, qu'il inventait cette histoire pour se donner de l'importance, pour nous tenir suspendus à ses lèvres.

— Mais cet Edilberto Torres existe-t-il ou est-ce une pure invention de l'enfant? — demanda le père O'Donovan.

— C'est ce que j'aimerais découvrir, Pepín, c'est pour cela que je suis venu te voir. Jusqu'à présent je n'arrive pas à le savoir. Un jour je crois y parvenir et le lendemain non. Parfois, il me semble que le petit me dit la vérité. Et, parfois, qu'il se joue de nous, qu'il nous fait une blague.

Rigoberto n'avait jamais compris pourquoi le père O'Donovan, au lieu de se tourner vers l'enseignement et faire, à l'intérieur de l'Église, une carrière intellectuelle de savant et de théologien — il était cultivé, sensible, aimait les idées et l'art, lisait beaucoup —, s'était obstinément cantonné à cette tâche pastorale, dans cette très modeste paroisse de Bajo el Puente dont les habitants devaient être très peu instruits, dans un milieu où son talent était en quelque sorte gâché. Il avait une fois osé lui en parler. Pourquoi n'écris-tu pas ou ne fais-tu pas de conférences, Pepín? Pourquoi n'enseignes-tu pas à l'université, par exemple? S'il y avait, parmi toutes leurs connaissances, quelqu'un qui semblait avoir une vocation intellectuelle évidente, une passion pour les idées, c'était bien toi, Pepín.

— Parce que là où l'on a le plus besoin de moi c'est dans ma paroisse de Bajo el Puente — avait dit Pepín O'Donovan en se contentant de hausser les épaules —. On manque de pasteurs; alors qu'il y a plutôt trop d'intellectuels, Oreillettes. Tu te trompes si tu crois que cela me coûte de faire ce que je fais. Le travail de la paroisse me stimule beaucoup, il me plonge des pieds à la tête dans la vie réelle. Dans les bibliothèques, parfois on s'isole trop du monde de tous les jours, du commun des mortels. Je ne crois pas à tes espaces de civilisation, qui t'écartent des autres et font de toi un anachorète, on en a déjà beaucoup discuté.

Il n'avait pas l'air d'un curé parce qu'il n'abordait jamais des sujets religieux avec son vieux compagnon de collège ; il savait que Rigoberto avait cessé d'être croyant dans ses années universitaires et cela ne semblait pas le gêner le moins du monde de fréquenter un agnostique. Les rares fois où il allait déjeuner à la maison de Barranco, à la fin du repas ils s'enfermaient généralement au bureau pour écouter un CD, la plupart du temps de Bach, dont la musique d'orgue était celle que préférait Pepín O'Donovan.

— J'étais convaincu que toutes ces apparitions étaient de son invention — précisa Rigoberto. Mais cette psychologue que Fonfon a vue, le docteur Augusta Delmira Céspedes, tu as dû en entendre parler, non ? elle est, semble-t-il, très connue, m'a replongé dans le doute. Elle nous a catégoriquement dit, à Lucrecia et à moi, que Fonfon ne mentait pas, qu'il disait la vérité. Qu'Edilberto Torres existe. Elle nous a laissés dans une grande perplexité, comme tu peux t'imaginer.

Rigoberto raconta au père O'Donovan qu'après bien des hésitations, Lucrecia et lui avaient décidé de se tourner vers une agence spécialisée (« De celles qui permettent aux maris jaloux de faire espionner leurs épouses polissonnes ? », se moqua le curé, et Rigoberto acquiesça : « Celles-là mêmes ») pour s'attacher, pendant une semaine, aux pas de Fonfon toutes les fois qu'il allait dehors, seul ou avec des amis. Le rapport de l'agence

— « qui, soit dit en passant, m'a coûté les yeux de la tête » — avait été éloquent et contradictoire : à aucun moment, nulle part, le petit n'avait eu le moindre contact avec des messieurs d'un certain âge, ni au cinéma, ni à la fête de la famille Argüelles, ni quand il allait au collège, ni à la sortie des classes, ni non plus lors de sa fréquentation fugace avec son ami Pezzuolo d'une discothèque de San Isidro. Cependant, dans cette discothèque, Fonfon, en allant aux toilettes faire pipi, avait fait une rencontre inattendue : il y avait là le monsieur en question, qui se lavait les mains. (Bien sûr, ça, le rapport de l'agence ne le disait pas.)

— Salut, Fonfon — avait dit Edilberto Torres.

— À la discothèque ? — avait demandé Rigoberto.

— Aux toilettes de la discothèque, papa — avait précisé Fonfon. Il parlait avec assurance, mais avec une élocution embarrassée, comme si chaque mot lui coûtait un gros effort.

— Tu te distrais ici, avec ton ami Pezzuolo ? — l'homme semblait désolé. Il s'était lavé les mains et les essuyait maintenant avec un bout de papier qu'il venait d'arracher au distributeur accroché au mur. Il portait le chandail mauve de certaines fois, mais au lieu de son complet gris un costume bleu.

— Pourquoi pleurez-vous, monsieur ? — s'était enhardi à lui demander Fonfon.

— Edilberto Torres pleurait aussi là, dans les toilettes d'une discothèque ? — avait sursauté don Rigoberto. Comme le jour où tu l'as vu au cinéma de Larcomar, assis à côté de toi ?

— Au cinéma je l'avais vu dans l'obscurité et j'ai pu me tromper — avait répondu Fonfon, sans hésiter —. Dans les toilettes de la discothèque, non. Il y avait assez de lumière. Il pleurait. Les larmes lui sortaient des yeux, coulaient sur son visage. Il était, il était, je ne sais comment te dire, papa. Triste, très triste, je te jure. Le voir pleurer en silence, sans rien dire, me regardant avec tant de peine. Il semblait souffrir beaucoup et cela me mettait mal à l'aise.

— Excusez-moi, monsieur, mais je dois partir — avait balbutié Fonfon —. Mon ami Chato Pezzuolo m'attend là-dehors. Cela me fait je ne sais quoi, monsieur, de vous voir pleurer comme ça.

— Autrement dit, tu vois bien, Pepín, il n'y a pas de quoi rire — conclut Rigoberto —. Est-ce qu'il nous mène en bateau ? Est-ce qu'il délire ? Qu'il a des visions ? Hormis ce sujet, le garçon semble tout à fait normal quand il parle d'autre chose. Les notes du collège, ce mois-ci, ont été aussi bonnes que d'habitude. Lucrecia et moi ne savons plus que penser. Est-ce qu'il devient fou ? Est-ce une crise d'adolescence, quelque chose de passager ? Veut-il seulement nous effrayer et nous tenir en haleine ? C'est pour cela que je suis venu te voir, mon vieux, pour cela que nous avons pensé à toi. Je te serais tellement reconnaissant si tu pouvais nous donner un coup de main. C'est Lucrecia, je te l'ai déjà dit, qui en a eu l'idée : « Le père O'Donovan peut être la solution. » Elle est croyante, comme tu sais.

— Bien sûr que oui, Rigoberto, il ne manquerait plus que ça — lui assura à nouveau son ami —. Pourvu qu'il accepte de parler avec moi. C'est ma seule condition. Je peux aller le voir chez toi. Il peut venir ici à la paroisse. Ou je peux le retrouver ailleurs. N'importe quel jour de cette semaine. Je me rends bien compte que c'est très important pour vous. Je te promets de faire tout ce que

210

je pourrai. La seule chose, je le répète, c'est de ne pas le forcer. Propose-le-lui et qu'il décide s'il veut bavarder avec moi ou pas.

— Si tu me tires de ce mauvais pas, je suis capable de me convertir, Pepín.

— Pas question — rétorqua le père O'Donovan dans un geste de vade retro —. Dans l'Église nous ne voulons pas de pécheurs aussi raffinés que toi, Oreillettes.

Ils ne savaient comment présenter la chose à Fonfon. C'est Lucrecia qui se décida à lui parler. Le garçon fut un peu déconcerté au début et le prit à la rigolade. « Mais comment, belle-maman, mon papa n'est-il pas agnostique ? C'est lui qui a eu cette idée que j'aille parler à un curé ? Veut-il que je me confesse ? » Elle lui expliqua que le père O'Donovan était un homme avec une grande expérience de la vie, une personne pleine de sagesse, qu'il soit prêtre ou non. « Et s'il me convainc d'entrer au séminaire et de me faire curé, qu'est-ce que vous direz, toi et papa ? » continua à blaguer l'enfant. « Ah, ça non, Fonfon, ne le dis pas même par jeu. Toi, prêtre ? Dieu nous en préserve ! »

Le garçon accepta, comme il avait accepté de voir la psychologue Delmira Céspedes, et dit qu'il préférait se rendre à la paroisse de Bajo el Puente. Rigoberto lui-même l'amena dans sa voiture. Il le laissa là et alla le reprendre deux heures plus tard.

— C'est un type très sympa, ton ami — dit Fonfon pour tout commentaire.

— Autrement dit, cette conversation en valait la peine ? — se hasarda don Rigoberto pour explorer le terrain.

— Elle a été très bonne, papa. Tu as eu une riche idée. J'ai appris un tas de choses en parlant avec le père

211

O'Donovan. On ne dirait pas un curé, il ne te donne pas de conseils, il t'écoute. Tu avais raison.

Mais il ne voulut donner aucune autre explication, ni à son père ni à sa belle-mère, malgré leurs prières. Il se bornait à des généralités, comme l'odeur de pisse de chat qui imprégnait la paroisse (« tu n'as pas remarqué, papa ? »), bien que le curé l'ait assuré qu'il n'avait ni n'avait jamais eu de matou et qu'il y avait parfois, à la sacristie, plutôt des souris.

Rigoberto déduisit bien vite que quelque chose d'étrange, peut-être de grave, s'était produit pendant ces deux heures où Pepín et Fonfon s'étaient entretenus. Sinon, pourquoi le père O'Donovan serait-il resté quatre longs jours à l'éviter sous toutes sortes de prétextes, comme s'il craignait de le revoir et de lui raconter sa conversation avec le petit ? Il avait des rendez-vous, des obligations à la paroisse, une réunion avec l'évêque, il devait aller chez le médecin pour un examen de je ne sais quoi. Des bêtises de ce genre, pour éviter de le rencontrer.

— Est-ce que tu cherches des prétextes pour ne pas me raconter comment s'est passée ta conversation avec Fonfon ? — l'affronta-t-il le cinquième jour, quand le prêtre daigna lui répondre au téléphone.

Il y eut un silence de plusieurs secondes dans le combiné et, enfin, Rigoberto entendit le curé dire quelque chose qui le laissa stupéfait :

— Oui, Rigoberto. C'est la vérité, oui. J'ai évité de te voir. Ce que j'ai à te dire c'est quelque chose à quoi tu ne t'attends pas — affirma mystérieusement le père O'Donovan —. Mais comme il n'y a pas moyen de faire autrement, parlons donc de la chose. J'irai déjeuner chez toi samedi ou dimanche. Quel est le jour qui te convient le mieux ?

— Samedi, ce jour-là Fonfon a l'habitude de déjeuner chez son ami Pezzuolo — répondit Rigoberto —. Ce que tu m'as dit va m'empêcher de dormir jusqu'à samedi, Pepín. Et Lucrecia, pire encore.

— Ça a été mon cas depuis que tu as eu l'idée de me faire parler avec ton fiston — dit sèchement le prêtre —. Alors à samedi, Oreillettes.

Le père O'Donovan devait être le seul religieux à ne se déplacer dans la vaste Lima ni en bus ni en taxi, mais à bicyclette. Il disait que c'était l'unique exercice qu'il faisait, mais qu'il le pratiquait de façon si assidue que cela le maintenait en excellente forme. Par ailleurs, il aimait pédaler. Tout en le faisant il pensait, préparait ses sermons, écrivait des lettres, programmait les activités du jour. Mais il devait, malgré tout, rester très attentif, surtout aux carrefours et aux feux que personne ne respectait dans cette ville, où les automobilistes conduisaient en pensant davantage à renverser les piétons et les cyclistes qu'à mener leur véhicule à bon port. Malgré ça, il avait eu de la chance car, depuis plus de vingt ans qu'il parcourait la ville sur son deux-roues, on ne l'avait renversé qu'une fois, sans grandes conséquences, et on ne lui avait volé qu'une fois sa bicyclette. Excellent bilan !

Le samedi, sur le coup de midi, Rigoberto et Lucrecia, qui guettaient la rue depuis la terrasse du penthouse où ils habitaient, virent apparaître le père O'Donovan pédalant furieusement sur le malecón Paul Harris de Barranco. Ils furent grandement soulagés. Ils trouvaient tellement bizarre que le religieux ait tant retardé le rendez-vous pour leur rendre compte de sa conversation

213

avec Fonfon qu'ils avaient même craint qu'il n'invente une excuse de dernière heure pour ne pas venir. Que s'était-il donc passé au cours de cette conversation pour qu'il se montre si réticent à la leur raconter ?

Justiniana descendit à la porte dire au concierge de permettre au père O'Donovan de rentrer sa bicyclette à l'intérieur de l'immeuble pour la mettre à l'abri des voleurs, et elle l'accompagna dans l'ascenseur. Pepín serra Rigoberto dans ses bras, embrassa Lucrecia sur la joue, et demanda à aller aux toilettes pour se laver les mains et le visage car il était en sueur.

— Combien de temps as-tu mis sur ton vélo depuis Bajo el Puente ? — lui demanda Lucrecia.

— À peine une demi-heure — dit-il —. Avec les embouteillages qu'il y a maintenant à Lima, on va plus vite à bicyclette qu'en auto.

Il demanda un jus de fruits comme apéritif et les regarda tous les deux, lentement, en leur souriant.

— Je sais que vous devez dire pis que pendre de moi, pour ne pas vous avoir raconté comment cela s'est passé — dit-il.

— Oui, Pepín, exactement, on dit pis que pendre et bien plus de toi. Tu sais dans quelle inquiétude nous sommes. Tu es un sadique.

— Alors, comment ça s'est passé ? — demanda anxieusement doña Lucrecia —. Il t'a parlé franchement ? Il t'a tout raconté ? Qu'est-ce que tu en penses ?

Le père O'Donovan, maintenant très sérieux, prit une profonde inspiration. Il marmonna que cette demi-heure de pédalage l'avait fatigué au-delà de ce qu'il voulait admettre. Et il marqua une longue pause.

— Vous voulez que je vous dise ? — Il les regarda d'un

214

air à la fois plein de détresse et de défi —. En vérité, je ne me sens pas du tout à l'aise avec la conversation qu'on va avoir.

— Moi non plus, mon père — avait dit Fonfon —. Nous n'avons aucune raison de l'avoir. Je sais très bien que mon père a les nerfs en compote par ma faute. Si vous voulez, vaquez à vos affaires et prêtez-moi une revue, même religieuse. Ensuite, on dira à mon père et à ma belle-mère que nous avons bavardé et vous inventerez n'importe quoi pour les tranquilliser. Et voilà.

— Tiens, tiens — avait dit le père O'Donovan —. Tel père, tel fils, Fonfon. Sais-tu qu'à ton âge, à La Recoleta, ton papa s'y entendait pour tromper son monde ?

— Es-tu parvenu à parler de la chose avec lui ? — demanda Rigoberto, sans dissimuler son angoisse —. S'est-il confié à toi ?

— À dire vrai je ne le sais pas — dit le père O'Donovan —. Ce petit est comme une bille de mercure, il m'a semblé qu'il me glissait tout le temps entre les doigts. Mais soyez tranquilles. Je suis sûr au moins d'une chose. Il n'est pas fou, il ne délire pas et ne se moque pas de vous. Cet enfant m'a semblé très sain et sensé. Cette psychologue qui l'a vu vous a dit la stricte vérité : il n'a aucun problème psychique. Autant que j'ai pu en juger, bien sûr, moi qui ne suis ni psychiatre ni psychologue.

— Mais alors, les apparitions de ce type — l'interrompit Lucrecia —. As-tu tiré quelque chose au clair ? Cet Edilberto Torres, il existe ou non ?

— Bon, quand je dis normal ce n'est peut-être pas le mot le plus juste — se corrigea le père O'Donovan, en esquivant la question —. Car cet enfant a quelque chose d'exceptionnel, quelque chose qui le différencie des autres. Je ne veux pas seulement parler de son intelligence. Il est intelligent, pour sûr. Je n'exagère absolument pas, Rigoberto, je ne le dis pas pour te flatter. Mais, en plus, ce garçon a dans la tête, dans l'esprit, quelque chose qui attire l'attention. Une sensibilité très spéciale, très particulière, que n'a pas, je pense, le commun des mortels. Comme vous l'entendez. Je ne sais pas s'il y a de quoi se réjouir ou s'effrayer, d'ailleurs. Je n'écarte pas non plus l'idée qu'il ait voulu me donner cette impression et qu'il y soit parvenu, comme le ferait un acteur consommé. J'ai beaucoup hésité à venir vous dire cela. Mais je crois qu'il valait mieux que je le fasse.

— Peut-on en venir au fait, Pepín ? — s'impatienta don Rigoberto —. Arrête un peu d'esquiver le sujet. Ou, pour dire clairement les choses, cesse de jouer au con et venons-en au problème. Parle clair et, je t'en prie, comme on disait jadis, ne recule pas ton cul quand on veut te piquer les fesses.

— Qu'est-ce que c'est que ces gros mots, Rigoberto ? — le reprit Lucrecia —. C'est qu'on est tellement angoissés, Pepín. Pardonne-lui. Je crois que c'est la première fois que j'entends ton ami Oreillettes s'exprimer comme un charretier.

— Bon, mille excuses, Pepín, mais dis-le-moi une bonne fois, mon vieux — insista Rigoberto —. Cet Edilberto Torres passe-muraille, est-ce qu'il existe ? Lui apparaît-il au cinéma, dans les toilettes des discothèques, sur les stades des collèges ? Est-ce qu'une telle extravagance peut être vraie ?

Le père O'Donovan s'était mis à transpirer à nouveau, et copieusement, et pas à cause de son vélo cette fois, pensa Rigoberto, mais de la tension que provoquait en lui d'avoir à prononcer un verdict sur ce sujet. Mais que diable était-ce ? Que lui arrivait-il ?

— Posons-le comme ça, Rigoberto — dit le prêtre en choisissant ses mots avec un soin extrême, comme s'ils avaient des épines —. Fonfon croit qu'il le voit et qu'il parle avec lui. Cela me semble indiscutable. Bon, je crois qu'il le croit fermement, tout comme il croit qu'il ne te ment pas quand il te dit qu'il l'a vu et a parlé avec lui. Bien que ces apparitions et disparitions semblent absurdes et le soient. Comprenez-vous ce que j'essaie de vous dire ?

Rigoberto et Lucrecia se regardèrent et ensuite regardèrent en silence le père O'Donovan. Le prêtre semblait maintenant aussi perdu qu'eux. Il avait pris un air triste et on voyait bien qu'il n'était pas content non plus de sa réponse. Mais il était également évident qu'il n'en avait pas d'autre, qu'il ne savait ni ne pouvait mieux expliquer la chose.

— Je comprends, bien sûr, mais ce que tu me dis ne veut rien dire, Pepín — se plaignit Rigoberto —. Que Fonfon ne cherche pas à nous tromper c'était, naturellement, une des hypothèses. Qu'il ne trompe que lui-même par autosuggestion. C'est cela que tu crois ?

— Je me doute bien que ce que je vous dis vous déçoit, que vous attendiez quelque chose de plus définitif, de plus carré — poursuivit le père O'Donovan —. Je suis désolé, mais je ne peux pas être plus concret, Oreillettes. Je ne le peux pas. C'est tout ce que j'ai pu tirer au clair. Que le petit ne ment pas. Il croit voir ce monsieur et il est possible peut-être, peut-être, qu'il le voie. Et qu'il soit seul à le voir, pas les autres. Je ne peux aller au-delà de cela. C'est une simple conjecture. Je te répète que je n'exclus pas non plus que ton fils m'ait fait marcher. En d'autres

217

termes, qu'il soit plus malin et plus habile que moi. Peut-être te ressemble-t-il, Oreillettes. Tu te rappelles qu'à La Recoleta le père Lagnier te traitait de mythomane ?

— Mais, alors, ce que tu nous sors là n'est pas du tout clair, c'est très obscur plutôt, Pepín — murmura Rigoberto.

— S'agit-il de visions, d'hallucinations ? — tenta de préciser Lucrecia.

— Vous pouvez les appeler comme ça, mais il ne faut pas associer ces mots à un déséquilibre, à une maladie mentale — affirma le prêtre —. Mon impression, c'est que Fonfon a un contrôle total sur son esprit et ses nerfs. C'est un enfant équilibré, il distingue lucidement le réel du fantastique. Voilà ce que je peux vous assurer, en mettant ma main au feu quant à sa sagesse. En d'autres termes, ce n'est pas là un problème que puisse résoudre un psychiatre.

— Je suppose que tu n'es pas en train de parler de miracles — dit Rigoberto, irrité et moqueur —. Parce que si Fonfon est la seule personne à voir Edilberto Torres et à parler avec lui, tu me parles de pouvoirs miraculeux. Sommes-nous tombés si bas, Pepín ?

— Bien sûr que je ne parle pas de miracles, Oreillettes, et Fonfon non plus — s'irrita à son tour le prêtre —. Je parle de quelque chose que je ne sais comment nommer, simplement. Cet enfant vit une expérience très particulière. Une expérience, je ne dirais pas religieuse parce que tu ne sais ni ne veux savoir ce que c'est, cette chose, mais disons alors spirituelle. De sensibilité, de sentiment exacerbé. Quelque chose qui n'a que très indirectement à voir avec le monde matériel et rationnel où nous évoluons. Edilberto Torres symbolise pour lui toute la souffrance humaine. Je sais que tu ne me comprends pas. C'est pour cette raison que je craignais tellement de venir vous rendre compte de ma conversation avec Fonfon.

— Une expérience spirituelle? — répéta doña Lucrecia —. Qu'est-ce que ça veut dire, au juste? Tu peux nous l'expliquer, Pepín?

— Ça veut dire que le diable lui apparaît, qu'il s'appelle Edilberto Torres et qu'il est péruvien — résuma, sarcastique et courroucé, Rigoberto —. Au fond, c'est ce que tu nous dis avec toute cette sotte phraséologie de curaillon illuminé, Pepín.

— Le déjeuner est servi — dit opportunément Justiniana, de la porte —. Vous pouvez passer à table quand il vous plaira.

— Au début cela ne me dérangeait pas, j'étais seulement surpris — avait dit Fonfon —. Mais maintenant si. Bien que déranger ne soit pas le mot juste, mon père. Cela m'angoisse, plutôt, me fait passer un mauvais moment, me rend triste. Depuis que je le vois pleurer, vous vous rendez compte? Les premières fois il ne pleurait pas, il voulait seulement bavarder. Et, bien qu'il ne me dise pas pourquoi il pleure, je sens qu'il le fait pour tout le mal qu'il y a sur terre. Et aussi pour moi. C'est ce qui me fait le plus de peine.

Il y eut une longue pause et finalement le père O'Donovan dit que les crevettes étaient délicieuses et qu'on voyait qu'elles venaient du fleuve Majes. Fallait-il féliciter Lucrecia ou Justiniana pour ce mets?

— Aucune des deux, mais la cuisinière — répondit Lucrecia —. Elle s'appelle Natividad et elle est d'Arequipa, bien sûr.

— Quand as-tu vu pour la dernière fois ce monsieur?

— avait demandé le prêtre. Il avait perdu l'air confiant et assuré qu'il avait jusque-là et on le sentait un peu nerveux. Il avait posé sa question avec une profonde humilité.

— Hier, en traversant le pont des Soupirs, à Barranco, mon père — avait répondu Fonfon sur-le-champ —. Je marchais sur le pont et il y avait trois autres personnes autour, d'après moi. Et soudain, assis sur la balustrade, il était là.

— Toujours en train de pleurer ? — avait demandé le père O'Donovan.

— Je ne sais pas, je ne l'ai vu qu'un moment, en passant. Je ne me suis pas arrêté, j'ai continué, en pressant le pas — avait expliqué le garçon qui semblait maintenant effrayé —. Je ne sais pas s'il pleurait. Mais il avait toujours ce visage tellement triste. Je ne sais comment vous dire, mon père. La tristesse de M. Torres je ne l'ai jamais vue chez personne, je vous jure. Elle se transmet à moi, je suis bouleversé pendant longtemps, mort de chagrin, sans savoir que faire. J'aimerais savoir pourquoi il pleure. J'aimerais savoir ce qu'il veut que je fasse. Je me dis parfois qu'il pleure pour tous les gens qui souffrent. Pour les malades, pour les aveugles, pour ceux qui demandent la charité dans la rue. Bon, je ne sais pas, il me passe des tas de choses dans la tête chaque fois que je le vois. Sauf que je ne sais pas comment les expliquer, mon père.

— Tu les expliques très bien, Fonfon — avait reconnu le père O'Donovan —. Ne t'inquiète pas pour ça.

— Mais, alors, que doit-on faire ? — demanda Lucrecia.

— Conseille-nous, Pepín — ajouta Rigoberto —. Je

suis complètement paralysé. Si c'est comme tu dis, cet enfant a une sorte de don, une hypersensibilité, il voit ce que personne d'autre ne voit. C'est cela, non ? Est-ce que je dois lui en parler ? Dois-je me taire ? Cela me préoccupe, me fait peur. Je ne sais que faire.

— Lui donner de la tendresse et le laisser en paix — dit le père O'Donovan —. Ce qu'il y a de sûr c'est que ce personnage, qu'il existe ou pas, n'est nullement un pervers ni ne veut faire le moindre mal à ton fils. Qu'il existe ou pas, il a davantage à voir avec l'âme, bon, avec l'esprit si tu préfères, qu'avec le corps de Fonfon.

— Quelque chose de mystique ? — intervint Lucrecia —. Ce serait cela ? Mais Fonfon n'a jamais été très religieux. Tout au contraire, dirais-je.

— Je voudrais pouvoir être plus précis, mais ce n'est pas possible — avoua une fois de plus le père O'Donovan, avec un visage de vaincu —. Il arrive à ce petit quelque chose qui n'a pas d'explication rationnelle. Nous ne savons pas tout ce qu'il y a en nous-mêmes, Oreillettes. Les êtres humains, chaque personne, nous sommes des abîmes pleins d'ombres. Quelques hommes, quelques femmes, ont une sensibilité plus intense que d'autres, ils sentent et perçoivent des choses que nous autres sommes incapables de percevoir. Serait-ce un pur produit de leur imagination ? Oui, peut-être. Mais ce pourrait être aussi autre chose que je n'ose nommer, Rigoberto. Ton fils vit cette expérience avec tant de force, tant d'authenticité, que je me refuse à croire qu'il s'agisse de quelque chose de purement imaginaire. Et je ne veux ni ne vais en dire davantage.

Il se tut et resta à regarder son assiette de corvina et de riz avec une sorte de sentiment hybride, à la fois tendre et hébété. Ni Lucrecia ni Rigoberto n'avaient mangé une bouchée.

— Je suis désolé de ne pas vous avoir servi à grand-chose — ajouta le prêtre, chagriné —. Au lieu de vous aider à sortir de cette incertitude, me voilà aussi incertain que vous.

Il marqua une longue pause et les regarda l'un et l'autre avec inquiétude.

— Je n'exagère pas si je vous dis que c'est la première fois de ma vie que j'affronte quelque chose à quoi je n'étais pas préparé — murmura-t-il, très sérieux —. Quelque chose qui, pour moi, n'a pas d'explication rationnelle. Je vous ai déjà dit que je n'écarte pas non plus l'hypothèse que le gosse ait une capacité de dissimulation exceptionnelle et qu'il m'ait fait avaler un magnifique bobard. Ce n'est pas impossible. J'y ai beaucoup pensé. Mais non, je ne le crois pas. Je pense qu'il est très sincère.

— Ça ne va pas nous rassurer de savoir que mon fils est en ligne directe avec l'au-delà — dit Rigoberto, en haussant les épaules —. Que Fonfon est quelque chose comme la petite bergère de Lourdes. C'était une bergère, non ?

— Tu vas rire, vous allez rire tous les deux — dit le père O'Donovan en jouant avec sa fourchette et sans attaquer son poisson —. Mais ces jours-ci je n'ai cessé de penser un seul moment à cet enfant. De toutes les personnes que j'ai connues dans ma vie, et elles sont nombreuses, je crois que Fonfon est celle qui est le plus près de ce que nous, les croyants, appelons un être pur. Et pas seulement parce que c'est un beau petit.

— Et voilà le curé qui resurgit, Pepín — s'indigna

Rigoberto —. Tu suggères que mon fils pourrait être un ange ?

— Un ange sans petites ailes en tout cas — riait Lucrecia, maintenant franchement joyeuse et le regard brillant de malice.

— Je le dis et le répète même si cela vous fait rire — affirma le père O'Donovan, en riant lui aussi —. Oui, Oreillettes, oui, Lucrecia, comme vous l'entendez. Et même si cela vous semble risible. Un petit ange, pourquoi pas ?

XI

Quand ils arrivèrent à la maisonnette de Castilla, de l'autre côté de la rivière, où habitait Mabel, le sergent Lituma et le capitaine Silva suaient à grosses gouttes. Le soleil tapait fort du haut d'un ciel sans nuages où traçaient des cercles quelques charognards et il n'y avait pas même un souffle de brise pour atténuer la chaleur. Tout au long du trajet depuis le commissariat, Lituma s'était posé des questions. Dans quel état ils allaient trouver la jolie brunette ? Est-ce que ces truands avaient maltraité la petite amie de Felícito Yanaqué ? Est-ce qu'ils l'avaient battue ? Est-ce qu'ils l'avaient violée ? Très possible, vu la belle fille qu'elle était, comment ils n'allaient pas en profiter en l'ayant jour et nuit à leur merci ?

C'est Felícito en personne qui leur ouvrit la porte de la maisonnette de Mabel. Il était fou de joie, soulagé, heureux. La figure renfrognée que Lituma lui avait toujours vue avait changé, l'expression tragi-comique des derniers jours disparu. Maintenant, il souriait de toutes ses dents et ses petits yeux brillaient de contentement. Il semblait rajeuni. Il était sans veste et avec le gilet déboutonné. Qu'il était chétif, sa poitrine et son dos se touchaient quasiment, et quel avorton, Lituma lui trouva presque l'air d'un nain. Dès qu'il vit les deux policiers, il fit quelque chose d'insolite pour un homme si peu habitué à montrer ses émotions : il ouvrit les bras et serra contre lui le capitaine Silva.

— Ça s'est passé comme vous aviez dit, capitaine — il lui donnait des tapes dans le dos, avec enthousiasme —. Ils l'ont relâchée, ils l'ont relâchée. Vous aviez raison, monsieur le commissaire. J'ai pas assez de mots pour vous remercier. Je revis grâce à vous. Et à vous aussi, sergent. Merci beaucoup, merci beaucoup à tous les deux.

Il avait ses petits yeux humides d'émotion. Mabel prenait une douche, elle allait venir tout de suite. Il les fit s'asseoir au salon, sous le cadre du Sacré-Cœur de Jésus, devant la table basse où il y avait un petit lama en carton et un drapeau péruvien. Le ventilateur en marche grinçait à chaque tour et le courant d'air berçait les fleurs en plastique. Aux questions de l'officier, le transporteur acquiesçait, expansif et joyeux : oui, oui, elle allait bien, ça avait été une grande peur, bien sûr, mais heureusement ils ne l'avaient pas frappée, ni maltraitée, grâce à Dieu. Elle avait dû garder les yeux bandés et les mains attachées tous ces jours, quels types sans cœur, si cruels. Mabel leur donnerait elle-même tous les détails dès qu'elle viendrait. Et, de temps en temps, Felícito levait les mains au ciel : « Si quelque chose lui était arrivé, jamais je me le serais pardonné. Pauvre petite ! Tout ce chemin de croix par ma faute. J'ai jamais été très dévot, mais je lui ai promis à Dieu qu'à partir de maintenant j'irais à la messe sans faute tous les dimanches. » « Il est amoureux d'elle jusqu'à la moelle des os », pensait Lituma. Sûr qu'il devait la

225

baiser drôlement bien. Cette idée lui rappela sa solitude, ses longues années sans femme. Il envia don Felícito et se sentit en colère contre lui-même.

Mabel entra les saluer dans un peignoir à fleurs, en nu-pieds et une serviette en guise de turban sur la tête. Comme ça, sans maquillage, pâlichonne, les yeux encore effrayés, Lituma la trouva moins jolie que le jour où elle était allée au commissariat faire sa déclaration. Mais il aima la façon dont palpitaient les narines de son petit nez retroussé, ses chevilles délicates, la courbe de ses cous-de-pied. La peau de ses jambes était plus claire que celle de ses mains et de ses bras.

— Je regrette de pas pouvoir vous offrir quoi que ce soit — dit-elle, en leur faisant signe de s'asseoir. Et elle essaya encore de plaisanter —: Comme vous imaginez, ces jours-ci j'ai pas pu faire les commissions et au frigo il me reste même pas un Coca.

— Nous sommes désolés ce qui vous est arrivé, madame — le capitaine Silva lui fit une révérence, très cérémonieux —. M. Yanaqué nous disait qu'ils ne vous ont pas maltraitée. C'est vrai ?

Mabel fit une étrange grimace, moitié sourire moitié reniflement.

— Bon, faut pas exagérer. Ils m'ont pas frappée ni violée, par chance. Mais je dirais pas qu'ils m'ont pas maltraitée. Jamais de ma vie j'ai été si terrifiée, monsieur. Jamais j'avais dormi tant de nuits par terre, sans matelas et sans oreiller. Avec les yeux bandés et les mains ficelées comme une momie, en plus. Je crois que j'aurai mal aux os le restant de ma vie. C'est pas des mauvais traitements, ça ? Enfin, au moins je suis vivante, ça oui.

Elle avait la voix qui tremblait et par instants on voyait

226

pointer au fond de ses yeux noirs une peur profonde, qu'elle faisait des efforts pour dominer. « Maudits salopards », pensa Lituma. Il avait de la peine et de la rage pour ce que Mabel avait enduré. « Faudra qu'ils le paient, putain. »

— Vous ne pouvez pas savoir combien nous déplorons de venir vous déranger en ce moment, vous devez vouloir vous reposer — s'excusa le capitaine Silva, en jouant avec son képi —. Mais j'espère que vous nous comprendrez. C'est que nous ne pouvons pas perdre de temps, madame. Pourrait-on vous poser quelques petites questions ? C'est indispensable, avant que ces individus prennent la poudre d'escampette.

— Bien sûr, bien sûr, je comprends très bien — acquiesça Mabel, l'air aimable, mais sans cacher tout à fait sa contrariété —. Posez vos questions, monsieur.

Lituma était impressionné par les démonstrations d'affection de Felícito Yanaqué à sa chérie. Il lui passait la main sur la figure avec douceur, comme si c'était sa petite chienne gâtée, écartait les cheveux retombés sur son front et les glissait sous la serviette qui lui servait de turban, chassait les mouches qui s'approchaient d'elle. Il la regardait tendrement et ne la quittait pas des yeux. Il lui avait pris une main et la retenait dans les siennes.

— Est-ce que vous avez pu voir leur visage ? — demanda le capitaine —. Vous pourriez les reconnaître au cas où vous les reverriez ?

— Je crois que non — Mabel secouait la tête mais elle n'avait pas l'air très sûre de ce qu'elle disait —. J'en ai vu qu'un, et un tout petit peu. Celui qui était contre l'arbre, ce flamboyant qui a des fleurs rouges, quand je suis arrivée chez moi ce soir-là. J'y ai presque pas fait attention.

Il était à moitié de profil, il me semble, et dans l'obscurité. Juste quand il s'est retourné pour me dire quelque chose et que j'ai pu le regarder, on m'a jeté une couverture sur la tête. Je m'étouffais. Et j'ai plus rien revu jusqu'à ce matin, où…

Elle s'interrompit, le visage décomposé, et Lituma comprit qu'elle faisait de grands efforts pour ne pas éclater en sanglots. Elle essayait de continuer à parler mais sa voix ne sortait pas. Felícito les suppliait des yeux d'avoir pitié de Mabel.

— Calmez-vous, calmez-vous — la consola le capitaine Silva —. Vous êtes très courageuse, madame. Vous avez eu une expérience terrible et ils ne vous ont pas cassée. Je vous demande seulement un dernier petit effort, s'il vous plaît. Naturellement on préférerait ne pas avoir à parler de ça, vous aider à enterrer ces mauvais souvenirs. Mais les coquins qui vous ont séquestrée doivent être mis derrière les barreaux, être punis pour ce qu'ils vous ont fait. Vous êtes la seule qui puissiez nous aider à arriver jusqu'à eux.

Mabel acquiesça, avec un sourire affligé. Se dominant, elle continua. Son récit sembla à Lituma cohérent et fluide, malgré ces rafales de peur qui la secouaient de temps en temps, l'obligeant à se taire quelques secondes, toute tremblante. Elle pâlissait, claquait des dents. Est-ce qu'elle revivait les instants de cauchemar, la frousse bleue qu'elle avait dû avoir jour et nuit pendant cette longue semaine où elle avait été au pouvoir des mafieux? Mais, ensuite, elle reprenait son histoire, interrompue de temps en temps par le capitaine Silva, qui («avec quelles façons éduquées», pensait Lituma, surpris) lui demandait une précision ou une autre sur ce qu'elle racontait.

Le kidnapping avait eu lieu huit jours plus tôt, après le concert d'un chœur mariste à l'église San Francisco, rue Lima, auquel Mabel avait assisté avec son amie Flora Díaz, celle qui tenait une boutique de vêtements rue Junín, appelée Créations Florita. Elles étaient amies depuis longtemps et parfois elles allaient ensemble au cinéma, prendre le thé et faire des courses. Le vendredi après-midi elles allaient toujours à l'église San Francisco, là où on a proclamé l'indépendance de Piura, parce qu'il y avait des séances de musique, des concerts, des chœurs, des danses et une présentation d'ensembles profession-nels. Ce vendredi-là le chœur des maristes chantait des hymnes religieux, beaucoup en latin, ou quelque chose comme ça. Comme Flora et Mabel s'ennuyaient, elles sortirent avant la fin de la séance. Elles se dirent au revoir à l'entrée du pont suspendu et Mabel rentra chez elle à pied vu que c'était tout près. Elle n'avait rien remarqué de bizarre pendant qu'elle marchait, ni qu'un piéton ou une voiture l'aurait suivie. Rien de rien. Seulement les chiens errants, les nuées de gamins faisant leurs bêtises, les gens prenant le frais et bavardant sur des chaises et des fauteuils à bascule qu'ils avaient sortis à la porte des maisons, les bistrots, épiceries et restaurants déjà avec des clients et leurs radios à plein tube avec leurs musiques qui se mélangeaient en remplissant l'air d'un bruit assourdissant. (« Est-ce qu'il y avait clair de lune ? » demanda le capitaine Silva et, un instant, Mabel se trou-bla : « Si y avait ? Excusez-moi, je me souviens pas ».)

La petite rue de sa maison était déserte, croyait-elle se rappeler. Elle remarqua à peine cette silhouette mascu-line à moitié appuyée contre le flamboyant. Elle avait sa clé à la main et, si le type avait fait mine de s'approcher d'elle, elle se serait alarmée, aurait crié au secours, se serait mise à courir. Mais elle ne l'avait pas vu faire le moindre mouvement. Elle mit la clé dans la serrure et dut batailler un peu — «Felícito a dû vous raconter qu'elle se bloque toujours un peu» —, quand des silhouettes s'approchèrent d'elle. Elle n'eut pas le temps de réagir. Elle sentit qu'on lui jetait une couverture sur la tête et que des bras la saisissaient, tout ça en même temps. («Combien de bras?», «Quatre, six, allez savoir».) Ils la soulevèrent, lui fermèrent la bouche en étouffant ses cris. Il lui sembla que tout ça se passait en une seconde, qu'il y avait un tremblement de terre et qu'elle était au centre de la secousse. Malgré sa panique si grande elle essaya de donner des coups de pied et de bouger les bras, jusqu'au moment où elle sentit qu'on la jetait dans une camionnette, une auto ou un camion et que les types lui immobilisaient les pieds, les mains et la tête. Alors, elle entendit cette phrase qui lui résonnait encore dans les oreilles: «Tiens-toi tranquille et pas un mot si tu veux rester en vie.» Elle sentit qu'on lui passait quelque chose de froid sur la figure, peut-être un couteau, peut-être la crosse ou le canon d'un revolver. Le véhicule avait démarré; avec les cahots elle se donnait des coups contre le sol. Alors elle se recroquevilla et resta muette, en pensant: «Je vais mourir.» Elle n'avait même pas le courage de prier. Sans se plaindre ni résister, elle les laissa lui bander les yeux, lui enfiler une cagoule et lui attacher les mains. Elle n'avait pas vu leur visage parce que tout ça ils l'avaient fait dans l'obscurité, pendant qu'ils roulaient probablement sur la route. Il n'y avait pas de lumières électriques et autour c'était la nuit noire. Le ciel devait être couvert, il ne devait pas y avoir de lune, donc. Ils firent des tours et des tours pendant ce qui lui parut des heures, des siècles et qui n'était peut-être que des minutes. Avec le visage bandé, les mains attachées et la peur elle avait perdu la notion du temps. À partir de ce moment-là, elle n'était jamais arrivée à savoir quel jour c'était, s'il faisait nuit, s'il y avait des gens qui la surveillaient ou si on l'avait laissée seule dans la pièce. Le sol où on l'avait allongée était très dur. Parfois elle sentait des insectes lui grimper sur les jambes, peut-être ces horribles cafards qu'elle détestait plus que les araignées et les souris. On l'avait fait descendre de la camionnette en la prenant par les bras et avancer à tâtons, en trébuchant, entrer dans une maison où une radio jouait de la musique créole, descendre des escaliers. Après l'avoir allongée par terre sur une natte, ils étaient partis. Elle était restée là, dans le noir, tremblante. Cette fois elle avait pu prier. Elle suppliait la Vierge et tous les saints qu'elle se rappelait, sainte Rose de Lima et le Señor Cautivo de Ayabaca bien sûr, de la protéger. De ne pas la laisser mourir comme ça, de mettre fin à ce supplice.

Pendant les sept jours où elle avait été séquestrée elle n'avait pas eu une seule conversation avec les ravisseurs. Jamais ils ne l'avaient sortie de cette pièce. Jamais elle n'avait revu la lumière, parce que jamais on ne lui avait enlevé le bandeau des yeux. Il y avait un récipient ou un seau où elle pouvait faire ses besoins, à tâtons, deux fois par jour. Quelqu'un l'emportait et le rapportait propre, sans lui adresser la parole. Deux fois par jour, la même personne ou une autre, toujours muette, lui apportait une assiette de riz avec des légumes secs et une soupe, une limonade à moitié chaude ou une petite bouteille d'eau minérale. Pour qu'elle puisse manger on lui enlevait la cagoule et on lui détachait les mains, mais jamais on ne lui avait retiré le bandeau des yeux. Chaque fois que Mabel les suppliait, les implorait de lui dire ce qu'ils allaient faire d'elle, pourquoi ils l'avaient enlevée, c'était toujours la même voix forte et autoritaire qui lui répondait : « La ferme ! Tu joues ta vie en posant des questions. » Jamais elle n'avait pu prendre un bain, ni même se laver. Aussi, quand elle avait retrouvé la liberté, la première chose qu'elle avait faite ça avait été de se mettre sous la douche un long moment et de se savonner avec l'éponge à s'arracher la peau. Et, la deuxième, de jeter tous les vêtements, même les souliers, qu'elle avait portés ces horribles sept jours. Elle ferait un paquet de tout ça et l'offrirait aux pauvres de San Juan de Dios.

Ce matin-là, tout à coup, ils étaient entrés dans sa pièce-prison, plusieurs, à en juger par le bruit des pas. Toujours sans rien lui dire, ils l'avaient soulevée, l'avaient fait marcher, monter des escaliers et l'avaient à nouveau allongée dans un véhicule qui devait être le même, camionnette, auto ou camion, que celui dans lequel ils l'avaient kidnappée. Elle avait fait des tours et des tours pendant une éternité, tous les os de son corps en marmelade à cause des cahots, jusqu'au moment où la voiture avait freiné. On lui avait détaché les mains et ordonné : « Compte jusqu'à cent avant d'enlever ton bandeau. Si tu l'enlèves avant, on te descend. » Elle avait obéi. Quand elle s'enleva le bandeau elle découvrit qu'on l'avait laissée en pleine sablière, près du village de La Legua. Elle avait marché plus d'une heure avant d'atteindre les premières petites maisons de Castilla. Là elle avait pris le taxi qui l'avait amenée jusqu'ici.

Tandis que Mabel racontait son odyssée, Lituma suivait très attentivement son récit, mais sans négliger les démonstrations de tendresse que don Felícito prodiguait à sa petite amie. Il y avait quelque chose d'enfantin, d'adolescent, d'angélique, dans la façon dont le transporteur lui passait la main sur le front, en la regardant avec une dévotion religieuse, en murmurant « pauvre petite, pauvre petite, mon amour ». Ces manifestations mettaient par moments Lituma mal à l'aise, il les trouvait exagérées et un peu ridicules, à son âge. « Il a au moins trente ans de plus qu'elle, pensait-il. Cette nénette pourrait être sa fille. » Le petit vieux était mordu jusqu'à l'os. C'était une chaude ou une froide, la Mabelita ? Une chaude, ça ne faisait pas de doute.

— Je lui ai proposé de partir d'ici, pour un temps — dit aux policiers Felícito Yanaqué —. Pour aller à Chiclayo, à Trujillo, à Lima. N'importe où. Jusqu'à ce que cette histoire elle se termine. Je veux pas qu'il lui arrive encore quoi que ce soit. Ça vous paraît pas une bonne idée, capitaine ?

L'officier haussa les épaules.

— Je ne crois pas qu'il lui arrive quoi que ce soit en restant ici — dit-il, après réflexion —. Les bandits n'ignorent pas que maintenant elle sera protégée et il faudrait qu'ils soient fous pour s'approcher d'elle en sachant à quoi ils s'exposent. Je vous remercie beaucoup de votre témoignage, madame. Il va bien nous servir, je vous assure. Ça ne vous dérangerait pas que je vous pose d'autres petites questions ?

— Elle est très fatiguée — protesta don Felícito —. Pourquoi vous la laissez pas tranquille pour le moment, capitaine ? Vous pouvez l'interroger demain, ou après-demain. Je veux l'emmener chez le docteur, la mettre toute une journée à l'hôpital pour qu'on lui fasse un check-up complet.

— T'en fais pas, p'tit vieux, je me reposerai plus tard — intervint Mabel —. Posez-moi toutes les questions que vous voudrez, monsieur.

Dix minutes après, Lituma se dit que son supérieur exagérait. Le transporteur avait raison ; la pauvre femme avait subi une expérience terrible, elle avait cru mourir, ces sept jours avaient été pour elle un calvaire. Comment le capitaine voulait-il que Mabel se rappelle ces détails insignifiants, tellement idiots, sur lesquels il la harcelait de questions ? Il ne comprenait pas. À quoi ça lui servait à son chef de savoir si dans sa prison elle avait entendu caqueter les coqs ou les poules, miauler des chats, aboyer les chiens ? Et comment Mabel allait-elle calculer d'après les voix combien étaient ses ravisseurs et s'ils étaient tous de Piura ou s'il n'y en avait pas un qui parlait comme à Lima, comme dans les Andes ou comme en Amazonie ? Mabel faisait ce qu'elle pouvait, se frottait les mains, hésitait, normal que parfois elle soit perdue et ait l'air interloquée. De ça elle se souvenait pas, monsieur, à ça elle avait pas fait attention, ah quel dommage ! Et elle s'excusait, haussant les épaules, se frottant les mains : « Comme j'ai été sotte, j'aurais dû penser à ces choses, essayer de me rendre compte et de me rappeler. Mais, c'est que j'étais si affolée, monsieur. »

— Ne vous en faites pas, il est normal que vous n'ayez pas eu la tête à ça, impossible que vous ayez tout gardé en mémoire — l'encourageait le capitaine Silva —. Mais, pourtant, faites un dernier petit effort. Tout ce que vous vous rappellerez nous sera des plus utiles, madame. Certaines de mes questions doivent vous sembler superflues, mais, détrompez-vous, c'est parfois d'une de ces bêtises sans importance que part le fil qui nous mène à l'objectif.

Ce que Lituma trouva le plus bizarre, c'est que le capitaine Silva insiste tant pour que Mabel se rappelle les circonstances et détails du soir où elle avait été enlevée. Vraiment, il n'y avait aucun de ses voisins en train de prendre le frais en pleine rue ? Ni une seule petite voisine penchée à une fenêtre en train d'écouter une sérénade ou de bavarder avec son amoureux ? Mabel croyait que non, mais peut-être que oui, non, non, il n'y avait personne à cet endroit de la rue quand elle était rentrée du concert des maristes. Enfin, peut-être qu'il y avait quelqu'un, c'était possible, sauf qu'elle n'avait pas fait attention, ne s'était pas rendu compte, quelle sotte ! Lituma et le capitaine savaient parfaitement qu'il n'y avait aucun témoin de l'enlèvement, parce qu'ils avaient interrogé tout le voisinage. Personne n'avait rien vu, personne n'avait entendu quoi que ce soit d'étrange ce soir-là. Peut-être que c'était vrai ou, possiblement, comme le capitaine avait dit, que personne ne voulait se compromettre. « Tout le monde tremble devant la mafia. Alors ils préfèrent ne rien voir ni savoir, ces pédés ne sont que des froussards. »

Enfin, le commissaire avait lâché la grappe à la petite amie du transporteur et était passé à une question banale.

— Que croyez-vous, madame, que les ravisseurs auraient fait de vous si don Felícito ne leur avait pas fait savoir qu'il paierait la rançon ?

Mabel ouvrit grands les yeux et, au lieu de répondre à l'officier, elle se tourna vers son amant :

— Ils t'ont demandé une rançon pour moi ? Tu m'as pas raconté, p'tit vieux.

— Ils m'ont pas demandé une rançon pour toi — précisa-t-il, en lui embrassant une autre fois la main —. Ils t'ont kidnappée pour m'obliger à leur payer la contribution qu'ils demandent pour les Transports Narihualá. Ils t'ont relâchée parce que je leur ai fait croire que j'acceptais leur chantage. Il a fallu que je publie un avis dans *El Tiempo*, en remerciant le Señor Cautivo de Ayabaca d'un miracle. C'était le signe qu'ils attendaient. C'est pour ça qu'ils t'ont relâchée.

Lituma vit Mabel se remettre à pâlir. Elle tremblait et avait à nouveau les dents qui claquaient.

— Ça veut dire que tu vas leur payer ces contributions ? — balbutia-t-elle.

— Pas même mort, petit amour — rugit don Felícito, en faisant non de la tête et des mains, avec énergie —. Ça, jamais.

— Ils vont me tuer, alors — chuchota Mabel —. Et toi aussi, p'tit vieux. Qu'est-ce qui va nous arriver maintenant, monsieur ? Ils nous tueront tous les deux ?

Elle lâcha un sanglot, en portant les mains à son visage.

— Ne vous en faites pas, madame. Vous aurez une protection vingt-quatre heures sur vingt-quatre. Pas pendant longtemps, ce ne sera pas nécessaire, vous verrez. Ces hors-la-loi ont leurs jours comptés, je vous jure.

— Pleure pas, pleure pas, petit amour — la consolait don Felícito, en la câlinant, en la prenant dans ses bras —. Je te jure qu'il t'arrivera plus rien de mal. Plus jamais. Je te le jure, trésor, tu dois me croire. Ça vaudra mieux que tu quittes cette ville un petit moment comme je t'ai demandé, écoute-moi.

236

Le capitaine Silva se leva et Lituma l'imita. « On vous mettra une protection permanente », leur assura encore le commissaire en guise d'au revoir. « Soyez tranquille, madame. » Ni Mabel ni don Felícito ne les accompagnèrent à la porte ; ils restèrent dans le salon, elle à pleurer et lui à la consoler.

Dehors les attendaient un soleil torride et le spectacle habituel : gamins en guenilles donnant des coups de pied dans un ballon, chiens faméliques aboyant, monceaux d'ordures aux coins des rues, vendeurs ambulants et une file de voitures, camions, motos et bicyclettes se disputant la chaussée. Ce n'est pas seulement dans le ciel qu'il y avait des charognards ; deux de ces volatiles avaient atterri et fouillaient les ordures.

— Qu'est-ce que vous en pensez, mon capitaine ?

Son chef tira de sa poche un paquet de cigarettes de tabac noir, en offrit une au sergent, en prit une autre pour lui et les alluma toutes les deux avec un vieux briquet vert-de-gris. Il aspira une longue bouffée et rejeta la fumée en faisant des ronds. Il avait une expression béate.

— Ils se sont fait avoir, Lituma — dit-il, en feignant de donner un coup de poing à son adjoint —. Ces couillons ont commis leur première erreur, comme je l'espérais. Et ils se sont fait avoir ! Allons au Chalán, je t'offre un bon jus de fruits avec beaucoup de glace pour fêter ça.

Il souriait d'une oreille à l'autre et se frottait les mains comme quand il gagnait au poker, aux dés ou aux dames.

— La confession de cette fille c'est de l'or en barre, Lituma — ajouta-t-il, fumant et rejetant la fumée avec délectation —. Tu as dû t'en rendre compte, je suppose.

— Je me suis rendu compte de rien, mon capitaine

237

— avoua Lituma, déconcerté —. Vous parlez sérieusement ou vous voulez me mettre en boîte ? Vous savez
bien que la pauvre femme elle leur a même pas vu la
figure.

— Merde alors, quel mauvais policier tu fais, Lituma,
et plus mauvais psychologue encore ! — se moqua le
capitaine, en le regardant de haut en bas et en se tordant de rire —. Je ne sais pas comment tu as pu arriver
au grade de sergent, putain. Et encore moins à être
mon adjoint, ce qui est beaucoup dire.

Il murmura à nouveau, pour lui-même : « De l'or en
barre, oui monsieur. » Ils traversaient le pont suspendu et
Lituma vit un groupe de gamins se baigner, barbotant
avec des cris de joie sur les bords sablonneux de la rivière.
Il avait fait les mêmes choses avec ses cousins León, une
montagne d'années en arrière.

— Ne me dis pas que tu ne t'es pas rendu compte que
cette futée de Mabel n'a pas dit un seul mot de vrai,
Lituma — ajouta le capitaine, maintenant très grave. Il
tirait sur sa cigarette, rejetait la fumée comme s'il lançait
un défi au ciel et il y avait dans sa voix et dans ses yeux une
expression de triomphe —. Qu'elle n'a fait que se contre-
dire et nous raconter des salades. Elle a voulu nous la
mettre dans le cul, et bien profond. Comme si toi et moi
on était deux cons finis, Lituma.

Le sergent s'arrêta net, stupéfait.

— Ce que vous dites vous me le dites sérieusement,
mon capitaine, ou vous me faites tourner en bour-
rique ?

— Ne me dis pas que tu ne t'es pas rendu compte du
plus clair et du plus évident, Lituma — le sergent
comprit que son chef parlait en effet très sérieusement,

avec une conviction absolue. Il le faisait en regardant le ciel, clignant sans cesse des yeux à cause de la réverbération, exalté et heureux —. Ne me dis pas que tu ne t'es pas rendu compte que la Mabelita au popotin triste n'a jamais été enlevée. Qu'elle est complice des maîtres chanteurs et s'est prêtée à la farce du kidnapping pour forcer à capituler ce pauvre don Felícito, qu'elle aussi doit vouloir plumer. Ne me dis pas que tu ne t'es pas rendu compte que, grâce à la gaffe de ces vauriens, l'affaire est pratiquement résolue. Rascachucha peut enfin dormir tranquille et cesser de nous emmerder. Les carottes sont cuites et maintenant il ne nous reste plus qu'à leur tomber dessus et à la leur mettre jusqu'à la gorge.

Il jeta son mégot dans la rivière et se mit à rire aux éclats, en se grattant sous les bras.

Lituma avait enlevé son képi et se lissait les cheveux.

— Ou je suis plus bête que j'ai l'air ou vous êtes un génie, mon capitaine — affirma-t-il, démoralisé —. À moins que vous soyez plus fou qu'une chèvre, sauf votre respect.

— Je suis un génie, Lituma, sois-en sûr, et en plus je maîtrise la psychologie des gens — affirma le capitaine, jubilant —. Je te fais une prophétie, si tu veux. Le jour où on leur mettra la main au collet, à ces gredins, ce qui va être très bientôt, par tous les dieux j'emballe l'affaire avec Mme Josefita de mon âme et je la fais crier toute une nuit. Vive la vie, putain !

XII

— As-tu pu trouver ce pauvre Narciso ? — demanda
Mme Lucrecia —. Qu'est-il devenu ?

Don Rigoberto acquiesça et se laissa tomber sur un
fauteuil du salon, exténué.

— Une véritable odyssée — soupira-t-il —. Tu parles
d'un service qu'il nous a rendu, Ismael, en nous mêlant
à ses affaires de lit et de fils, mon amour.

Les parents de Narciso, le chauffeur d'Ismael Carrera,
lui avaient donné rendez-vous au premier poste à essence
à l'entrée de Chincha et Rigoberto fit au volant jusque là-
bas les deux heures de route, mais en arrivant il n'y avait
personne à l'attendre à la station-service en question. Il
était resté un bon moment sous le cagnard à regarder
passer camions et bus, et à avaler la poussière dont un
petit vent chaud venu de la sierra lui fouettait le visage,
mais alors qu'à bout de fatigue il était sur le point de
regagner Lima il avait vu apparaître un jeune garçon qui
lui avait dit être le neveu de Narciso. C'était un négrillon
très noir de peau et les pieds nus, au regard vif et conspirateur. Il lui parlait en prenant tant de précautions que
don Rigoberto comprenait à peine ce qu'il cherchait à lui

dire. Pour finir, il se révéla qu'il y avait eu changement de programme ; son oncle Narciso l'attendait en réalité à Grocio Prado, à la porte de la maison même où avait vécu, fait des miracles et était morte la Bienheureuse Melchorita (le garçon s'était signé en la nommant). Une autre demi-heure de voiture sur une route pleine de poussière et de nids-de-poule, au milieu de vignes et de plantations fruitières destinées à l'exportation. À la porte de la maison-musée-sanctuaire de la Bienheureuse, sur la grand-place de Grocio Prado, le chauffeur d'Ismael était enfin apparu.

— À moitié déguisé, avec une espèce de poncho et une capuche de pénitent pour n'être reconnu de personne et, bien entendu, mort de trouille — se rappela don Rigoberto, en souriant —. Le Noir était blanc de peur, Lucrecia. Il y a de quoi, vraiment. Traqué jour et nuit par les hyènes, plus que je ne l'imaginais.

Les fils d'Ismael lui avaient d'abord envoyé un avocat, un bavasseur plutôt, pour essayer de le soudoyer. S'il allait trouver le juge pour lui dire qu'il avait été contraint de jouer le rôle de témoin au mariage de son patron et que, à son avis, M. Ismael Carrera n'avait pas toute sa tête le jour où il s'était marié, ils lui remettraient une gratification de vingt mille soles. Lorsque le Noir avait répondu à ce bavard qu'il allait réfléchir, mais qu'en principe il préférait ne pas avoir affaire au pouvoir judiciaire ni à personne du gouvernement, la police s'était pointée dans sa famille, à Chincha, pour le convoquer au commissariat. Les jumeaux avaient porté plainte contre lui pour complicité aggravée de plusieurs délits, parmi lesquels conspiration et enlèvement de son patron !

— Il ne lui est plus resté qu'à se cacher à nouveau

— ajouta Rigoberto —. Par chance, Narciso a des amis et des parents dans tout Chincha. Et heureusement pour Ismael que ce Noir est le type le plus intègre et le plus loyal du monde. Malgré la peur qu'il éprouve, je doute que ces deux gredins le fassent fléchir. Je lui ai payé son salaire et lui ai même laissé un peu plus, à tout hasard, en cas d'imprévu. Cette affaire se complique de jour en jour, mon amour.

Don Rigoberto s'étira et bâilla dans le fauteuil du salon et, tandis que doña Lucrecia lui préparait un citron pressé, il jeta un long regard sur les flots de Barranco. C'était un après-midi sans vent et plusieurs parapentes se balançaient dans l'air. L'un d'eux passa si près qu'il put voir clairement la tête enfouie sous le casque. Satanée histoire. Et qui tombait juste maintenant, à l'aube d'une retraite qu'il croyait être de tout repos, avec son lot de voyages artistiques, autrement dit de pur plaisir. Les choses ne tournaient jamais comme on les planifiait : c'était une règle sans exception. « Je n'aurais jamais imaginé que l'amitié avec Ismael me coûterait si cher, pensa-t-il. Et moins encore que j'aie à lui sacrifier mon petit espace de civilisation. » Si le soleil avait brillé, quelle heure magique sur Lima ! Quelques minutes de beauté absolue. La boule de feu plongerait dans la mer à l'horizon, au loin, derrière les îles de San Lorenzo et d'El Frontón, mettant le feu au ciel, rosissant les nuages et représentant, pour quelques minutes, ce spectacle entre sérénité et apocalypse qui préludait à la nuit.

— Qu'est-ce que tu lui as dit ? — lui demanda doña Lucrecia, en s'asseyant à ses côtés —. Pauvre Narciso, dans quels sales draps il s'est fourré en étant si brave avec son patron !

— J'ai essayé de le tranquilliser — raconta don Rigoberto, en savourant sa délicieuse citronnade —. Je lui ai dit de ne pas avoir peur et qu'il n'allait rien nous arriver, ni à lui ni à moi, pour avoir été témoins du mariage. Qu'il n'y avait aucun délit dans ce que nous avions fait. Qu'en plus, Ismael l'emporterait dans ce combat contre les hyènes. Que la campagne et le coup de sang d'Escobita et de Miki n'ont pas le moindre support juridique. Que, s'il voulait être plus tranquille, il consulte à Chincha un avocat de confiance et m'adresse la facture. Enfin, j'ai fait tout ce que j'ai pu. C'est un homme très entier et je te répète que ces salauds ne pourront rien contre lui. Encore qu'ils lui fassent passer un mauvais quart d'heure, ça oui.

— Et à nous, non ? — se plaignit doña Lucrecia —. Je te dirai que, depuis le début de cette sale blague, j'ai même peur de sortir dans la rue. Tout le monde me demande des nouvelles du petit couple, comme si les Liméniens n'avaient pas d'autres chats à fouetter. Et que je te fouille et que j'enquête. Tu ne peux pas savoir comme je déteste ces gens quand j'entends et lis toutes ces bêtises, tous ces bobards dans la presse.

« Elle a peur elle aussi », pensa don Rigoberto. Sa femme lui souriait, mais il voyait bien cette petite lueur fugitive dans ses yeux et sa façon inquiète de se frotter tout le temps les mains. Pauvre Lucrecia. Non seulement ce voyage en Europe dont elle se faisait une telle joie était tombé à l'eau, mais ce scandale, par-dessus le marché. Et ce vieux croulant d'Ismael qui poursuivait sa lune de miel en Europe sans donner signe de vie, alors que ses fils à Lima rendaient la vie impossible à Narciso, à Lucrecia et à lui, et chamboulaient même la compagnie d'assurances.

— Qu'est-ce qui t'arrive, Rigoberto ? — dit Lucrecia, surprise —. Voilà que tu ris tout seul alors qu'on est dans la panade !

— Je ris d'Ismael — expliqua Rigoberto —. Ça va faire un mois qu'il est en lune de miel. À quatre-vingts ans sonnés ! J'ai vérifié, il n'est pas septuagénaire, mais octogénaire. *Chapeau**[1] ! Tu te rends compte, Lucrecia ? Avec tout son Viagra il va se ratatiner du cerveau et donner raison aux hyènes qui l'accusent de sénilité. Armida doit être une sacrée bonne femme. Elle te lui suce la moelle !

— Ne sois pas vulgaire, Rigoberto — feignit de le censurer sa femme, en riant.

« Elle sait faire contre mauvaise fortune bon cœur », pensa Rigoberto, attendri. Lucrecia avait tenu bon jusque-là, malgré la campagne d'intimidation des jumeaux qui les accablaient de citations en justice, de convocations policières et de mauvaises nouvelles — la pire : ils avaient réussi à bloquer le dossier de retraite à la compagnie d'assurances en usant d'une entourloupe juridique. Elle l'avait soutenu corps et âme dans sa décision de ne pas céder au chantage des hyènes et de garder toute sa loyauté envers son chef et ami.

— La seule chose qui me gêne — dit Lucrecia, qui lisait dans ses pensées —, c'est qu'Ismael ne nous téléphone même pas ni ne nous écrive ne serait-ce que quelques lignes. Est-ce que ça ne te frappe pas ? Est-il vraiment au courant des maux de tête qu'il nous occasionne ? Sait-il seulement ce qui arrive au pauvre Narciso ?

---

1. Les mots en italique suivis d'un astérisque sont en français dans le texte.

244

— Il sait tout — assura Rigoberto —. Arnillas est en contact avec lui et le tient au courant. Il m'a dit qu'ils se parlent chaque jour.

Me Claudio Arnillas, avocat d'Ismael Carrera depuis de longues années, était maintenant l'intermédiaire entre Rigoberto et son ex-patron. D'après lui, Ismael et Armida voyageaient à travers l'Europe et allaient bientôt rentrer à Lima. Il assurait que toute la stratégie des fils d'Ismael Carrera pour annuler le mariage et le faire interdire à la compagnie d'assurances pour incapacité et démence sénile était vouée au plus éclatant échec. Il suffirait qu'Ismael se présente, se soumette aux examens médicaux et psychologiques correspondants et la plainte tomberait d'elle-même.

— Mais alors, maître Arnillas, je ne comprends pas pourquoi il ne le fait pas tout de suite ! — s'était écrié don Rigoberto —. Pour Ismael ce scandale doit être encore plus pénible que pour nous.

— Savez-vous pourquoi ? — avait expliqué Me Arnillas, en adoptant une expression machiavélique, les pouces glissés sous les bretelles psychédéliques qui retenaient son pantalon —. Parce qu'il veut que les jumeaux continuent à dépenser ce qu'ils n'ont pas. L'argent qu'ils doivent emprunter ici et là pour payer cette armada d'avocaillons et tous les pots-de-vin qu'ils filent à la police et au tribunal. Ils vont y laisser la peau, c'est très probable, et lui veut qu'ils soient totalement ruinés. C'est quelque chose que M. Carrera a planifié très minutieusement. Vous vous rendez compte ?

Don Rigoberto se rendait tout à fait compte maintenant que la rancœur d'Ismael Carrera envers les hyènes depuis le jour où il avait découvert qu'elles attendaient sa

mort avec impatience, avides d'hériter de lui, était mala-
dive et irréversible. Il n'aurait jamais imaginé le paisible
Ismael capable d'une telle haine vengeresse et encore
moins envers ses propres enfants. Est-ce qu'un jour
Fonfon en viendrait à désirer sa mort ? Au fait, où traînait
le petit ?

— Il est sorti avec son ami Pezzuolo, je crois qu'il est
au cinéma — l'informa Lucrecia —. Tu n'as pas
remarqué qu'il semble aller mieux depuis quelques
jours ? Comme s'il avait oublié Edilberto Torres.

Oui, cela faisait au moins une semaine qu'il n'avait
pas revu le mystérieux personnage. C'était, en tout cas,
ce qu'il leur avait dit et, jusqu'à présent, don Rigoberto
n'avait jamais pris son fils en flagrant délit de mensonge.

— Tout cet imbroglio a flanqué par terre notre voyage
si bien planifié — soupira doña Lucrecia, soudain
triste —. L'Espagne, l'Italie, la France. Quel dommage,
Rigoberto ! Je rêvais de le faire. Et tu sais pourquoi ? C'est
ta faute. Tu me l'avais raconté avec tant de détails, tant de
minutie. Les visites des musées, les concerts, les théâtres,
les restaurants. Enfin, qu'y faire ? Patience.

Rigoberto acquiesça :

— Ce n'est que partie remise, mon amour — la
consola-t-il, en l'embrassant dans les cheveux —. Puisque
nous ne pouvons y aller ce printemps, nous irons en
automne. Une très belle saison aussi, avec les arbres dorés
et les feuilles tapissant les rues. Pour les opéras et les
concerts, c'est la meilleure période de l'année.

— Tu crois qu'en octobre ce casse-tête des hyènes sera
fini ?

— Ils n'ont pas d'argent et gaspillent le peu qui leur
reste à essayer de faire annuler ce mariage et interdire

246

leur père — affirma Rigoberto —. Ils ne vont pas y arriver et seront ruinés. Tu sais quoi ? Je n'aurais jamais imaginé Ismael capable de faire ce qu'il fait. D'abord, se marier avec Armida. Et ensuite, planifier une vengeance aussi implacable contre Miki et Escobita. C'est bien vrai qu'il est impossible de connaître à fond les personnes, elles sont toutes insondables.

Ils bavardèrent un bon moment, tandis que la nuit tombait et que s'allumaient les lumières de la ville. Ils ne virent plus la mer, le ciel, et la nuit s'emplit de petites lumières qui ressemblaient à des lucioles. Lucrecia raconta à Rigoberto qu'elle avait lu une composition de Fonfon pour le collège qui l'avait impressionnée. Elle ne pouvait se l'ôter de la tête.

— C'est lui-même qui te l'a montrée ? — la provoqua Rigoberto —. Ou as-tu fouillé dans son bureau ?

— Bon, elle était là, bien en vue, et elle m'a intriguée. C'est pourquoi je l'ai lue.

— Ce n'est pas bien de lire ses choses sans sa permission et dans son dos — feignit de la gronder Rigoberto.

— Elle m'a donné à penser — poursuivit-elle, sans faire cas de lui —. C'est un texte mi-philosophique, mi-religieux. Sur la liberté et le mal.

— Tu l'as sous la main ? — s'intéressa Rigoberto —. J'aimerais y jeter un coup d'œil moi aussi.

— J'en ai fait une photocopie, monsieur le curieux — dit Lucrecia —. Je te l'ai laissée sur ton bureau.

Don Rigoberto s'enferma parmi ses livres, disques et gravures pour lire la composition de Fonfon. « La liberté et le mal » était très courte. Elle soutenait que Dieu, en créant l'homme, avait probablement décidé qu'il ne serait pas un automate, avec une vie programmée de la naissance à la mort, comme celle des plantes et des animaux, mais un être doué de libre arbitre, capable de décider de ses actes pour son propre compte. C'est ainsi qu'était née la liberté. Mais cette faculté dont l'homme fut doté avait permis à l'être humain de choisir le mal et, peut-être, de le créer, en faisant des choses qui contredisaient tout ce qui émanait de Dieu et qui représentaient, plutôt, la raison d'être du diable, le fondement de son existence. Ainsi le mal était un fils de la liberté, une création humaine. Ce qui ne signifiait pas que la liberté fût mauvaise en soi ; non, c'était un don qui avait permis de grandes découvertes scientifiques et techniques, le progrès social, la disparition de l'esclavage et du colonialisme, les droits de l'homme, etc. Mais c'était aussi l'origine de cruautés et de souffrances terribles qui ne cessaient jamais et accompagnaient au contraire le progrès comme son ombre.

Cela préoccupa don Rigoberto. Il pensa que toutes les idées de ce travail s'associaient d'une certaine façon aux apparitions d'Edilberto Torres et à ses pleurnicheries. À moins que cet essai ne fût la conséquence de la conversation de Fonfon avec le père O'Donovan. Son fils avait-il revu Pepín ? Sur ces entrefaites, Justiniana fit irruption dans son bureau, très excitée. Elle venait lui dire que le « nouveau marié » l'appelait au téléphone.

— Il m'a dit de vous l'annoncer comme ça, don Rigoberto — expliqua la fille —. « Dites-lui, Justiniana, que le nouveau marié l'appelle. »

— Ismael ! — cria don Rigoberto en bondissant de son bureau —. Allô ? Allô ? C'est toi ? Tu es à Lima ? Quand es-tu rentré ?

— Je ne suis pas encore rentré, Rigoberto — dit une

voix mutine, qu'il reconnut comme celle de son chef —.
Je t'appelle d'un endroit dont je tairai le nom, bien
entendu, parce que mon petit doigt m'a dit que ton
téléphone a été mis sur écoute par ceux que nous
connaissons. Un endroit magnifique, à te faire mourir
de jalousie.

Il partit d'un grand éclat de rire de bonheur et
Rigoberto, inquiet, se demanda soudain si son ex-chef et
ami n'était pas devenu gâteux, irrémédiablement gaga.
Vraiment, les hyènes auraient-elles été capables de char-
ger une de ces agences de filature de mettre son téléphone sur écoute ? Impossible, leur matière grise n'allait
pas jusque-là. À moins que ?

— Bon, bon, que désirer de plus ? — lui répondit-
il —. Tant mieux pour toi, Ismael. Je vois que ta lune
de miel a le vent en poupe et qu'il te reste encore du
souffle. Autrement dit, du moins, tu es toujours vivant.
Je m'en réjouis, vieux.

— Je suis en pleine forme, Rigoberto. Laisse-moi te
dire une chose. Je ne me suis jamais mieux senti ni plus
heureux que ces jours-ci. Comme tu l'entends.

— Formidable, alors — dit Rigoberto —. Bon, je ne
voudrais pas te donner de mauvaises nouvelles, et
encore moins par téléphone. Mais je suppose que tu es
au courant de ce que tu as provoqué ici. De ce qui nous
tombe dessus.

— Claudio Arnillas me dit tout dans le moindre détail
et m'envoie les coupures de presse. Cela m'amuse beaucoup de lire que j'ai été enlevé et que je souffre de
démence sénile. Il paraît que Narciso et toi avez été complices de mon enlèvement, pas vrai ?

Il lança un autre éclat de rire, long, sonore, très sarcastique.

— Tant mieux si tu le prends de si bonne humeur — ronchonna Rigoberto —. Narciso et moi ça ne nous fait pas rire autant, comme tu peux l'imaginer. Ces deux zigues rendent ton chauffeur à moitié fou par leurs intrigues et leurs menaces. Et nous autres également.

— Je regrette beaucoup les tracas que je vous cause, mon frère — essaya de calmer le jeu Ismael, en redevenant sérieux —. Qu'on ait stoppé ta mise à la retraite, que tu aies dû annuler le voyage en Europe. Je sais tout, Rigoberto. Pardonnez-moi mille fois, Lucrecia et toi, pour ces petits problèmes. Il n'y en a plus pour longtemps, je te le jure.

— Qu'importent ma retraite et notre voyage en Europe face à l'amitié d'un grand type comme toi — ironisa don Rigoberto —. Et il vaut mieux passer sous silence les citations en justice comme complice présumé de recel et d'enlèvement, pour ne pas gâter ta belle lune de miel. Enfin, j'espère que bientôt il ne restera plus de toute cette histoire que de quoi faire des gorges chaudes.

Ismael lança un autre éclat de rire, comme si tout cela n'avait pas grand-chose à voir avec lui.

— Tu es un ami comme il n'en existe plus, Rigoberto. Je l'ai toujours su.

— Arnillas t'aura dit que ton chauffeur a dû se cacher. Les jumeaux lui ont envoyé les flics et je ne serais pas étonné que, zinzins comme ils sont, ils lui envoient aussi un couple de sicaires pour lui couper ce que je pense.

— Ils en sont bien capables — reconnut Ismael —. Ce Noir vaut son pesant d'or. Tranquillise-le, qu'il ne s'inquiète pas. Dis-lui que sa loyauté sera récompensée, Rigoberto.

— Vas-tu rentrer vite ou continuer cette lune de miel jusqu'à ce que ton cœur explose et que tu casses ta pipe ?

— Je finis de régler une petite affaire qui va t'émerveiller, Rigoberto. Dès qu'elle sera liquidée, je rentrerai à Lima mettre les choses en ordre. Tu verras toute cette baudruche se dégonfler en un rien de temps. Je suis vraiment désolé des maux de tête que je te donne. C'est pour cela que je t'appelais, rien d'autre. Nous nous verrons bientôt. Bises à Lucrecia et pour toi une grande embrassade.

— Autant pour toi et bises à Armida — dit don Rigoberto en prenant congé.

Après avoir raccroché, il resta à contempler le téléphone. Venise ? La Côte d'Azur ? Capri ? Où devaient être les tourtereaux ? Dans quelque endroit exotique comme l'Indonésie ou la Thaïlande ? Ismaël était-il aussi heureux qu'il le disait ? Oui, sans doute, à en juger d'après ses éclats de rire juvéniles. Il avait découvert à quatre-vingts ans que la vie n'était pas seulement du travail et qu'il pouvait aussi faire des folies. Se défouler, savourer les plaisirs du sexe et de la vengeance. Tant mieux pour lui. Là-dessus Lucrecia entra dans son bureau, impatiente :

— Comment ça s'est passé ? Que t'a dit Ismael ? Raconte, raconte.

— Il semble très content. Il prend tout cela à la rigolade, qu'est-ce que tu en penses ? — lui résuma-t-il. Et làdessus, il fut à nouveau saisi de soupçon — : Sais-tu quoi, Lucrecia ? Et s'il était vraiment devenu gâteux ? S'il ne se rendait même pas compte des folies qu'il fait ?

— Tu es sérieux ou tu plaisantes, Rigoberto ?

— Jusqu'à présent il me semblait absolument lucide et maître de lui — hésita-t-il —. Mais, pendant que je l'entendais éclater de rire au téléphone, je me suis mis à penser. Parce qu'il s'amusait comme un fou de tout ce qui se passe ici, comme s'il se fichait éperdument du scandale et du sac d'embrouilles où il nous a plongés. Enfin, je ne sais pas, peut-être que je suis un peu susceptible. Tu te rends compte dans quelle situation on se trouvera s'il s'avère que du jour au lendemain Ismael a été atteint de démence sénile ?

— Tu n'aurais pas dû me mettre cette idée en tête, Rigoberto. Elle ne va pas me quitter de toute la nuit. Tant pis pour toi si je n'arrive pas à dormir, je te préviens.

— Ce sont des bêtises, ne m'écoute pas, des conjurations pour que n'arrive pas ce que je dis qu'il peut arriver — la tranquillisa Rigoberto —. Mais, vraiment, je ne m'attendais pas à le voir si guilleret. Comme s'il était en dehors de tout ça. Excuse-moi, excuse-moi. Je sais bien ce qui lui arrive. Il est heureux. C'est la clé de tout. Pour la première fois de sa vie Ismael sait ce que c'est que de prendre vraiment son pied, Lucrecia. Ce qu'il faisait avec Clotilde ce n'était que passe-temps conjugal. Avec Armida le péché entre en jeu et cela fonctionne bien mieux.

— Encore tes cochonneries — protesta sa femme —. Et puis, je ne sais pas ce que tu as contre les passe-temps conjugaux. Je crois que les nôtres fonctionnent on ne peut mieux.

— Bien sûr, mon amour, tout fonctionne à merveille — dit-il, en lui embrassant la main et l'oreille —. Il vaut mieux faire comme lui, ne pas accorder d'importance à la chose. S'armer de patience et attendre que passe la tempête.

— Tu ne veux pas sortir, Rigoberto ? Allons au cinéma et grignoter quelque chose dehors.

— Regardons plutôt un film ici — lui répondit son mari —. La seule idée de voir surgir un de ces gars à magnétophone pour me prendre en photo et m'interroger sur Ismael et les jumeaux me retourne l'estomac.

Car, depuis que la presse s'était emparée de la nouvelle du mariage d'Ismael avec Armida et des actions policières et judiciaires de ses fils pour annuler le mariage et le déclarer irresponsable, on ne parlait plus de rien d'autre dans les journaux, à la radio et à la télé, ainsi que sur les réseaux sociaux et les blogs. Les faits disparaissaient sous un crépitement frénétique d'exagérations, d'inventions, de ragots, calomnies et vilenies, qui faisaient apparaître toute la méchanceté, l'inculture, les perversions, ressentiments, rancœurs et complexes des gens. S'il ne s'était pas vu lui-même entraîné par ce déluge journalistique, à être constamment sollicité par des gazetiers qui compensaient leur ignorance par leur mauvais esprit et leur insolence, don Rigoberto se disait que ce spectacle où Ismael Carrera et Armida étaient devenus le grand divertissement de la ville, où ils étaient couverts de saletés par la presse, la radio, la télé, et brûlés sans cesse sur le bûcher que Miki et Escobita avaient allumé et attisaient jour après jour par leurs déclarations, interviews, libelles, fantaisies et délires, aurait été pour lui quelque chose d'amusant, en plus d'instructif et plein d'enseignements. Sur ce pays, cette ville et sur l'âme humaine en général. Et sur ce mal lui-même qui maintenant préoccupait Fonfon à en juger par sa composition.

« Instructif et plein d'enseignements, oui », pensa-t-il à nouveau. Sur bien des choses. La fonction du journalisme à notre époque, ou, du moins, dans notre société, n'était pas d'informer, mais de faire disparaître toute distinction entre le mensonge et la vérité, de remplacer la réalité par une fiction où se manifestait la masse abyssale de complexes, de frustrations, de haines et de traumatismes d'un public rongé par le ressentiment et l'envie. Une autre preuve que les petits espaces de civilisation ne prévaudraient jamais sur l'incommensurable barbarie.

La conversation téléphonique avec son ex-chef et ami l'avait laissé déprimé. Il ne regrettait pas de lui avoir donné un coup de main en lui servant de témoin de mariage. Mais les conséquences de cette signature commençaient à l'accabler. Ce n'était pas tant l'embrouillamini judiciaire et policier, ni le retard dans son dossier de retraite parce qu'il pensait (en touchant du bois, on ne sait jamais) que cela s'arrangerait, tant bien que mal. Et que Lucrecia et lui pourraient faire ce voyage en Europe. Le pire était ce scandale dans lequel il se voyait entraîné, apparaissant maintenant presque tous les jours dans ces feuilles d'une presse people embourbée dans un pestilentiel cloaque. Il se demanda avec amertume : « À quoi t'a servi ce petit refuge de livres, de gravures, de disques, toutes ces belles choses, raffinées, subtiles, intelligentes, collectionnées avec tant de ferveur en croyant que ce minuscule espace de civilisation te défendrait contre l'inculture, la frivolité, la bêtise et le vide ? » Sa vieille idée selon laquelle il fallait ériger ces îlots ou fortins de culture au milieu de la tempête, invulnérables à la barbarie de l'entourage, ne fonctionnait pas. Le scandale provoqué par son ami Ismael et les hyènes avait infiltré

d'acide, de pus et de poison son propre bureau, ce territoire où, depuis tant d'années — vingt, vingt-cinq,
trente ? —, il se retirait pour vivre la véritable vie. La vie
qui le dédommageait des polices et des contrats d'assurance de sa compagnie, des intrigues et des bassesses de
la politique locale, de la médiocrité et du crétinisme des
gens avec lesquels il était obligé de frayer. Maintenant, le
scandale aidant, il ne lui servait à rien de rechercher la
solitude de son bureau. Il l'avait fait la veille. Il avait mis
sur son tourne-disque un bel enregistrement, l'oratorio
d'Arthur Honegger, *Le roi David*, réalisé dans la cathédrale Notre-Dame de Paris, qui l'avait toujours ému.
Cette fois, il n'avait pu se concentrer sur la musique un
seul moment. Il était distrait, sa mémoire lui renvoyait les
images et les soucis des derniers jours, le sursaut, le désagrément bilieux chaque fois qu'il découvrait son nom
dans les informations que, sans qu'il achète ces journaux,
ses connaissances lui faisaient parvenir, quand elles ne
les commentaient pas impitoyablement, leur empoisonnant la vie, à Lucrecia et à lui. Il dut éteindre l'appareil et
rester tranquille, les yeux clos, à écouter les battements
de son cœur, un goût de fiel aux lèvres. « Dans ce pays,
on ne peut construire un espace de civilisation, même
minuscule, conclut-il. La barbarie finit par tout dévaster. » Et une fois de plus il accusa, comme chaque fois
qu'il se sentait déprimé, son erreur de jeunesse quand il
avait décidé de ne pas émigrer et de rester là, dans Lima
l'Horrible, convaincu qu'il pourrait organiser sa vie de
telle sorte que, même si pour des raisons alimentaires il
devait passer plusieurs heures par jour plongé dans le
bruit mondain des Péruviens de classe élevée, il aurait
une vraie vie dans cette enclave pure, belle, noble, faite

de choses sublimes, qu'il se fabriquerait comme alternative au joug quotidien. C'est alors qu'il avait eu l'idée des espaces salvateurs, l'idée que la civilisation n'était pas, n'avait jamais été un mouvement, un état de choses général, une atmosphère qui embrasserait l'ensemble de la société, mais de toutes petites citadelles dressées au long du temps et de l'espace qui résistaient à l'assaut permanent de cette force instinctive, violente, obtuse, laide, destructrice et bestiale qui dominait le monde et qui maintenant avait pénétré son propre foyer.

Ce soir-là, après le dîner, il demanda à Fonfon s'il était fatigué.

— Non, répondit son fils. Pourquoi, papa ?

— J'aimerais bavarder avec toi un moment, si cela ne te fait rien.

— À condition que ce ne soit pas d'Edilberto Torres, j'en serais ravi — dit Fonfon, avec malice —. Je ne l'ai pas revu, tu peux être tranquille.

— Je te promets de ne pas parler de lui — répondit don Rigoberto. Et, comme il le faisait, enfant, il mit deux doigts en croix et jura, en les embrassant — : Sur Dieu.

— N'invoque pas en vain le nom de Dieu, n'oublie pas que je suis croyante — le reprit doña Lucrecia —. Allez dans le bureau. Je dirai à Justiniana de vous apporter les glaces là-bas.

Dans le bureau, tout en savourant à petites lichettes le sorbet de lucuma, don Rigoberto épiait Fonfon du coin de l'œil. Assis devant lui, les jambes croisées, il dégustait sa glace à lentes cuillerées et semblait absorbé par quelque pensée lointaine. Il n'était plus un enfant. Depuis quand se rasait-il ? Ses joues étaient lisses et ses cheveux en désordre ; il ne faisait pas beaucoup de sport, mais on aurait dit que oui, parce qu'il avait un corps mince et athlétique. C'était un très joli garçon, qui devait briser le cœur des filles. Tout le monde le disait. Mais son fils ne semblait pas s'y intéresser, préoccupé plutôt par ses hallucinations et ses soucis religieux. Était-ce bien ou mal ? Aurait-il préféré que Fonfon soit un garçon normal ? « Normal », pensa-t-il, en s'imaginant son fils parlant le jargon syncopé et simiesque des jeunes gens de sa génération, se soûlant en fin de semaine, fumant des joints, aspirant de la coke ou avalant des comprimés d'ecstasy dans les discothèques de la station balnéaire d'Asia, au kilomètre cent de la Panaméricaine, comme tant de blousons dorés de Lima. Un frisson parcourut son corps. Il était mille fois préférable qu'il voie des fantômes ou le diable lui-même et rédige des essais sur le mal.

— J'ai lu ce que tu as écrit sur la liberté et le mal — lui dit-il —. C'était là, sur ta table de travail, et j'ai été intrigué. J'espère que cela ne te gêne pas. J'ai été fort impressionné, je dois le dire. C'est très bien écrit et plein d'idées personnelles. C'est pour quelle matière ?

— Le cours de langue — dit Fonfon, sans y attacher d'importance —. Le professeur Iturriaga nous a demandé une composition libre. J'ai eu l'idée de ce sujet. Mais c'est seulement un brouillon. Je dois le corriger encore.

— J'ai été surpris, parce que je ne savais pas que la religion t'intéressait autant.

— Cela t'a semblé un texte religieux ? — s'étonna Fonfon —. Je crois que c'est plutôt philosophique. Bon, je ne sais pas, philosophie et religion sont mêlées, c'est vrai. Toi, papa, la religion ne t'a jamais intéressé ?

257

— J'ai fait mes études à La Recoleta, chez les frères
— dit don Rigoberto —. Ensuite, à l'Université catholique. Et j'ai même été, un temps, dirigeant d'Action
catholique, avec Pepín O'Donovan. Bien sûr que cela m'a
beaucoup intéressé, dans ma jeunesse. Mais un jour j'ai
perdu la foi et je ne l'ai plus jamais retrouvée. Je crois que
je l'ai perdue dès que j'ai commencé à penser. Pour être
croyant il faut ne pas penser beaucoup.

— Autrement dit, tu es athée. Tu crois qu'il n'y a rien
avant ni après cette vie. C'est cela être athée, non ?

— Là on approfondit la question ! — s'écria don
Rigoberto —. Je ne suis pas athée, un athée est aussi un
croyant. Il croit que Dieu n'existe pas, n'est-ce pas ? Si je
dois être quelque chose, disons que je suis plutôt agnostique. Quelqu'un qui se déclare perplexe, incapable de
croire que Dieu existe ou que Dieu n'existe pas.

— Ni chair ni poisson — dit Fonfon en riant —. C'est
une façon bien commode, papa, d'esquiver le problème.

Il avait un rire frais, sain, et don Rigoberto pensa que
c'était un bon garçon. Il passait par une crise d'adolescence, avec tous ses doutes et ses incertitudes sur l'au-
delà et l'ici-bas, ce qui était tout à son honneur. Comme
il aurait voulu l'aider ! Mais comment, comment le faire ?

— Quelque chose comme ça, blague à part — acquiesça-
t-il —. Tu veux que je te dise, Fonfon ? J'envie les croyants.
Pas les fanatiques, certes, que j'ai en horreur. Les vrais
croyants. Ceux qui ont une foi et s'efforcent d'organiser
leur vie en accord avec leurs croyances. Avec sobriété, sans
simagrées ni pitreries. Je n'en connais pas beaucoup, seulement quelques-uns. Et ils me semblent enviables. À propos,
est-ce que tu es croyant, toi ?

Fonfon prit un air grave et réfléchit un moment avant de répondre.

— J'aimerais en savoir un peu plus sur la religion, mais on ne me l'a jamais enseignée — biaisa-t-il, sur un petit ton de reproche —. C'est pourquoi nous nous sommes mis, Chato Pezzuolo et moi, dans un groupe de lecture de la Bible. Nous nous réunissons le vendredi, après la classe.

— Excellente idée — se réjouit don Rigoberto —. La Bible est un livre merveilleux, que tout le monde devrait lire, les croyants comme les incroyants. C'est une question de culture générale, avant tout. Mais ça permet aussi de mieux comprendre le monde où nous vivons. Bien des choses qui se passent autour de nous viennent directement ou indirectement de la Bible.

— C'est de cela, papa, que tu voulais qu'on parle ?

— Pas vraiment — dit don Rigoberto —. Je voulais te parler d'Ismael et du scandale auquel nous sommes mêlés. Tu as dû en entendre parler au collège aussi.

Fonfon se remit à rire.

— On m'a demandé mille fois si c'était vrai que tu l'avais aidé à se marier avec sa cuisinière, comme disent les journaux. Dans les blogs tu apparais tout le temps mêlé à cette affaire.

— Armida n'a jamais été sa cuisinière — précisa don Rigoberto —. Sa gouvernante, plutôt. Elle s'occupait de la tenue et de l'organisation de la maison, surtout depuis le veuvage d'Ismael.

— J'ai dû aller deux ou trois fois chez lui et je n'ai aucun souvenir d'elle — dit Fonfon —. Est-elle jolie, au moins ?

— Disons présentable — concéda don Rigoberto, en

coupant la poire en deux —. Beaucoup plus jeune qu'Ismael, bien sûr. Ne va pas croire toutes les bêtises que dit la presse. Qu'il a été enlevé, qu'il est gâteux, qu'il n'a pas su ce qu'il faisait. Ismael a toutes ses facultés et c'est pourquoi j'ai accepté d'être son témoin. Sans me douter, bien entendu, que cela ferait tant d'histoires. Enfin, ça passera. Je voulais te dire qu'on a bloqué mon dossier de retraite à la compagnie. Les jumeaux m'ont dénoncé pour prétendue complicité dans un enlèvement qui n'a jamais eu lieu. Si bien que pour le moment je suis ligoté ici, à Lima, avec citations en justice et avocats. C'est de cela qu'il s'agit. Nous traversons une période difficile et, jusqu'à ce que ce soit résolu, nous devrons nous serrer un peu la ceinture. Parce qu'il ne convient pas non plus de liquider toutes les économies dont dépend notre futur à tous trois. Et surtout le tien. Je voulais te tenir au courant.

— Bien entendu, papa — dit Fonfon, en l'encourageant —. Ne t'en fais pas. S'il le faut je peux me passer d'argent de poche jusqu'à nouvel ordre.

— On n'en est pas encore là — sourit don Rigoberto —. Pour ton argent de poche, on a tout ce qu'il faut. Dans ton collège, parmi les professeurs et les élèves, que dit-on de cette affaire ?

— L'immense majorité est du côté des jumeaux, naturellement.

— Du côté des hyènes ? On voit qu'ils ne les connaissent pas.

— Ce qu'il y a c'est qu'ils sont racistes — affirma Fonfon —. Ils ne pardonnent pas à M. Ismael de s'être marié avec une chola. Ils croient qu'aucune personne sensée ne ferait cela et que tout ce que veut Armida c'est faire main basse sur son fric. Tu ne sais pas avec combien

260

je me suis disputé pour défendre le mariage de ton ami, papa. Seul Pezzuolo m'appuie, mais plus par amitié que parce qu'il croit que j'ai raison.

— Tu défends une bonne cause, petit — dit don Rigoberto en lui tapotant le genou —. Parce que, même si personne ne le croit, le mariage d'Ismael a été un mariage d'amour.

— Je peux te poser une question, papa ? — dit soudain le garçon, au moment où il semblait sur le point de quitter le bureau.

— Bien sûr, mon fils, je t'en prie.

— Il y a quelque chose que je ne comprends pas — s'enhardit Fonfon, mal à l'aise —. Sur toi, papa. Tu as toujours aimé l'art, la peinture, la musique, les livres. C'est la seule chose dont tu parles avec tant de passion. Et, alors, pourquoi es-tu devenu avocat ? Pourquoi as-tu consacré toute ta vie à travailler dans une compagnie d'assurances ? Tu aurais dû devenir peintre, musicien, enfin je ne sais pas. Pourquoi n'avoir pas suivi ta vocation ?

Don Rigoberto acquiesça et réfléchit un moment avant de répondre.

— Par lâcheté, mon petit — murmura-t-il enfin —. Par manque de confiance en moi. Je n'ai jamais cru que j'avais assez de talent pour être vraiment un artiste. Mais peut-être était-ce un prétexte pour ne pas tenter de le devenir. J'ai décidé de ne pas être un créateur, mais un simple consommateur d'art, un dilettante de la culture. Par lâcheté, c'est la triste vérité. Voilà, tu sais tout. Mais ne suis pas mon exemple. Quelle que soit ta vocation, engage-toi à fond et ne fais pas comme moi, ne la trahis pas.

— J'espère ne pas t'avoir contrarié, papa. C'était une question que je voulais te poser depuis longtemps.

— C'est une question que je me pose aussi depuis bien des années, Fonfon. Tu m'as obligé à y répondre et je t'en remercie. Allez, ça suffit comme ça, bonne nuit.

Il alla se coucher avec plus d'entrain après la conversation avec Fonfon. Il rapporta à doña Lucrecia le bien que cela lui avait fait d'entendre son fils, si sage, après la mauvaise humeur et le chagrin dans lesquels il avait été plongé tout l'après-midi. Mais il omit de lui raconter la dernière partie de son entretien avec son fils.

— J'ai eu plaisir à le voir si serein, si mûr, Lucrecia. Appartenant à un groupe de lecture biblique, tu te rends compte ! Combien de garçons de son âge feraient une chose pareille ? Fort peu. Tu as lu la Bible, toi ? J'avoue pour ma part ne l'avoir lue qu'en partie et cela remonte à pas mal d'années. Tu ne veux pas que, comme un jeu, nous nous mettions aussi à la lire et à la commenter ? C'est un très beau livre.

— J'en serais ravie, peut-être ainsi te reconvertiras-tu et retourneras-tu à l'église — dit Lucrecia, en ajoutant, après quelques secondes de réflexion —: J'espère que lire la Bible n'est pas incompatible avec faire l'amour, Oreillettes.

Elle entendit le rire malicieux de son mari et, presque en même temps, sentit ses mains avides parcourir son corps.

— La Bible est le livre le plus érotique du monde — l'entendit-elle dire, s'activant —. Tu verras, quand nous lirons le *Cantique des cantiques* et les horreurs que fait Samson avec Dalila et Dalila avec Samson, tu verras.

XIII

— Bien que nous soyons en uniforme, ceci n'est pas une visite officielle — dit le capitaine Silva, en faisant un salut courtois qui gonfla son ventre et froissa la chemise kaki de son uniforme —. C'est une visite d'amis, madame.

— Bien sûr, très bien — dit Mabel, en leur ouvrant la porte. Elle regardait les policiers avec surprise et crainte, en clignant des yeux —. Entrez, entrez, s'il vous plaît.

Le capitaine et le sergent étaient arrivés à l'improviste au moment où, pensive, elle reconnaissait une fois de plus qu'elle était émue par les démonstrations sentimentales du p'tit vieux. Elle avait toujours eu de l'affection pour Felícito Yanaqué, ou, du moins, malgré les huit ans déjà qu'elle était sa maîtresse, elle n'avait jamais fini par ressentir envers lui la phobie, la répugnance physique et morale qui, par le passé, l'avaient poussée à rompre brusquement avec des amants et des protecteurs provisoires qui lui donnaient mal à la tête par leur jalousie, leurs exigences et caprices ou par leur ressentiment et leur dépit. Certaines ruptures avaient représenté pour elle une grave perte économique. Mais c'était plus fort qu'elle. Quand elle finissait par en avoir assez d'un homme, elle ne pouvait pas continuer à coucher avec lui. Il lui venait de l'allergie, des migraines, des frissons, elle se mettait à se rappeler son parâtre, elle avait du mal à réprimer son envie de vomir chaque fois qu'elle devait se déshabiller pour lui et se prêter à ses désirs au lit. C'est pourquoi, se disait-elle, bien qu'elle ait couché avec beaucoup d'hommes depuis toute petite — elle avait fichu le camp de chez elle à treize ans pour aller chez une tante et son mari, au moment de cette histoire avec son parâtre —, elle n'était pas et ne serait jamais ce qu'on appelle une pute. Parce que les putes savaient faire semblant à l'heure de se mettre au lit avec leurs clients et elle non. Mabel, pour coucher, avait besoin de sentir au moins un peu de sympathie pour l'homme, et, en plus, d'entourer la tringlette, comme on disait vulgairement à Piura, de certaines formes : invitations, sorties, petits cadeaux, gestes et manières qui rendent la coucherie décente, en la faisant ressembler à une relation sentimentale.

— Merci, madame — dit le capitaine Silva, en portant la main à sa visière en un simulacre de salut militaire —. Nous tâcherons de ne pas vous prendre trop de temps.

Le sergent Lituma lui fit écho : « Merci, madame. »

Mabel les fit asseoir au salon et leur apporta deux petites bouteilles fraîches d'Inca Kola. Pour cacher sa nervosité, elle tâchait de ne pas parler ; elle se limitait à leur sourire, attendant. Les policiers enlevèrent leur képi, prirent place dans les fauteuils et Mabel observa qu'ils avaient tous les deux le front et les cheveux trempés de sueur. Elle pensa qu'elle devrait brancher le ventilateur mais elle ne le fit pas ; elle craignait que, si elle se levait de son fauteuil, le capitaine et le sergent ne remarquent la tremblote qui avait commencé à lui secouer jambes et mains. Quelle explication leur donnerait-elle si ses dents aussi commençaient à claquer ? « Je suis pas très bien et avec un peu de fièvre, à cause de, enfin, de ce qu'on a nous les femmes, vous savez bien de quoi je parle. » La croiraient-ils ?

— Ce que nous voulons, madame — le capitaine Silva prit une voix tout sucre tout miel —, ce n'est pas vous interroger, mais avoir une conversation amicale. Ce sont des choses très différentes, vous me comprenez. J'ai dit amicale et je le répète.

Pendant ces huit ans, elle n'avait jamais fini par avoir de l'allergie pour Felícito. Sans doute parce que le vieux était si gentil. Si, le jour de sa visite, elle se sentait un peu indisposée, avec ses règles ou simplement sans envie d'écarter les jambes pour le monsieur, le patron des Transports Narihualá ne l'embêtait pas à insister. Au contraire ; il s'inquiétait, voulait l'emmener chez le docteur, aller à la pharmacie lui acheter des médicaments, lui tendait le thermomètre. Était-il très amoureux d'elle ? Mabel avait pensé mille fois que oui. En tout cas, le p'tit vieux ne lui payait pas le loyer de cette maison ni ne lui donnait quelques milliers de soles tous les mois rien que pour coucher avec elle une ou deux fois par semaine. En plus de respecter ses engagements, il lui faisait tout le temps des petits cadeaux, pour son anniversaire ou à la Noël, et aussi à des dates où personne n'offrait rien comme les Fêtes de la Patrie, ou en octobre, pendant la Semaine de Piura. Même dans sa manière de coucher avec elle il lui prouvait chaque fois que ce n'était pas seulement le sexe qui l'intéressait. Il lui disait à l'oreille des choses d'amoureux, l'embrassait tendrement, restait à la regarder en extase, avec reconnaissance, comme s'il était un petit jeunot. Ce n'était pas de l'amour, ça ? Mabel avait souvent pensé que, si elle s'y mettait, elle pourrait obtenir que Felícito quitte sa femme, cette grosse chola qui ressemblait plus à un corbeau qu'à un être humain, et se marie avec elle. Ç'aurait été très facile. Suffisait de se faire mettre enceinte, par exemple, de commencer à pleurer et de le placer au pied du mur : « Je suppose que tu dois pas vouloir que ton fils il soit un bâtard, non, p'tit vieux ? » Mais elle n'avait jamais essayé et n'essaierait jamais parce que Mabel attachait beaucoup de prix à sa liberté, à son indépendance. Elle n'allait pas les sacrifier en échange d'une relative sécurité ; par-dessus le marché, ça ne l'amusait pas non plus de se transformer d'ici peu d'années en infirmière et aide-soignante d'un vieillard à qui faudrait nettoyer la bave et les draps où il ferait pipi en dormant.

— Parole d'honneur, on ne vous prendra pas beaucoup de temps, madame — répéta le capitaine Silva, en tournant autour du pot, sans se décider à lui expliquer clairement la raison de cette visite intempestive. Il la regardait d'une façon, pensa Mabel, qui démentait ses bonnes manières —. De plus, quand vous en aurez assez de nous, vous nous le dites en toute franchise et nous prenons nos cliques et nos claques.

Pourquoi le policier exagérait-il la courtoisie jusqu'à ces extrêmes ridicules ? Qu'avait-il derrière la tête ? Il voulait la rassurer, bien sûr, mais ses chichis, ses petites façons tout sucre tout miel et ses faux petits sourires augmentèrent la méfiance de Mabel. Quelle était l'intention de ces deux-là ? Contrairement à l'officier, son adjoint, le sergent, ne pouvait pas cacher qu'il était dans ses petits souliers. Il l'observait d'une manière bizarre, inquiète et sur la réserve, comme s'il avait un peu peur de ce qui pourrait arriver, et il tripotait son double menton sans arrêt, avec un mouvement des doigts presque frénétique.

— Comme vous pouvez le constater de vos propres yeux, on n'a pas de micro — ajouta le capitaine Silva, en ouvrant les mains et en tâtant ses poches de façon théâtrale —. Même pas de papier et de crayon. De sorte que vous pouvez être tranquille : il ne restera pas la moindre trace de ce que nous pourrons dire ici. Ce sera confidentiel. Entre vous et nous. Et personne d'autre.

Les jours qui avaient suivi la semaine du kidnapping, Felícito s'était montré si incroyablement affectueux et aux petits soins que Mabel s'était sentie mal à l'aise. Elle avait reçu un grand bouquet de roses rouges enveloppées de cellophane avec une carte de sa main qui disait : « Avec tout mon amour et ma peine pour la dure épreuve que je t'ai fait passer, Mabelita chérie, reçois ces fleurs de l'homme qui t'adore : ton Felícito. » C'était le bouquet de fleurs le plus grand qu'elle ait vu de sa vie. En lisant la carte elle avait eu les larmes aux yeux et ses mains s'étaient mouillées, quelque chose qui lui arrivait seulement quand elle avait des cauchemars. Accepterait-elle l'offre du p'tit vieux de s'en aller de Piura jusqu'à la fin de toute cette histoire ? Elle hésitait. Plus qu'une offre, c'était une exigence. Felícito était effrayé, il croyait qu'ils pouvaient lui faire du mal et il la suppliait de partir à Trujillo, à Chiclayo, à Lima, d'aller visiter Cusco si elle préférait, où elle voudrait pourvu qu'elle soit à l'abri de ces maudits maîtres chanteurs à la petite araignée. Il lui promettait monts et merveilles : elle ne manquerait de rien, elle jouirait de tout le confort le temps que durerait son voyage. Mais elle ne se décidait pas. Ce n'est pas qu'elle n'avait pas peur, pas du tout. La peur était quelque chose que, contrairement à tant de trouillards qu'elle connaissait, Mabel avait éprouvé une seule fois avant aujourd'hui, toute gamine, quand, profitant de ce que sa mère était allée au marché, son parâtre s'était glissé dans sa chambre et l'avait poussée sur le lit en essayant de la déshabiller. Elle s'était défendue, l'avait griffé et, à moitié nue, avait couru dans la rue en poussant des cris. Cette fois-là elle avait su pour de bon ce que la trouille était vraiment. Ensuite, jamais elle n'avait éprouvé à nouveau quelque chose comme ça. Jusqu'à aujourd'hui. Parce que, ces jours-ci, la peur, une panique bleue, profonde, constante, s'était installée à nouveau dans sa vie. Vingt-quatre heures sur vingt-quatre. Jour et nuit, matin et soir, endormie et réveillée. Mabel pensait que jamais plus elle ne s'en débarrasserait, jusqu'à sa mort. Quand elle sortait dans la rue, elle avait la désagréable impression d'être surveillée ; même à la maison, la porte fermée à double tour, il lui venait des sursauts qui glaçaient son corps et lui coupaient la respiration. Elle avait alors l'idée que son sang s'était arrêté de circuler dans ses veines. Même si elle savait qu'elle était protégée et peut-être à cause de ça. Elle l'était ? Felícito le lui avait assuré, après avoir parlé avec le capitaine Silva. C'est vrai, en face de chez elle il y avait un garde et, quand elle sortait dans la rue, deux policiers en civil, un homme et une femme, la suivaient à une certaine distance, sans se faire remarquer. Mais c'était justement cette surveillance de vingt-quatre heures sur vingt-quatre qui augmentait sa nervosité, ainsi que la certitude du capitaine Silva que les ravisseurs ne seraient pas assez imprudents ni assez idiots pour tenter une autre attaque contre elle en sachant que la police l'entourait jour et nuit. Malgré ça, le p'tit vieux ne la croyait pas à l'abri du danger. D'après lui, quand les ravisseurs comprendraient qu'il leur avait menti, que l'avis dans *El Tiempo*, remerciant de son miracle le Señor Cautivo de Ayabaca, il ne l'avait mis que pour qu'ils la libèrent et qu'il ne pensait pas leur payer la contribution, ils deviendraient furieux et essaieraient de se venger sur une des personnes qu'il aimait. Et, comme ils savaient tant de choses de lui, ils devaient savoir aussi que la personne que Felícito aimait le plus au monde était Mabel. Il fallait qu'elle parte de Piura, qu'elle disparaisse quelque temps, il ne se le pardonnerait jamais si ces misérables lui faisaient encore des misères.

Sentant le cœur lui manquer, Mabel restait silencieuse. Par-dessus la tête des deux policiers et au pied du Sacré-Cœur de Jésus elle vit son visage reflété dans la glace et fut surprise de sa pâleur. Elle était aussi blanche qu'un de ces fantômes des films d'épouvante.

— Je vais vous demander de m'écouter sans vous énerver ni vous effrayer — ajouta le capitaine Silva, après une longue pause. Il parlait doucement, en baissant beaucoup la voix comme s'il allait lui confier un secret —. Parce que, malgré les apparences, cette démarche privée qu'on vient faire, privée, je le répète, est pour votre bien.

— Dites-moi tout de suite ce qu'y a, ce que vous voulez — réussit à dire Mabel, en s'étranglant. Elle était irritée par les détours et les précautions hypocrites du capitaine —. Dites-moi ce que vous êtes venu me dire. Je suis pas une imbécile. Perdons pas tant de temps, monsieur.

— Droit au but, alors, Mabel — dit le commissaire, en se transformant. Soudain, ses bonnes manières et son ton respectueux disparurent. Il avait monté la voix et la regardait maintenant très sérieusement, d'un air arrogant et supérieur. Pour comble, il la tutoya —: Je regrette beaucoup pour toi, mais nous savons tout. Comme tu l'entends, Mabelita. Tout, tout, absolument tout. Par exemple, nous savons que depuis un bon bout de temps tu n'as pas seulement Felícito Yanaqué pour amant, mais aussi une autre personne. Plus beau garçon et plus jeune que le petit vieux à chapeau et gilet qui te paie cette maisonnette.

— Comment vous osez! — protesta Mabel, en rougissant violemment —. Je vous permets pas! Une telle calomnie!

— Il vaut mieux que tu me laisses terminer, sans discuter comme ça — l'interrompirent net la voix énergique et le geste menaçant du capitaine Silva —. Après, tu diras tout ce que tu voudras et pourras pleurer à ton aise, et même taper du pied, si tu en as envie. Pour l'instant, silence. C'est moi qui parle et toi tu fermes ton bec. Compris, Mabelita?

Elle devrait s'en aller de Piura, peut-être. Mais l'idée de vivre seule, dans un lieu inconnu — elle n'était sortie de cette ville que pour aller à Sullana, à Lobitos, à Paita et à Yacila, n'avait jamais passé les limites du département ni vers le nord ni vers le sud, n'était jamais montée dans la sierra —, la démoralisait. Qu'allait-elle faire seule comme une âme en peine dans un endroit sans famille ni amies? Là-bas elle aurait moins de protection qu'ici. Passerait-elle son temps à attendre que Felícito vienne lui rendre visite? Elle vivrait dans un hôtel, s'ennuierait toute la sainte journée, sa seule occupation serait de regarder la télé, si encore il y avait la télé, et d'attendre, attendre. Elle n'aimait pas non plus l'idée de sentir que jour et nuit un policier, homme ou femme, contrôlait ses déplacements, notait avec qui elle parlait, qui elle saluait, qui s'approchait d'elle. Plus que protégée, elle se sentait espionnée et cette sensation, au lieu de la rassurer, la stressait et l'inquiétait.

Le capitaine Silva se tut un moment pour allumer tranquillement une cigarette. Sans se presser, il rejeta une longue bouffée de fumée qui vagabonda dans l'air et imprégna le salon d'une âcre odeur de tabac.

— Tu diras, Mabel, que ta vie privée ne regarde pas la police, et tu auras raison — poursuivit le commissaire, en jetant sa cendre par terre et en prenant un air moitié philosophe moitié dur à cuire —. Seulement, ce n'est pas que tu aies deux ou dix amants qui nous intéresse. Mais que tu aies commis la folie de t'acoquiner avec l'un d'eux pour faire chanter don Felícito Yanaqué, ce pauvre vieux qui, en plus, t'aime tant. Quelle ingrate tu es en fin de compte, Mabelita !

— Qu'est-ce que vous dites ! Qu'est-ce que vous dites ! — elle se leva et maintenant, vibrante, indignée, elle monta aussi la voix, leva un poing —. Je dirai pas un mot de plus sans la présence d'un avocat. Sachez que je connais mes droits. Je…

Comme Felícito avait la tête dure ! Mabel n'aurait jamais imaginé que le p'tit vieux soit disposé à mourir plutôt que de payer la contribution aux maîtres chanteurs. Il avait l'air si doux, si compréhensif, et, soudain, il avait montré devant tout Piura une volonté de fer. Le lendemain de sa libération, elle avait eu avec Felícito une

longue conversation. À un moment, Mabel, à l'improviste, lui avait demandé à brûle-pourpoint :

— Si les ravisseurs ils t'avaient dit qu'ils me tueraient
si tu leur donnais pas la contribution, tu les aurais laissés
me tuer ?

— Tu vois bien que ça a pas été comme ça — avait
balbutié le transporteur, très mal à l'aise.

— Réponds-moi avec franchise, Felícito — avait-elle
insisté —. Tu les aurais laissés me tuer ?

— Et après je me serais tué, moi — avait-il avoué, la
voix déchirée et avec un air si malheureux qu'elle eut
pitié de lui —. Pardonne-moi, Mabel. Mais je paierai
jamais une contribution à un maître chanteur. Même
s'ils me tuent ou tuent ce que j'aime le plus au monde,
qui est toi.

— Mais tu m'as dit toi-même que tous tes confrères ils
le font à Piura — avait répliqué Mabel.

— Et beaucoup de commerçants et d'entrepreneurs
aussi, il paraît — avait reconnu Felícito —. Pour sûr, je
viens d'apprendre ça par Vignolo. C'est leur affaire. Je les
critique pas. Chacun sait ce qu'il fait et comment il
défend ses intérêts. Mais moi je suis pas comme eux,
Mabel. Je peux pas faire ça. Je peux pas trahir la mémoire
de mon père.

Et, alors, le transporteur, les larmes aux yeux, s'était
mis à parler de son père devant une Mabel tout émue.
Jamais, depuis le temps qu'ils étaient ensemble, elle ne
l'avait entendu évoquer son géniteur d'une façon si tou-
chante. Avec émotion, avec délicatesse, de la même façon
que dans l'intimité il lui disait à elle des choses tendres
tout en lui faisant des câlins. Ça avait été un homme très
humble, un yanacón, un bouseux de Chulucanas, et

272

après, ici à Piura, un portefaix, un éboueur municipal. Jamais il n'avait appris à lire ni à écrire, la plus grande partie de sa vie il n'avait pas porté de souliers, quelque chose qui se voyait quand ils étaient partis de Chulucanas et venus à la ville pour que Felícito puisse aller au collège. Alors il avait dû s'en mettre et on voyait comme il se sentait bizarre en marchant et que ses pieds lui faisaient mal, enfermés dans ces souliers. Ce n'était pas un homme à manifester ses sentiments en donnant des embrassades et des baisers à son fils, ni en lui disant ces choses affectueuses que les pères disent à leurs enfants. Il était sévère, dur et même il avait la main leste quand il se mettait en colère. Mais il lui avait montré qu'il l'aimait en le faisant étudier, en l'habillant, en lui donnant à manger, même si lui n'avait rien à se mettre sur le dos ou sous la dent, en l'inscrivant dans une école de chauffeurs pour que Felícito apprenne à conduire et passe son permis. C'était grâce à ce yanacón analphabète que les Transports Narihualá existaient. Son père était peut-être pauvre, mais il était grand par sa droiture d'âme, parce que jamais il n'avait fait de mal à personne, ni manqué aux lois, ni gardé rancune à la femme qui l'avait abandonné en lui laissant un nouveau-né sur les bras. Si c'était vrai ce qu'on racontait du péché, de la méchanceté et de l'autre vie, il devrait maintenant être au ciel. Il n'avait même pas eu le temps de faire le mal, sa vie avait été de travailler comme une bête dans les métiers les plus mal payés. Felícito se rappelait l'avoir vu tomber le soir mort de fatigue. Mais, par exemple, jamais il n'avait laissé personne lui marcher dessus. C'était, d'après lui, ce qui faisait qu'un homme valait quelque chose ou était une lavette. Ça avait été le conseil qu'il lui avait donné avant de mourir dans un lit sans matelas de l'Hôpital ouvrier : « Te laisse jamais marcher dessus, mon fils. » Felícito avait suivi le conseil de ce père que, par manque d'argent, il n'avait même pas pu enterrer dans une niche ni empêcher qu'on le jette à la fosse commune.

— Tu vois, Mabel ? C'est pas les cinq cents dollars que les mafieux ils me demandent. Il s'agit pas de ça. Si je les leur donne, ils seraient à me marcher dessus, à faire de moi une lavette. Dis-moi que tu le comprends, petite chérie.

Mabel ne le comprenait pas tout à fait, mais, en l'écoutant dire ces choses, elle était impressionnée. C'est seulement maintenant, après avoir été si longtemps avec lui, qu'elle se rendait compte que sous son apparence de bonhomme de rien du tout, si fluet, si petit, il y avait chez Felícito un caractère ferme et une volonté à l'épreuve des balles. C'était vrai, il les laisserait le tuer plutôt que de baisser les bras.

— Silence et assise — ordonna l'officier et Mabel se tut et se laissa retomber sur son siège, vaincue —. Tu n'as pas *encore* besoin d'avocat. Tu n'es pas *encore* arrêtée. Tu n'es pas *encore* interrogée. C'est là une conversation amicale et confidentielle, je te l'ai déjà dit. Autant te fourrer ça dans ta petite tête une fois pour toutes. Aussi laisse-moi parler, Mabelita, et tâche de bien assimiler ce que je vais te dire.

Mais, avant de poursuivre, il tira une autre longue bouffée de sa cigarette et expulsa de nouveau la fumée lentement, en faisant des ronds. « Il veut me martyriser, c'est pour ça qu'il est venu », pensa Mabel. Elle se sentait exténuée et tombant de sommeil, comme si à tout moment elle pouvait s'endormir sur place. Dans son fauteuil, un peu penché en avant comme pour ne pas perdre une syllabe de ce que disait son chef, le sergent Lituma ne parlait ni ne bougeait. Il ne le quittait pas non plus des yeux une seule seconde.

— Les charges sont plusieurs et de taille — poursuivit le capitaine, en la regardant dans les yeux comme s'il voulait l'hypnotiser —. Tu as prétendu nous faire croire que tu avais été séquestrée et tout ça a été une farce, machinée par toi et ton complice, pour faire pression sur don Felícito, cet homme de cœur qui est fou de toi. Vous aviez fait chou blanc, parce que vous comptiez sans la résolution de ce monsieur de ne pas céder au chantage. Alors vous, pour le forcer à filer doux, vous avez brûlé son local des Transports Narihualá sur l'avenue Sánchez Cerro. Mais vous avez aussi fait chou blanc.

— Moi je le lui ai brûlé ? Vous m'accusez de ça ? D'être une incendiaire aussi ? — protesta Mabel, essayant en vain de se relever, mais sa faiblesse ou le regard menaçant et l'expression agressive du capitaine l'en empêchèrent. Elle se laissa retomber dans son fauteuil et se recroquevilla, en croisant les bras. Maintenant, en plus d'avoir sommeil, elle avait chaud et s'était mise à transpirer. Elle sentait ses mains dégouliner de peur et de sueur —. Alors comme ça c'est moi qui ai brûlé le local des Transports Narihualá ?

— Nous avons d'autres détails, mais ce sont les plus graves en ce qui te concerne — dit le capitaine, en se tournant tranquillement vers son subordonné —. Voyons, sergent, dites à madame pour quels délits elle pourrait être jugée et de quelle peine elle pourrait écoper.

Lituma s'anima, se tortilla sur son siège, passa sa langue sur ses lèvres, sortit un petit papier de la poche de sa chemise, le déplia, se racla la gorge. Et lut comme un élève récitant une leçon devant un maître d'école :

— Association illicite de malfaiteurs avec projet de kidnapping après envoi de lettres anonymes et menaces d'extorsion. Association illicite pour détruire par explosifs un local commercial, avec circonstance aggravante de risque pour maisons, locaux et personnes du voisinage. Participation active à un faux kidnapping pour effrayer et intimider un entrepreneur afin qu'il se soumette au racket. Dissimulation, mensonge et mauvaise foi devant l'autorité au cours de l'investigation sur le faux kidnapping — il remit le petit papier dans sa poche et ajouta — : Voilà quelles seraient les charges principales contre madame, mon capitaine. Le ministère public pourrait en ajouter d'autres, moins graves, comme la pratique clandestine de la prostitution.

— Et à combien pourrait se monter la peine si madame est condamnée, Lituma ? — demanda le capitaine, ses yeux moqueurs fixés sur Mabel.

— Entre huit et dix ans de prison — répondit le sergent —. Ça dépendrait des circonstances aggravantes et atténuantes, bien sûr.

— Vous essayez de me faire peur, mais vous vous trompez — murmura Mabel, en faisant un énorme effort pour que sa langue sèche et râpeuse comme celle d'un iguane veuille bien parler —. Je répondrai à aucun de ces mensonges sans la présence d'un avocat.

— Personne ne te pose *encore* de questions — ironisa le capitaine Silva —. Pour le moment, la seule chose qu'on te demande c'est d'écouter. Compris, Mabelita ?

Il resta à l'observer avec un regard vicieux qui l'obligea à baisser les yeux. Abattue, vaincue, elle acquiesça.

Entre l'énervement, la peur, l'idée qu'à chaque pas qu'elle ferait elle aurait à ses basques l'invisible couple de policiers, elle passa cinq jours pratiquement sans sortir de chez elle. Elle ne mettait les pieds dans la rue que pour courir chez le chinois du coin faire ses courses, à la laverie et à la banque. Elle revenait à toute allure s'enfermer dans son inquiétude et ses pensées angoissantes. Le sixième jour, elle n'y tint plus. Vivre comme ça c'était comme être en prison et Mabel n'était pas faite pour être enfermée. Elle avait besoin de la rue, de voir le ciel, de sentir, écouter et parcourir la ville, de voir les hommes et les femmes aller et venir, d'entendre braire les ânes et aboyer les chiens. Elle n'était pas une bonne sœur cloîtrée et elle ne le serait jamais. Elle appela au téléphone son amie Zoíla et lui proposa d'aller au cinéma, à la séance de l'après-midi.

— Voir quoi, cholita ? — demanda Zoíla.

— N'importe quoi, ce qu'ils auront — lui répondit Mabel —. J'ai besoin de voir des gens, de bavarder un peu. Ici, j'étouffe.

Elles se retrouvèrent en face des Portales, sur la place d'Armes. Elles prirent le thé au Chalán et allèrent au multiplexe du centre commercial Open Plaza, non loin de l'université de Piura. Elles virent un film un peu osé, avec des femmes à poil. Zoíla, qui jouait les grenouilles de bénitier, faisait un signe de croix quand il y avait des scènes de lit. C'était une culottée, parce que dans sa vie personnelle elle prenait beaucoup de libertés, changeait de partenaire à tout bout de champ et se vantait même de ces changements : « Tant que le corps résiste, faut en profiter, ma fille. » Elle n'était pas très jolie, mais elle avait un corps bien fait et elle s'arrangeait avec goût.

Grâce à ça et à ses manières décontractées elle avait du succès avec les hommes. En sortant du cinéma, elle proposa à Mabel de venir manger quelque chose chez elle, mais celle-ci n'accepta pas, elle ne voulait pas rentrer seule à Castilla très tard.

Elle prit un taxi et, pendant que la vieille guimbarde s'enfonçait dans le quartier déjà à moitié dans l'obscurité, Mabel se dit que, après tout, c'était une chance que la police ait caché l'épisode du kidnapping à la presse. Ils pensaient que de cette façon ils déconcerteraient les maîtres chanteurs et qu'il leur serait plus facile de les pincer. Mais elle était sûre qu'un jour ou l'autre la nouvelle arriverait aux journaux, à la radio et à la télé. Que deviendrait sa vie si le scandale éclatait ? Peut-être qu'il vaudrait mieux écouter Felícito et quitter Piura pour un temps. Pourquoi ne pas aller à Trujillo[1] ? On disait que c'était une grande ville, moderne, dynamique, avec une belle plage, des maisons et des parcs coloniaux. Et que le concours de la Marinera[2] qu'on célébrait là-bas tous les ans en été valait la peine d'être vu. Le couple de policiers en civil ne serait-il pas en train de la suivre en auto ou en moto ? Elle regarda par la lunette arrière et sur les côtés, et ne vit aucun véhicule. Si ça se trouvait, ce truc de la protection était une histoire en l'air. Fallait être bête à manger du foin pour croire aux promesses des flics.

Elle descendit du taxi, paya et fit à pied la vingtaine de pas entre le coin et sa maison au milieu d'une rue vide, malgré les petites lumières blafardes du quartier qui lui-

---

1. Ville dite de « l'éternel printemps », au nord-ouest du Pérou.
2. La *marinera* est une danse un peu lente et très gracieuse, qui a été déclarée patrimoine national.

saient à presque toutes les portes et fenêtres. Elle apercevait des silhouettes dans les maisons. Elle tenait prête la clé de sa porte. Elle ouvrit, entra et, au moment où elle tendait la main vers l'interrupteur, elle sentit une autre main s'interposer, lui bloquer le passage et lui fermer la bouche, étouffant son cri, en même temps qu'un corps d'homme se collait au sien et qu'une voix connue lui chuchotait à l'oreille : « C'est moi, n'aie pas peur. »

— Qu'est-ce que tu fais là ? — protesta Mabel, tremblante. Elle sentait que si lui ne la tenait pas elle s'écroulerait par terre —. T'es devenu fou, espèce de… ? T'es devenu fou ?

— J'avais besoin de te baiser — dit Miguel, et Mabel sentit ses lèvres fiévreuses sur son oreille, dans son cou, impatientes, avides, ses bras forts la serrer et ses mains la toucher partout.

— Abruti, imbécile, cochon de merde ! — protestat-elle, se défendit-elle, furieuse. L'indignation et la frousse qu'elle venait d'avoir lui donnaient des nausées —. Tu sais pas qu'il y a un garde en train de surveiller la maison ? Tu sais pas ce qui peut nous arriver par ta faute, crétin de merde ?

— Personne m'a vu entrer, le policier est au bistrot du coin à prendre un café, y avait personne dans la rue — Miguel continuait à la serrer dans ses bras, à l'embrasser et à coller son corps au sien, en se frottant contre elle —. Viens, allons au lit, je te baise et je m'en vais. Viens, cholita.

— Bon à rien, pauvre type, canaille, comment t'oses venir, t'es complètement fou — ils étaient dans le noir et elle essayait de résister et de se dégager, furieuse et effrayée, tout en sentant que, malgré la colère, son corps

279

commençait à céder —. Tu te rends pas compte que tu me ruines la vie, maudit ? Et que tu te la ruines aussi, malheureux ?

— Je te jure que personne m'a vu entrer, j'ai pris toutes les précautions — répétait-il, en tirant sur sa robe pour la déshabiller —. Viens, viens. Je suis prêt, j'ai faim de toi, je veux te faire crier, je t'aime.

Elle cessa de se défendre, à la fin. Toujours dans le noir, lasse, à bout de forces, elle le laissa la déshabiller, la renverser sur le lit, et, pendant quelques minutes, elle s'abandonna au plaisir. Pouvait-on appeler cela du plaisir ? C'était quelque chose de très différent de celui d'autres fois, en tout cas. Tendu, crispé, douloureux. Même au sommet de l'excitation, quand elle était sur le point de terminer, elle n'arriva pas à chasser de sa tête les images de Felícito, des policiers qui l'avaient interrogée au commissariat, du scandale qui éclaterait si la nouvelle arrivait à la presse.

— Maintenant fous le camp et remets pas les pieds dans cette maison jusqu'à la fin de tout ça — lui ordonna-t-elle, quand elle sentit Miguel la lâcher et retomber sur le dos dans le lit —. Si à cause de cette folie ton père l'apprend, je me vengerai. Je te jure que tu la sentiras passer. Je te jure que tu le regretteras toute ta vie, Miguel.

— Je t'ai dit que personne m'a vu. Je te jure que non. Dis-moi au moins si ça t'a plu.

— Ça m'a pas plu et je te déteste de toute mon âme, si tu veux savoir — dit Mabel, se dégageant des mains de Miguel et se levant —. Fous le camp tout de suite et que personne te voie sortir. Reviens pas ici, espèce d'abruti. Tu vas nous envoyer en prison, pauvre type, comment tu t'en rends pas compte ?

— C'est bon, je m'en vais, te mets pas dans cet état — dit Miguel, en se redressant —. Je te pardonne tes insultes parce que t'es très énervée. Sinon, je te les ferais ravaler, ma petite.

Elle sentit dans la semi-obscurité que Miguel se rhabillait. Enfin il se pencha pour l'embrasser tout en lui disant, avec la vulgarité qui lui sortait toujours par tous les pores de la peau dans ces occasions intimes :

— Tant que tu continueras à me plaire, je viendrai te baiser toutes les fois que ma bite elle le demandera, cholita.

— Huit à dix ans en prison ça fait beaucoup d'années, Mabelita — dit le capitaine Silva, en changeant une fois de plus de voix ; maintenant il se montrait triste et plein de pitié —. Surtout, si tu les passes dans la prison pour femmes de Sullana. Un enfer. Je peux te le dire, je la connais comme la paume de ma main. Il n'y a ni eau ni électricité la plupart du temps. Les prisonnières dorment entassées, deux ou trois sur chaque grabat et avec leurs enfants, beaucoup par terre, sentant le caca et l'urine parce que, comme les cabinets sont presque toujours bouchés, elles font leurs besoins dans des seaux ou des sacs en plastique qu'on ne jette qu'une fois par jour. Aucun corps ne résiste longtemps à ce régime. Et moins encore une jolie fille comme toi, habituée à un autre genre de vie.

Malgré son envie de crier et de l'insulter, Mabel restait silencieuse. Elle n'était jamais entrée dans la prison pour femmes de Sullana, mais elle l'avait vue du dehors, en passant. Elle devinait que le capitaine n'exagérait absolument pas dans sa description.

— Au bout d'un an ou un an et demi d'une telle vie,

au milieu de prostituées, de criminelles, de voleuses, de narcotrafiquantes, dont beaucoup sont devenues folles en prison, une femme jeune et belle comme toi devient vieille, laide et névrosée. Je ne te le souhaite pas, Mabelita.

Le capitaine soupira, attristé par ce destin possible de la maîtresse de maison.

— Tu penseras que c'est de la méchanceté de te dire ces choses et de te peindre un tel panorama — poursuivit, implacable, le commissaire —. Tu te trompes. Ni le sergent ni moi ne sommes des sadiques. Nous ne voulons pas te faire peur. À toi de parler, Lituma.

— Bien sûr que non, c'est tout le contraire — affirma le sergent, en se tortillant une fois de plus sur son fauteuil —. On est venus avec de bonnes intentions, madame.

— Nous voulons t'épargner ces horreurs — le capitaine Silva fit une grimace qui lui déforma le visage, comme s'il avait une hallucination atroce, et leva les mains avec épouvante —: Le scandale, le procès, les interrogatoires, les barreaux. Tu te rends compte, Mabel ? Nous voulons que, au lieu de payer ta peine pour complicité avec ces brigands, tu sois complètement blanchie et continues à mener la bonne vie que tu mènes depuis des années. Tu comprends pourquoi je te disais que notre visite est pour ton bien ? Elle l'est, Mabelita, sois-en sûre.

Elle pressentait déjà de quoi il s'agissait. De la panique elle était passée à la colère et de la colère à un profond abattement. Elle sentait ses paupières lourdes et de nouveau un sommeil qui par moments lui faisait fermer les yeux. Comme ce serait merveilleux de dormir, de perdre la conscience et la mémoire, de dormir là même, blottie dans le fauteuil. D'oublier, de sentir que rien de tout ça ne s'était passé, que la vie continuait comme avant.

Mabel approcha sa tête de la fenêtre et vit, un petit moment après, Miguel sortir et disparaître, avalé par les ombres, au bout de quelques mètres. Elle observa soigneusement les alentours. On ne voyait personne. Mais cela ne la rassura pas. Le garde pouvait être posté dans le vestibule d'une maison voisine et, de là, l'avoir aperçu. Il ferait un rapport à ses chefs et la police informerait don Felícito Yanaqué : « Votre fils et employé, Miguel Yanaqué, rend visite la nuit à votre petite amie. » Le scandale éclaterait. Qu'est-ce qui lui arriverait à elle ? Tandis qu'elle se lavait dans la salle de bains, changeait les draps du lit, et, ensuite, couchée, la petite lampe de la table de nuit allumée, essayait d'attraper le sommeil, elle se demanda une fois de plus, comme tant de fois ces deux dernières années et demie où elle voyait Miguel en cachette, comment Felícito réagirait s'il l'apprenait. Il n'était pas de ceux qui sortent un couteau ou un revolver pour laver leur honneur, de ceux qui croient que les offenses de lit se règlent dans le sang. Mais il l'abandonnerait. Elle resterait à la rue. Ses économies lui suffiraient à peine pour survivre quelques mois, en rognant beaucoup les dépenses. Il ne lui serait pas si facile, maintenant, de retrouver une relation aussi commode que celle qu'elle avait avec le patron des Transports Narihualá. Elle avait été une idiote. Une imbécile. C'était sa faute. Elle avait toujours su que tôt ou tard elle le paierait cher. Elle était si démoralisée que le sommeil l'abandonna. Elle allait avoir une nouvelle nuit d'insomnie entrecoupée de cauchemars.

Elle dormit par petits bouts, intercalés avec des crises de panique. C'était une petite femme pratique, jamais elle n'avait perdu son temps à s'apitoyer sur elle-même ou à se lamenter de ses erreurs. Si elle regrettait une chose dans sa vie, c'était d'avoir cédé à l'insistance avec laquelle l'avait poursuivie, recherchée et séduite cet homme jeune qu'elle avait écouté sans soupçonner que c'était un fils de Felícito. Cela avait commencé deux ans et demi en arrière, quand, dans les rues, les boutiques, restaurants et cafétérias du centre de Piura, elle s'était rendu compte qu'elle croisait souvent sur son chemin ce garçon presque blanc, athlétique, beau gosse et bien habillé, qui lui lançait des petits regards en coin et des sourires coquets. Elle n'avait su qui il était que lorsque, après s'être fait beaucoup prier, avoir accepté des jus de fruits dans une pâtisserie ou une autre, être sortie dîner avec lui, allée danser une fois ou deux dans une discothèque au bord de la rivière, elle avait consenti à aller au lit avec lui dans une auberge de la Atarjea. Elle n'avait jamais été amoureuse de Miguel. Bon, Mabel ne s'amourachait de personne depuis qu'elle était gamine, peut-être parce que c'était son caractère, peut-être à cause de ce qui lui était arrivé avec son parâtre quand elle avait treize ans. Elle avait encaissé, petite, tant de désillusions avec ses premiers amoureux que, depuis, elle avait eu des aventures, certaines plus longues que d'autres, certaines très courtes, mais où son cœur ne participait jamais, seulement son corps et sa raison. Elle croyait que l'aventure avec Miguel serait comme ça, qu'après deux ou trois rencontres elle se terminerait quand elle le déciderait. Mais cette fois ça n'avait pas été le cas. Le garçon était tombé amoureux. Il s'accrocha à elle comme un crampon.

Mabel se rendit compte que cette relation était devenue un problème et voulut y mettre fin. Impossible. La seule fois où elle n'avait pu se débarrasser d'un amant. Un amant? Pas tout à fait, à vrai dire, parce que, comme il n'avait pas d'argent ou qu'il était radin, il lui faisait rarement de cadeaux, ne la sortait pas dans des endroits chics et l'avait même avertie qu'ils n'auraient jamais une relation sérieuse parce que lui n'était pas de ces hommes qui aiment se reproduire et avoir une famille. C'est-à-dire qu'elle ne l'intéressait que pour le lit.

Quand elle voulut forcer la rupture, il la menaça de tout déballer à son père. Dès cet instant même, elle avait su que cette histoire finirait mal et que c'est elle qui paierait les pots cassés.

— Collaboration efficace avec la justice — expliqua le capitaine Silva, en souriant avec enthousiasme —. Ça s'appelle comme ça dans le jargon juridique, Mabelita. Le mot clé n'est pas collaboration mais efficace. Ça veut dire que la collaboration doit être utile et porter des fruits. Si tu collabores de manière loyale et que ton aide nous permet de flanquer en taule les délinquants qui t'ont embarquée dans ce bourbier, tu coupes à la prison et même à un procès. Et à juste titre, parce que tu es toi aussi victime de ces bandits. Blanche comme neige, Mabelita! Imagine ce que ça veut dire!

Le capitaine tira sur sa cigarette et elle vit les petits nuages de fumée épaissir l'atmosphère déjà raréfiée du salon et se disperser peu à peu.

— Tu dois te demander quel genre de collaboration on veut de toi. Pourquoi tu ne le lui expliques pas, Lituma?

Le sergent acquiesça.

— D'abord, on veut vous voir continuer à dissimuler, madame — dit-il, très respectueux —. De la même façon que pendant tout ce temps vous avez dissimulé avec M. Yanaqué et avec nous. Tout pareil. Miguel il sait pas qu'on sait déjà tout, et vous, au lieu de le lui dire, vous continuerez à agir comme si cette conversation elle avait jamais eu lieu.

— C'est exactement ce que nous voulons que tu fasses — enchaîna le capitaine Silva —. Je vais être franc avec toi, en te donnant une preuve de confiance de plus. Ta collaboration peut nous être très utile. Pas pour pincer Miguel Yanaqué. Lui il est déjà archifoutu et ne peut pas faire un pas sans qu'on le sache. En revanche, on est dans le noir pour ses complices, on ne les connaît pas. Avec ton aide, on leur tendra un piège et on les enverra là où doivent être les mafieux, en prison et pas dans la rue, à rendre la vie difficile aux honnêtes gens. Tu nous rendrais un grand service. On saura le reconnaître, en te rétribuant par un autre grand service. Par ma bouche ce n'est pas seulement la police nationale qui parle. La justice aussi. Ma proposition a l'approbation du procureur. Comme tu l'entends, Mabelita. De Monsieur le Procureur, Me Hernando Símula ! Tu as tiré le gros lot avec moi, ma petite.

Dès lors, elle ne restait avec Miguel que pour que celui-ci ne mette pas à exécution sa menace de révéler leurs amours à Felícito, « même si le vieux rancunier il doit te coller une balle et m'en coller une autre à moi, cholita ». Elle savait les folies que peut faire un homme jaloux. Au fond de son cœur, elle espérait qu'il arriverait quelque chose, un accident, une maladie, n'importe quoi qui la tire de ce pétrin. Elle faisait son possible pour tenir

Miguel à distance, inventait des prétextes pour pas sortir avec lui ni lui faire plaisir. Mais, de temps en temps, elle ne pouvait faire autrement et, quoique dans son cas à contrecœur et la peur au ventre, ils allaient dîner dans des gargotes minables, danser dans des discothèques pouilleuses, coucher ensemble dans des petits hôtels où on louait les chambres à l'heure sur la route de Catacaos. Elle l'avait laissé très peu de fois venir la voir dans sa maisonnette de Castilla. Un après-midi, avec son amie Zoíla elles entrèrent au Chalán prendre le thé et Mabel se trouva nez à nez avec Miguel. Il était avec une petite jeune bien fringuée, tous deux très tourtereaux et la main dans la main. Elle vit le garçon se troubler, rougir et tourner la tête pour ne pas la saluer. Au lieu de jalousie, elle sentit du soulagement. Maintenant la rupture serait plus facile. Mais, la fois suivante où ils se virent, Miguel pleurnicha, lui demanda pardon, lui jura qu'il se repentait, Mabel était l'amour de sa vie, et cetera. Et elle, idiote, elle lui pardonna.

Ce matin-là, presque sans avoir fermé l'œil, comme ça lui arrivait dernièrement, Mabel se sentait démoralisée, saturée de surveillance. Elle avait aussi de la peine pour le p'tit vieux. Elle n'aurait pas voulu lui faire de mal. Jamais elle ne se serait mise avec Miguel si elle avait su que c'était son fils. Comme c'était bizarre qu'il ait fait un fils si blanc et si beau gosse ! Ce n'était pas le type d'homme dont une femme s'amourache, mais par contre il avait les qualités qui font qu'une femme prend un homme en affection. Elle s'était habituée à lui. Elle ne le voyait pas comme un amant, plutôt comme un ami de confiance. Elle se sentait en sécurité avec lui, il lui faisait penser que, en l'ayant à côté, il la tirerait de n'importe quel problème. C'était une personne honnête, aux bons sentiments, un de ces hommes sur qui on peut compter. Elle regretterait beaucoup de l'attrister, de le blesser, de l'offenser. Parce qu'il souffrirait tellement quand il saurait qu'elle avait couché avec Miguel.

Vers midi, quand on frappa à la porte, elle eut l'impression que la menace qu'elle pressentait depuis la nuit précédente allait se matérialiser. Elle alla ouvrir et se trouva face au capitaine Silva et au sergent Lituma sur le seuil. Mon Dieu, mon Dieu, qu'allait-il arriver ?

— Tu connais maintenant le marché, Mabelita — dit le capitaine Silva. Comme se rappelant quelque chose, il regarda sa montre et se leva —. Tu n'as pas à me répondre tout de suite, bien entendu. Je te donne jusqu'à demain, à cette même heure. Réfléchis. Si cet écervelé de Miguel venait te faire une autre visite, ne lui raconte surtout pas notre conversation. Parce que ça voudrait dire que tu as pris parti pour les mafieux, contre nous. Une circonstance aggravante dans ton dossier, Mabelita. Pas vrai, Lituma ?

Au moment où le capitaine et le sergent se dirigeaient vers la porte, elle leur demanda :

— Est-ce que Felícito sait que vous êtes venus me faire cette proposition ?

— M. Yanaqué ne sait rien de ça et moins encore que le maître chanteur à la petite araignée est son fils Miguel et que tu es sa complice — répondit le capitaine —. Quand il le saura, il en tombera dans les pommes. Mais la vie est comme ça, tu le sais mieux que personne. Quand on joue avec le feu, on se brûle. Pense à notre proposition, pèse le pour et le contre et tu verras qu'elle te convient. On se voit demain, Mabelita.

Quand les policiers s'en allèrent, elle ferma la porte et appuya son dos contre le mur. Son cœur battait très fort. « Je suis fichue. Je suis fichue. T'es fichue, Mabel. » En s'appuyant au mur, elle se traîna jusqu'au salon — ses jambes tremblaient, elle avait toujours une irrésistible envie de dormir — et se laissa tomber dans le premier fauteuil venu. Elle ferma les yeux et à l'instant s'endormit ou s'évanouit. Elle eut un cauchemar qu'elle avait déjà fait d'autres fois. Elle tombait dans des sables mouvants et s'enfonçait dans cette surface terreuse où elle avait déjà les deux jambes autour desquelles s'enroulaient des filaments visqueux. En faisant un grand effort elle pouvait avancer vers la rive la plus proche, mais ce n'était pas le salut, loin de là, parce que, ramassée sur elle-même, l'attendant, il y avait une bête féroce velue, un dragon de cinéma, avec des crocs pointus et des yeux lancinants qui ne cessaient de la scruter, l'attendant.

Quand elle se réveilla, elle avait mal à la nuque, à la tête et au dos et elle était trempée de sueur. Elle alla à la cuisine et but un verre d'eau à petites gorgées. « Tu dois te calmer. Garder la tête froide. Tu dois réfléchir avec calme à ce que tu vas faire. » Elle alla s'allonger sur son lit, en enlevant seulement ses souliers. Elle n'avait pas envie de réfléchir. Elle aurait voulu prendre une auto, un bus, un avion, partir le plus loin possible de Piura, dans une ville où personne ne la connaîtrait. Commencer une nouvelle vie en repartant de zéro. Mais c'était impossible, où qu'elle aille la police la retrouverait et la fuite aggraverait sa faute. Elle n'était pas une victime elle aussi ? Le capitaine l'avait dit et c'était la pure vérité. Est-ce que par hasard c'est elle qui avait eu l'idée ? Pas du tout. Au contraire elle avait discuté avec cet imbécile de Miguel quand elle avait su ce qu'il avait derrière la tête. Elle n'avait accepté de se prêter à la farce du kidnapping que lorsqu'il l'avait menacée — une fois de plus — de faire savoir leur amourette au p'tit vieux : « Il te jettera comme une chienne, cholita. Et de quoi tu vas vivre aussi bien que tu vis maintenant ? »

Il l'avait forcée et elle n'avait aucune raison d'être loyale avec un tel fils de pute. Peut-être la seule chose qui lui restait c'était de collaborer avec la police et le procureur. Elle n'aurait pas la vie facile, bien sûr. Il y aurait vengeance, elle deviendrait une cible, ils lui colleraient une balle ou un coup de poignard. Qu'est-ce qui était préférable ? Ça ou la prison ?

Tout le reste de la journée et de la soirée elle resta sans sortir de chez elle, dévorée par les doutes. Sa tête était un embrouillamini. La seule chose claire c'était qu'elle était fichue et qu'elle continuerait à l'être à cause de l'erreur qu'elle avait commise en se mettant avec Miguel et en consentant à cette comédie.

Elle ne mangea rien le soir, et pourtant elle s'était préparé un sandwich au jambon et au fromage ; mais elle ne le goûta même pas. Elle se coucha en pensant que le lendemain les deux policiers reviendraient lui demander quelle était sa réponse. Elle passa la nuit entière à rouler des pensées dans sa tête, en changeant de plans encore et encore. Par moments elle était terrassée par le sommeil mais, dès qu'elle s'endormait, elle se réveillait en sursaut, effrayée. Au moment où les premiers rayons du jour nouveau envahirent la maisonnette de Castilla, elle sentit qu'elle se calmait. Elle commençait à y voir clair. Peu après, elle avait enfin pris une décision.

XIV

Ce mardi de l'hiver liménien que don Rigoberto et doña Lucrecia devaient considérer comme le pire jour de leur vie allait paradoxalement se lever sur un ciel dégagé et une promesse de soleil. Après deux semaines de brouillard persistant, d'humidité et d'une petite pluie intermittente qui mouillait à peine mais s'infiltrait jusqu'aux os, pareil réveil semblait de bon augure.

Le rendez-vous chez le juge d'instruction était à dix heures du matin. Me Claudio Arnillas, avec ses immanquables bretelles aux couleurs criardes et sa démarche minaudière, vint chercher Rigoberto à neuf heures comme convenu. Ce dernier croyait que la nouvelle citation en justice serait, comme les fois précédentes, pure perte de temps, sottes questions sur ses fonctions et compétences comme gérant de la compagnie d'assurances auxquelles il répondrait par les réponses évidentes qui s'imposeraient et des sottises équivalentes. Mais cette fois il se heurta à un harcèlement judiciaire d'un degré supérieur de la part des jumeaux ; non contents d'avoir paralysé son dossier de retraite sous prétexte d'examiner ses responsabilités et ses rentrées pendant ses années de service dans l'entreprise, ils avaient mis en œuvre contre lui une nouvelle action judiciaire sur une prétendue fraude au préjudice de la compagnie d'assurances dont il se serait rendu coupable comme bénéficiaire et complice.

Don Rigoberto se rappelait à peine l'épisode, qui s'était produit trois ans plus tôt. Le client, un Mexicain établi à Lima, propriétaire d'une ferme et d'une usine de produits lactés dans la vallée de Chillón, avait été victime d'un incendie ayant ravagé sa propriété. Après l'expertise policière et l'arrêt du juge, il avait été indemnisé des pertes subies conformément à l'assurance qu'il avait souscrite. Quand, dénoncé par un associé, il fut accusé d'avoir été lui-même l'auteur de l'incendie afin de toucher frauduleusement l'assurance, le personnage avait quitté le pays sans laisser trace de son nouveau point de chute et la compagnie ne put recouvrer ses pertes. Maintenant, les jumeaux disaient avoir des preuves que Rigoberto, gérant de l'entreprise, s'était comporté de façon négligente et suspecte dans toute cette affaire. Les preuves étaient constituées par le témoignage d'un ancien employé de la compagnie, licencié pour incompétence, qui assurait pouvoir démontrer que le gérant avait agi de connivence avec l'escroc. C'était là un imbroglio insensé et Me Arnillas, qui avait déjà entamé une contre-attaque judiciaire à l'encontre des jumeaux et de leur faux témoin pour diffamation et calomnie, l'avait assuré que cette plainte s'effondrerait comme un château de sable ; Miki et Escobita auraient à payer des réparations pour offense à son honneur, faux témoignage et tentative de détournement des lois.

Cette affaire leur prit toute la matinée. Le petit bureau

étroit, à la chaleur étouffante et envahi de mouches, avait en outre les murs surchargés d'inscriptions et de papiers punaisés. Assis sur une petite chaise chétive où tenait à peine la moitié de ses fesses et, pour comble, branlante, Rigoberto passa son temps à faire de l'équilibre pour éviter de tomber par terre, tout en répondant aux questions du juge, si arbitraires et si absurdes qu'elles n'avaient, se disait-il, d'autre objet que de le déstabiliser et de lui faire perdre sa bonne humeur, sa patience et son temps. Les fils d'Ismael lui avaient-ils graissé la patte, à lui aussi ? Ces deux crapules multipliaient chaque jour les contretemps pour le forcer à témoigner que leur père n'avait pas toute sa tête quand il s'était marié avec sa servante. Sa retraite bloquée et ça maintenant. Les jumeaux savaient très bien que cette accusation pourrait se retourner contre eux. Pourquoi la soutenaient-ils ? Seulement par haine aveugle, un obtus désir de vengeance pour avoir été complice de ce mariage ? Un transfert freudien, peut-être. Ils étaient hors d'eux et s'acharnaient contre lui parce qu'ils ne pouvaient rien faire à Ismael et à Armida, qui se donnaient du bon temps là-bas en Europe. Ils se trompaient. Ils ne le feraient pas céder. Rirait bien qui rirait le dernier dans cette guéguerre qu'ils lui avaient déclarée.

Le juge était un petit homme malingre, pauvrement vêtu ; il parlait sans regarder son interlocuteur dans les yeux, d'une voix si basse et si indécise que don Rigoberto était de plus en plus contrarié. Est-ce que cet interrogatoire était enregistré ? Apparemment non. Il y avait un secrétaire coincé entre le juge et le mur, la tête plongée dans un énorme dossier, mais l'on ne voyait aucun magnétophone. Le magistrat, pour sa part, ne disposait que d'un petit carnet où, par moments, il prenait une note si rapide qu'elle ne pouvait même pas être une synthèse succincte de sa déclaration. Si bien que tout cet interrogatoire était une farce qui n'avait d'autre but que de lui empoisonner l'existence. Il était si irrité qu'il dut prendre sur lui pour se prêter à cette ridicule pantomime et ne pas exploser de colère. En partant, Me Arnillas lui dit qu'il devait plutôt se réjouir : en menant cet interrogatoire avec un air aussi dégoûté le juge d'instruction avait montré à l'évidence qu'il ne prenait pas au sérieux l'accusation des hyènes. Il la déclarerait nulle et non avenue, c'était plus que sûr.

Rigoberto arriva chez lui fatigué, de mauvaise humeur et sans envie de déjeuner. Il lui suffit de voir le visage décomposé de doña Lucrecia pour pressentir quelque autre mauvaise nouvelle.

— Que se passe-t-il — demanda-t-il, tout en enlevant sa veste pour la ranger dans la penderie de sa chambre. Comme sa femme tardait à répondre il se tourna vers elle.

— Quelle est la mauvaise nouvelle, mon amour ?

Le visage altéré et la voix tremblante, doña Lucrecia murmura :

— Edilberto Torres, tiens — laissa-t-elle échapper plaintivement et elle ajouta — : Il lui est apparu dans un taxi collectif. Une fois de plus, Rigoberto. Mon Dieu, une fois de plus !

— Où ça ? Quand ça ?

— Dans le taxi collectif Lima-Chorrillos, belle-maman — avait raconté Fonfon, bien tranquillement, en la priant des yeux de ne pas accorder d'importance à la chose —. Je suis monté avenue de la República, près de la place Grau. À l'arrêt suivant, au Zanjón, c'est lui qui est monté.

— Lui ? Le même homme ? Lui ? — s'était-elle écriée, en approchant son visage, le scrutant —. Tu es sûr de ce que tu me dis, Fonfon ?

— Bonjour, mon jeune ami — l'avait salué M. Edilberto Torres, en lui faisant une de ses courbettes habituelles —. Quel hasard, vois un peu où nous finissons par nous rencontrer ! Heureux de te voir, Fonfon.

— Il portait un costume gris, une cravate et son pull grenat — avait expliqué le garçon —. Très bien peigné et rasé, très aimable. Bien sûr que c'était lui, belle-maman. Et cette fois, par chance, il n'a pas pleuré.

— Depuis la dernière fois qu'on s'est vus, il me semble que tu as un peu grandi — avait affirmé Edilberto Torres, en l'examinant de pied en cap —. Pas seulement physiquement. Maintenant tu as un regard plus serein, plus assuré. Un regard presque d'adulte, Fonfon.

— Mon père m'a interdit de parler avec vous, monsieur. Je regrette, mais je dois l'écouter.

— T'a-t-il dit pourquoi il ne voulait pas ? — avait demandé M. Torres, sans se troubler le moins du monde. Il l'observait avec curiosité, en souriant légèrement.

— Papa et belle-maman croient que vous êtes le diable, monsieur.

Edilberto Torres n'avait pas semblé très surpris, mais le chauffeur du taxi si. Il avait donné un léger coup de frein et tourné la tête pour voir les deux passagers de la banquette arrière. En voyant leur visage il avait été rassuré. M. Torres avait souri encore davantage, mais sans éclater de rire. Il avait acquiescé, en le prenant à la blague.

— Par les temps qui courent, tout est possible — avait-il commenté, avec sa parfaite diction de présentateur, en haussant les épaules —. Même que le diable se promène en liberté dans les rues de Lima et se déplace en taxi collectif. À propos du diable, j'ai appris que tu as fait bon ménage avec le père O'Donovan, Fonfon. Oui, celui qui est à la tête d'une paroisse à Bajo el Puente, c'est bien de lui qu'il s'agit. Est-ce que tu t'entends bien avec lui ?

— Il se moquait de toi, tu ne l'as pas remarqué, Lucrecia ? — affirma don Rigoberto —. C'est évidemment une blague qu'il lui soit à nouveau apparu dans ce taxi collectif. Et il est encore plus impossible qu'il ait mentionné Pepín. Il se moquait de toi, tout bonnement. Il s'est moqué de nous depuis le début de l'histoire, voilà la vérité.

— Tu ne dirais pas ça si tu avais vu la tête qu'il faisait, Rigoberto. Je crois que je le connais assez pour savoir quand il ment et quand il dit la vérité.

— Vous connaissez le père O'Donovan, monsieur ?

— Je vais certains dimanches entendre sa messe, bien que sa paroisse soit assez loin de l'endroit où je vis — lui avait répondu Edilberto Torres —. Je fais toute cette trotte parce que j'aime ses sermons. Ils sont ceux d'un homme cultivé, intelligent, qui parle pour tout le monde, pas seulement pour les croyants. Tu n'as pas eu cette impression quand tu t'es entretenu avec lui ?

— Je n'ai jamais entendu ses sermons — avait précisé Fonfon —. Mais oui, il m'a semblé très intelligent. Avec une expérience de la vie et surtout de la religion.

— Tu devrais l'entendre quand il parle en chaire — lui avait conseillé Edilberto Torres —. Surtout maintenant que tu t'intéresses aux choses spirituelles. Il est éloquent, élégant et ses paroles sont pleines de sagesse. Il doit être l'un des derniers bons orateurs de l'Église. Parce que l'éloquence sacrée, si importante par le passé, est entrée en décadence depuis bien longtemps.

— Mais, monsieur, lui ne vous connaît pas — s'était enhardi à dire Fonfon —. J'ai parlé de vous au père O'Donovan et il ne savait même pas qui vous étiez.

— Pour lui je ne suis rien d'autre qu'un visage de plus parmi les fidèles de l'église — avait répondu sans se troubler Edilberto Torres —. Un visage perdu parmi bien d'autres. C'est une bonne chose que tu t'intéresses maintenant à la religion, Fonfon. J'ai entendu dire que tu fais partie d'un groupe qui se réunit une fois par semaine pour lire la Bible. Cela t'amuse de le faire ?

— Tu me mens, mon petit cœur — l'avait tendrement grondé Mme Lucrecia, en essayant de cacher sa surprise —. Il n'a pas pu te dire cela. Il est impossible que M. Torres soit au courant du groupe d'étude.

— Il savait même que la semaine dernière nous avons achevé la lecture de la Genèse et commencé l'Exode — maintenant, le garçon avait un air très préoccupé. Lui aussi semblait consterné —. Il connaissait même ce détail, je te jure. Cela m'a tellement surpris, belle-maman, que je le lui ai dit.

— Il n'y a pas lieu d'être surpris, Fonfon — lui avait dit en souriant Edilberto Torres —. Je t'apprécie beaucoup et cela m'intéresse de savoir comment tu vas, au collège, dans ta famille et dans la vie. C'est pourquoi je tâche de m'enquérir de ce que tu fais et de qui tu fréquentes. C'est une manifestation de tendresse envers toi, rien d'autre. Il ne faut pas chercher midi à quatorze heures, tu connais ce proverbe ?

— Il va m'entendre quand il rentrera du collège — dit don Rigoberto, soudain furieux —. Fonfon ne peut pas continuer à se jouer de nous comme ça. J'en ai assez qu'il veuille nous faire avaler un tel tissu de balivernes.

De mauvaise humeur, il alla dans la salle de bains et se lava le visage à l'eau froide. Il sentait quelque chose d'inquiétant, pressentait de nouvelles contrariétés. Il n'avait jamais cru que le destin soit écrit, que la vie puisse être un scénario que les êtres humains interprétaient sans le savoir, mais, depuis le funeste mariage d'Ismael et les prétendues apparitions d'Edilberto Torres dans la vie de Fonfon, il avait l'impression d'avoir détecté un soupçon de prédestination dans sa vie. Ses jours pouvaient-ils être une séquence préétablie par un pouvoir surnaturel comme le croyaient les calvinistes ? Et, le pire, ce malheureux mardi, les maux de tête de la famille ne faisaient que commencer.

Ils s'étaient assis à table. Rigoberto et Lucrecia restaient muets, avec des têtes d'enterrement, piochant d'un air dégoûté dans leur assiette de crudités, sans aucun appétit. Sur ce, Justiniana surgit dans la salle à manger sans crier gare :

— On vous demande au téléphone, monsieur — dit-elle, tout excitée, le regard étincelant, comme dans les grandes occasions —. M. Ismael Carrera, en personne !

Rigoberto se leva d'un bond. Trébuchant à moitié, il alla prendre la communication dans son bureau.

— Ismael ? — demanda-t-il, angoissé —. C'est toi, Ismael ? D'où m'appelles-tu ?

— D'ici, de Lima, d'où veux-tu que ce soit ? — lui répondit son ex-chef et ami sur le même ton désinvolte et jovial que lors de son appel précédent —. Nous sommes rentrés hier soir, Rigoberto, et impatients de vous voir. Mais comme nous avons tellement de choses à nous dire, toi et moi, pourquoi ne pas nous retrouver tous les deux seuls immédiatement... As-tu déjeuné ?... Bon, alors viens prendre le café avec moi... Oui, maintenant, je t'attends ici chez moi.

— J'arrive tout de suite — dit Rigoberto, comme un automate. « Quelle journée, quelle journée ! »

Et, sans prendre une bouchée de plus, il partit en trombe, promettant à Lucrecia de rentrer aussitôt après sa conversation avec Ismael pour la lui raconter. L'arrivée de son ami, source de tous les conflits avec les jumeaux dans lesquels il était empêtré, lui fit oublier son entretien avec le juge d'instruction et la réapparition d'Edilberto Torres dans le taxi collectif Lima-Chorrillos.

Ainsi, le vieux croulant et sa pimpante épouse étaient enfin rentrés de leur lune de miel. Avait-il été vraiment informé, au jour le jour, par Claudio Arnillas de tous les problèmes causés par la traque des hyènes ? Il parlerait avec lui franchement ; il lui dirait que ça suffisait comme ça, que depuis qu'il avait accepté d'être son témoin sa vie était devenue un cauchemar judiciaire et policier, qu'il devait faire quelque chose tout de suite pour couper court au harcèlement de Miki et Escobita.

Mais, lorsqu'il arriva à la bâtisse néocoloniale de San Isidro à moitié écrasée par les immeubles alentour, Ismael et Armida l'accueillirent avec tant de démonstrations d'amitié que l'intention qu'il avait de parler haut et clair retomba. Il s'émerveilla de voir le couple aussi tranquille, content et élégant. Ismael était en tenue de sport, un foulard de soie autour du cou et des mocassins qui devaient être comme des gants pour ses pieds ; sa veste de cuir était assortie à sa chemise au col ouvert d'où émergeait son visage souriant, tout frais rasé et fleurant bon une délicate odeur d'anis. Plus extraordinaire encore était la transformation d'Armida. Qui semblait juste sortie des mains de coiffeuses, maquilleuses et manucures expertes. Ses cheveux anciennement noirs étaient maintenant châtains et une ondulation gracieuse avait remplacé ses mèches raides. Elle portait un ensemble léger en imprimé à fleurs, avec un châle lilas sur les épaules et des escarpins à talons mi-hauts de même couleur. Tout en elle, les mains soignées, les ongles vernis rouge pâle, les boucles d'oreilles, la chaînette en or, la broche sur sa poitrine et même ses manières désinvoltes — elle avait salué Rigoberto en approchant sa joue pour qu'il l'embrasse —, était d'une dame qui aurait passé sa vie au milieu de gens bien élevés, riches et mondains, soucieuse de son corps et de sa toilette. À première vue, il n'y avait pas trace chez elle de l'ancienne employée de maison. Aurait-elle consacré ces mois de lune de miel en Europe à prendre des leçons de bonnes manières ?

Sitôt finies les salutations, ils le firent passer au salon jouxtant la salle à manger. On apercevait par la large fenêtre le jardin plein de crocus, bougainvillées, géraniums et daturas. Rigoberto remarqua que, près de la table basse où étaient disposés les tasses, la cafetière et un plateau avec des biscuits et des gâteaux, se trouvaient plusieurs paquets, de grands et petits cartons joliment enveloppés de papiers et rubans fantaisie. Étaient-ce des cadeaux ? Oui. Ismael et Armida les avaient rapportés pour Rigoberto, Lucrecia, Fonfon et même Justiniana en remerciement de l'affection dont ils avaient fait preuve envers les jeunes mariés : des chemises et un pyjama de soie pour Rigoberto, des chemisiers et des châles pour Lucrecia, une tenue de sport et des tennis pour Fonfon, un tablier et des sandales pour Justiniana, sans parler des ceintures et ceinturons, boutons de manchette, agendas, carnets faits à la main, gravures, chocolats, livres d'art et un dessin galant à accrocher dans la salle de bains ou dans l'intimité du foyer.

Ils avaient l'air rajeunis, sûrs d'eux-mêmes, heureux et si souverainement sereins que Rigoberto se sentit contaminé par la tranquillité et la bonne humeur des nouveaux mariés. Ismael devait se sentir très sûr de ce qu'il faisait, parfaitement à l'abri des machinations de ses fils. Tout comme il l'avait prédit lors de ce déjeuner à la Rosa Náutica, il dépensait sans doute plus qu'eux à défaire leurs conspirations. Il devait tout contrôler. Encore heureux. De quoi, alors, lui s'inquiétait-il ? Avec Ismael à Lima, tout le pataquès monté par les hyènes allait se terminer. Peut-être par une réconciliation si son ex-chef se résignait à lâcher un peu plus de fric à ces deux têtes brûlées. Tous les pièges qui l'accablaient se déferaient en quelques jours et il retrouverait sa vie secrète, son espace civilisé. « Ma souveraineté et ma liberté », pensa-t-il.

Après avoir pris le café, Rigoberto écouta quelques anecdotes de leur voyage de noces en Italie. Armida, dont il se rappelait à peine avoir entendu la voix précédemment, avait recouvré le don de la parole. Elle s'exprimait avec aisance, moins de fautes de syntaxe et une excellente humeur. Au bout d'un moment, elle se retira « pour que ces deux messieurs parlent de leurs affaires importantes ». Elle expliqua qu'elle n'avait jamais de sa vie fait la sieste, mais que, maintenant, Ismael lui avait appris à s'allonger une quinzaine de minutes les yeux fermés après le déjeuner et qu'en effet l'après-midi elle se sentait très bien grâce à ce petit repos.

— Sois sans aucun souci, cher Rigoberto — lui dit Ismael en lui tapotant le bras, dès qu'ils furent seuls —. Une autre tasse de café ? Un verre de cognac ?

— Je suis ravi de te voir si content et si pimpant, Ismael — Rigoberto refusa de la tête —. Je suis ravi de vous voir si bien tous les deux. Vraiment, Armida et toi vous êtes radieux. Preuve flagrante que votre mariage a le vent en poupe. J'en suis très heureux, bien sûr. Mais, mais…

— Mais ces deux démons t'ont fait faire des cheveux blancs, je le sais très bien — acheva Ismael Carrera, en le tapotant à nouveau et sans cesser de sourire, à lui et à la vie —. Ne te tracasse pas, Rigoberto, crois-moi. Maintenant que je suis ici, je m'occuperai de tout. Je sais comment affronter ces problèmes et les résoudre. Je te demande mille fois pardon pour tous les tracas que t'a occasionnés ta générosité envers moi. Demain, je vais travailler toute la journée sur cette affaire avec Claudio Arnillas et les autres avocats de son cabinet. Je te soulagerai des procès et des problèmes, je te le promets. Maintenant, assieds-toi et écoute. J'ai des nouvelles à te donner et qui te concernent. Nous prenons ce petit cognac, mon vieux ?

Il s'empressa lui-même de remplir les deux verres. Il leva le sien. Ils trinquèrent et se mouillèrent les lèvres et la langue avec la boisson qui brillait de reflets vermeils au fond du cristal et avait un arôme qui rappelait le fût de chêne. Rigoberto remarqua qu'Ismael l'observait avec un sourire coquin, espiègle, moqueur, qui animait ses petits yeux ridés. Avait-il fait réparer son dentier lors de sa lune de miel ? Avant il branlait, alors que maintenant il semblait très ferme sur ses gencives.

— J'ai vendu toutes mes actions de la compagnie à Assicurazioni Generali, Rigoberto, la meilleure et la plus grande compagnie d'assurances d'Italie ! — s'écria-t-il, en écartant les bras et en éclatant de rire —. Tu la connais parfaitement, n'est-ce pas ? Nous avons souvent travaillé avec elle. Le siège social est à Trieste mais elle se trouve dans le monde entier. Il y a longtemps qu'elle voulait pénétrer le marché péruvien et j'ai profité de l'occasion. Une excellente affaire. Tu vois, ma lune de miel n'a pas été seulement un voyage de plaisir. D'affaires aussi.

Il battait des mains, amusé et heureux comme un enfant qui ouvre ses cadeaux de Noël. Don Rigoberto n'arrivait pas à réaliser. Il se rappela vaguement avoir lu, voilà quelques semaines, dans *The Economist*, qu'Assicurazioni Generali avait des plans expansionnistes en Amérique du Sud.

— Tu as vendu la compagnie fondée par ton père, où tu as travaillé toute ta vie ? — demanda-t-il enfin, déconcerté —. À une multinationale italienne ? Depuis quand négociais-tu l'affaire avec elle, Ismael ?

— Depuis six mois à peine — expliqua son ami en berçant lentement son verre de cognac —. Ça a été une négociation rapide, sans complications. Et très bonne, je te le répète. J'ai fait une excellente affaire. Mets-toi à l'aise et écoute. Pour des raisons évidentes, avant qu'il sont ficelé, ce projet devait rester confidentiel. C'est la raison de l'audit que j'ai autorisé à cette firme italienne et qui avait tant attiré ton attention l'année dernière. Maintenant, tu sais enfin ce qu'il y avait derrière cela : ils voulaient examiner à la loupe l'état de l'entreprise. Ce n'est pas moi qui l'ai demandé ni payé mais Assicurazioni

Generali. Comme la cession est consommée, je peux maintenant tout te raconter.

Ismael Carrera parla près d'une heure sans que Rigoberto l'interrompe, sauf quelques rares fois, pour lui demander des explications. Il écoutait son ami, baba de sa mémoire, car il développait devant lui, sans la moindre hésitation, comme les couches d'un palimpseste, les incidences de ces mois de propositions et de contre-propositions. Il était stupéfait. Il lui semblait incroyable qu'une négociation aussi délicate ait pu être menée à bien avec une telle discrétion que pas même lui, gérant général de la compagnie, n'en avait eu vent. Les rencontres des négociateurs avaient eu lieu à Lima, Trieste, New York et Milan ; les avocats, les actionnaires principaux, les fondés de pouvoir, les conseillers et les banquiers de plusieurs pays y avaient pris part, mais à l'insu de pratiquement tous les employés péruviens d'Ismael Carrera, et, bien entendu, de Miki et d'Escobita. Ceux-ci, qui avaient reçu par avance leur héritage quand don Ismael les avait mis à la porte de l'entreprise, avaient déjà vendu une bonne partie de leurs actions et c'était seulement maintenant que Rigoberto apprenait que celui qui les avait achetées, à travers des prête-noms, était Ismael lui-même. Les hyènes conservaient encore un petit paquet d'actions et auraient désormais des parts minoritaires (en réalité, infimes) dans la filiale péruvienne d'Assicurazioni Generali. Comment réagiraient-ils ? Dédaigneux, Ismael haussa les épaules : « Mal, bien sûr. Et alors ? » Ils pouvaient bien gueuler. La vente avait été faite en respectant toutes les formalités nationales et étrangères. Les organismes administratifs d'Italie, du Pérou et des États-Unis avaient donné leur accord à la transaction. Ils avaient acquitté les taxes correspondantes au centavo près. L'affaire avait reçu les saints sacrements.

— Qu'en dis-tu, Rigoberto ? — conclut son exposé Ismael Carrera. Il écarta à nouveau les bras comme un comédien qui salue le public et attend les applaudissements —. Est-ce que je suis toujours ou non un bon homme d'affaires ?

Rigoberto acquiesça. Il était désorienté, ne savait que penser. Son ami le regardait, souriant et satisfait de lui-même.

— À vrai dire tu ne cesses de m'émerveiller, Ismael — dit-il enfin —. Tu vis une seconde jeunesse, je le vois bien. C'est Armida qui t'a ressuscité ? Je n'arrive pas encore à réaliser que tu te sois défait avec une telle facilité de l'entreprise créée par ton père et où tu as mis tant de sueur, de sang et de larmes au long d'un demi-siècle. Tu vas trouver ça absurde mais je me sens triste, comme si j'avais perdu quelque chose à moi. Et toi, tu es gai comme un pinson !

— Cela n'a pas été si facile — le corrigea Ismael, en redevenant sérieux —. J'ai beaucoup hésité, au début. J'étais triste, aussi. Mais telles que se présentaient les choses, c'était la seule solution. Si j'avais eu d'autres héritiers, bah ! pourquoi parler de choses qui font de la peine ? Nous savons très bien, toi et moi, ce qui se passerait si mes fils héritaient de la compagnie. Ils la couleraient en moins de deux. Et, dans le meilleur des cas, ils la braderaient. Aux mains des Italiens elle continuera à exister et à prospérer. Tu pourras toucher ta retraite sans aucune réserve et avec une prime, en plus, mon vieux. Tout est réglé.

Rigoberto lut de la mélancolie dans le sourire de son ami. Ismael soupira et une ombre traversa son regard.

— Que vas-tu faire de tout cet argent, Ismael ?

— Passer mes dernières années tranquille et heureux — répliqua-t-il aussitôt —. J'espère, aussi, en bonne santé. En jouissant un peu de la vie, aux côtés de ma femme. Mieux vaut tard que jamais, Rigoberto. Tu sais mieux que personne que, jusqu'à présent, je n'ai vécu que pour le travail.

— Une bonne philosophie, l'hédonisme, Ismael — acquiesça Rigoberto —. C'est la mienne, par ailleurs. Je n'ai pu jusqu'à présent l'appliquer qu'à moitié dans ma vie. Mais j'espère t'imiter, quand les jumeaux me laisseront en paix et que Lucrecia et moi pourrons faire ce voyage en Europe que nous avions projeté. Elle a été très déçue quand nous avons dû annuler nos plans à cause des actions en justice de tes fils.

— Demain je m'occupe de ça, je te l'ai déjà dit. C'est le premier point de mon agenda, Rigoberto — assura Ismael, en se levant —. Je t'appellerai après la réunion au cabinet d'Arnillas. Et on essaiera de fixer un jour pour déjeuner ou dîner ensemble, avec Armida et Lucrecia.

Tandis qu'il retournait chez lui, appuyé sur le volant de son auto, toutes sortes d'idées bouillonnaient comme les eaux d'une fontaine dans la tête de don Rigoberto. Combien d'argent Ismael avait-il dû tirer de cette vente de ses actions ? Beaucoup de millions. Une fortune, en tout cas. Malgré le fonctionnement médiocre de la compagnie ces derniers temps, c'était une institution solide, avec un magnifique portefeuille et une réputation de premier ordre au Pérou et à l'étranger. Certes, un octogénaire comme Ismael n'avait plus le goût des responsabilités d'entreprise. Il avait dû placer son capital dans des investissements sûrs, des bons du Trésor, des fonds de pension, des fondations dans les paradis fiscaux les plus réputés, Liechtenstein, Guernesey ou Jersey. Ou, peut-être, Singapour ou Dubai. Les intérêts seuls leur permettraient, à Armida et à lui, de vivre comme des rois dans n'importe quelle partie du monde. Qu'allaient faire les jumeaux ? En découdre avec les nouveaux propriétaires ? Ils étaient si bêtes que cela ne pouvait être écarté. Ils seraient écrasés comme des cafards. Et à la bonne heure. Non, ils essaieraient probablement de grappiller un peu de l'argent de la vente. Ismael devait le tenir déjà en lieu sûr. Sans doute se résigneraient-ils si leur père fléchissait et leur jetait quelques miettes, pour qu'ils cessent de faire chier. Tout s'arrangerait, alors. Et le plus tôt possible serait le mieux. Ainsi pourrait-il, lui, réaliser enfin ses plans d'une retraite heureuse, riche de plaisirs matériels, intellectuels et artistiques.

Mais, dans son for intérieur, il n'arrivait pas à se convaincre que tout irait si bien pour Ismael. Il ne pouvait s'empêcher de soupçonner qu'au lieu de s'arranger, les choses se compliqueraient encore davantage et que, au lieu d'échapper à l'écheveau policier et judiciaire où Miki et Escobita le tenaient prisonnier, il s'y trouverait encore plus coincé, jusqu'à la fin de ses jours. Ou ce pessimisme était-il dû à la brusque réapparition d'Edilberto Torres dans la vie de Fonfon ?

Dès qu'il arriva chez lui, à Barranco, il fit à sa femme un compte rendu détaillé des derniers événements. Elle ne devait pas s'inquiéter de la vente de la compagnie d'assurances à une firme italienne, parce que, en ce qui les concernait, ce transfert aiderait probablement à résoudre

307

les problèmes, si Ismael, en accord avec les nouveaux propriétaires, calmait les jumeaux par un peu d'argent afin qu'ils les laissent en paix. Ce qui impressionna le plus Lucrecia c'est qu'Armida soit rentrée de son voyage de noces transformée en une dame élégante, affable et mondaine. «Je vais l'appeler pour lui souhaiter la bienvenue et organiser ce déjeuner ou petit dîner au plus vite, mon amour. Je meurs d'envie de voir la dame convenable qu'elle est devenue. »

Rigoberto s'enferma dans son bureau et consulta sur son ordinateur ce qu'il y avait sur Assicurazioni Generali S.p.A. En effet, la plus grande compagnie d'assurances d'Italie. Lui-même avait été en contact avec elle et ses filiales en plusieurs occasions. Elle s'était beaucoup étendue ces dernières années en Europe de l'Est, au Moyen-Orient et en Extrême-Orient, et, dans une moindre mesure, en Amérique latine, où elle centralisait ses opérations à Panamá. Pour elle c'était une bonne occasion de pénétrer le marché sud-américain en utilisant le Pérou comme tremplin. Le pays allait bien, les lois étaient stables et les investissements en hausse.

Il était plongé dans cette recherche quand il entendit Fonfon rentrer du collège. Il ferma son ordinateur et attendit avec impatience que son fils vienne le saluer. Quand le petit entra dans son bureau et s'approcha pour l'embrasser, avec encore son sac à dos du collège Markham, Rigoberto décida d'aborder la question aussitôt.

— Voilà donc qu'Edilberto Torres a fait sa réapparition — lui dit-il, préoccupé —. J'ai cru, Fonfon, que nous en étions délivrés pour toujours.

— Moi aussi, papa — répondit son fils avec une désarmante sincérité. Il enleva son sac, le plaça par terre et s'assit devant le bureau de son père —. Nous avons eu une conversation très brève. Belle-maman ne t'a pas raconté ? Le temps pour le taxi collectif d'arriver à Miraflores. Lui est descendu à la Diagonal, près du parc. Elle ne t'a pas raconté ?

— Bien sûr qu'elle m'a raconté, mais j'aimerais que tu me le racontes toi aussi — il remarqua que Fonfon avait les doigts tachés d'encre et la cravate dénouée —. Qu'est-ce qu'il t'a dit ? De quoi avez-vous parlé ?

— Du diable — dit Fonfon en riant —. Oui, oui, ne ris pas. C'est vrai, papa. Et cette fois il n'a pas pleuré, heureusement. Je lui ai dit que belle-maman et toi croyiez qu'il était le diable en personne.

Il parlait avec un naturel si évident, il y avait chez lui quelque chose de si frais, de si authentique que, pensait Rigoberto, il était difficile de ne pas le croire.

— Ils croient encore au diable ? — avait dit, surpris, Edilberto Torres. Il s'était adressé à lui à mi-voix —. Il n'y a plus beaucoup de gens pour croire à ce monsieur de nos jours, il me semble. Tes parents t'ont-ils dit pourquoi ils ont une si piètre opinion de moi ?

— C'est parce que vous apparaissez et disparaissez si mystérieusement, monsieur — avait expliqué Fonfon, en baissant aussi la voix, car le sujet semblait intéresser les autres passagers du taxi collectif qui s'étaient mis à les épier du coin de l'œil —. Je ne devrais pas parler avec vous. Je vous ai déjà dit qu'ils me l'ont interdit.

— Dis-leur de ma part qu'ils n'ont rien à craindre, qu'ils peuvent dormir sur leurs deux oreilles — avait assuré Edilberto Torres d'une voix à peine audible —. Je ne suis pas le diable ni rien qui y ressemble, mais une personne ordinaire, comme toi et comme eux. Et comme tous ceux qui sont dans ce taxi. En outre, tu te trompes, je n'apparais ni ne disparais de façon miraculeuse. Nos rencontres sont l'œuvre du hasard. Elles sont purement fortuites.

— Je vais te parler franchement, Fonfon — Rigoberto regarda longuement dans les yeux le garçon, qui soutint ce regard sans ciller —. Je veux te croire. Je sais que tu n'es pas un menteur, que tu ne l'as jamais été. Je sais fort bien que tu m'as toujours dit la vérité, même à ton détriment. Mais, dans ce cas, je veux dire, dans ce maudit cas d'Edilberto Torres…

— Pourquoi maudit, papa ? — l'interrompit Fonfon —. Que t'a fait ce monsieur pour que tu dises à son sujet ce mot si terrible ?

— Qu'est-ce qu'il m'a fait ? — s'écria don Rigoberto —. Il a réussi à me faire douter pour la première fois de ma vie de mon fils, à me rendre incapable de croire que tu continues à me dire la vérité. Tu comprends, Fonfon ? C'est comme ça. Chaque fois que je t'entends me raconter tes rencontres avec Edilberto Torres, malgré tous mes efforts, je ne peux croire que ce que tu me racontes est vrai. Ce n'est pas un reproche, essaie de me comprendre. Ce qui m'arrive maintenant avec toi me fait beaucoup de peine, me déprime. Attends, attends, laisse-moi finir. Je ne suis pas en train de dire que tu cherches à me mentir, à me tromper. Je sais que ça tu ne le ferais jamais. Pas, du moins, de façon délibérée, intentionnelle. Mais je te demande de penser un moment à ce que je vais te dire avec toute la tendresse que j'ai pour toi. Réfléchis-y. Ce que tu nous racontes d'Edilberto Torres, à Lucrecia et à moi, n'est-il pas possible que ce soit seulement imaginaire, Fonfon, une sorte de rêve éveillé ? Ces choses-là peuvent arriver à tout le monde.

Il se tut en voyant que son fils avait pâli. Son visage s'était empreint d'une insurmontable tristesse. Rigoberto en éprouva des remords.

— Autrement dit, je suis devenu fou et j'ai des visions, je vois des choses qui n'existent pas. C'est ça que tu me dis, papa ?

— Je ne t'ai pas traité de fou, absolument pas — s'excusa Rigoberto —. Je ne l'ai même pas pensé. Mais, Fonfon, il n'est pas impossible que ce personnage soit une obsession, une idée fixe, un cauchemar éveillé. Ne me regarde pas de cet œil moqueur. Cela se pourrait, je t'assure. Je vais te dire pourquoi. Dans la vie réelle, dans le monde où nous vivons, il ne peut se faire qu'une personne t'apparaisse comme ça, soudain, dans les endroits les plus invraisemblables, sur le terrain de foot de ton collège, dans les toilettes d'une discothèque, dans un taxi collectif Lima-Chorrillos. Et que cette personne sache tout sur toi, sur ta famille, sur ce que tu fais ou ne fais pas. Ce n'est pas possible, tu vois ?

— Qu'est-ce que je vais faire, papa, si tu ne me crois pas — dit le garçon, l'air soucieux —. Je ne veux pas non plus te faire de la peine. Mais, comment est-ce que je vais te donner raison quand tu parles d'hallucinations ? Puisque moi je suis sûr que ce M. Torres est en chair et en os et non un fantôme. Il vaut mieux que je ne te parle plus de lui.

— Non, non, Fonfon, je veux que tu me tiennes toujours informé de ces rencontres — insista Rigoberto —. Bien que j'aie du mal à accepter ce que tu me racontes de lui, je suis sûr que tu crois me dire la vérité. Tu peux

311

en être convaincu. Si tu me mens, tu le fais sans le vouloir ni t'en rendre compte. Bon, tu dois avoir des devoirs à faire, non ? Tu peux t'en aller, si tu veux. Nous en reparlerons.

Fonfon reprit son sac par terre et fit deux pas vers la porte du bureau. Mais avant de l'ouvrir, comme s'il venait de se rappeler quelque chose, il se tourna vers son père :

— Tu as une si mauvaise opinion de lui et, en revanche, M. Torres en a une très bonne de toi, papa.

— Pourquoi dis-tu cela, Fonfon ?

— Parce que je crois savoir que ton papa a des problèmes avec la police, avec la justice, enfin, tu dois être au courant — avait dit Edilberto Torres en guise d'au revoir, alors qu'il avait déjà fait signe au chauffeur qu'il descendrait au prochain arrêt —. Je considère que Rigoberto est un homme irréprochable et je suis sûr que ce qui lui arrive est très injuste. Si je peux faire quelque chose pour lui, je serais ravi de lui donner un coup de main. Dis-le-lui de ma part, Fonfon.

Don Rigoberto ne sut que répondre. Il contemplait, muet, le garçon, qui restait là, à le regarder tranquillement, attendant sa réaction.

— C'est ce qu'il t'a dit ? — balbutia-t-il au bout d'un moment —. En d'autres termes, il m'a envoyé un message. Il est au courant de mes embrouilles judiciaires et il veut m'aider. Est-ce bien cela ?

— C'est cela même, papa. Tu vois, lui il a une très bonne opinion de toi.

— Dis-lui que j'accepte, et de grand cœur — Rigoberto s'était enfin ressaisi —. Bien entendu. La prochaine fois qu'il se présentera à toi, remercie-le et dis-lui que je serais enchanté qu'on bavarde ensemble. Là où il voudra. Qu'il m'appelle au téléphone. Peut-être saura-t-il comment m'aider, à la bonne heure. Ce que je veux le plus au monde, fiston, c'est voir Edilberto Torres en personne et parler avec lui.

— Okay, papa, je le lui dirai, si je le revois. Je te le promets. Tu verras que ce n'est pas un esprit mais une personne en chair et en os. Je m'en vais faire mes devoirs. J'en ai plein.

Quand Fonfon quitta son bureau, Rigoberto essaya de rouvrir son ordinateur, mais le ferma presque aussitôt. Il avait perdu tout intérêt pour Assicurazioni Generali S.p.A. et les tortueuses opérations financières d'Ismael. Était-il possible qu'Edilberto Torres ait dit cela à Fonfon ? Était-il possible qu'il soit au courant de ses embrouilles judiciaires ? Bien sûr que non. Une fois de plus, ce garçon lui avait tendu un piège et il y était tombé comme un benêt. Et si Edilberto Torres lui donnait un rendez-vous ? « Alors, pensa-t-il, je retournerai à la religion, je me reconvertirai et entrerai dans un monastère de chartreux pour le restant de mes jours. » Il rit, en murmurant : « Quel ennui infini ! Que d'océans de bêtise dans ce monde ! »

Il se leva et alla jeter un coup d'œil sur l'étagère la plus proche, où il rangeait ses livres et catalogues d'art préférés. Au fur et à mesure qu'il les examinait, il se rappelait les expositions où il les avait achetés. New York, Paris, Madrid, Milan, Mexico. Quelle tristesse de voir avocats et juges, de penser à ces analphabètes fonctionnels, les jumeaux, au lieu de se plonger matin et soir dans ces volumes, ces gravures, ces dessins et, en écoutant de la bonne musique, de se laisser emporter par eux, de voyager dans le temps, de vivre des aventures extraordinaires, de s'émouvoir, s'attrister, jouir, pleurer, s'exalter et s'exciter. Il pensa : « Grâce à Delacroix j'ai assisté à la mort de Sardanapale entouré de femmes nues et grâce au jeune Grosz je les ai égorgées à Berlin en même temps que, pourvu d'un gigantesque phallus, je les sodomisais. Grâce à Botticelli j'ai été une madone de la Renaissance et grâce à Goya un monstre lascif qui dévorait ses enfants en commençant par les mollets. Grâce à Aubrey Beardsley, un pédé avec une rose au cul et à Piet Mondrian un triangle isocèle. »

Il commençait à s'amuser, mais, sans en avoir tout à fait conscience, ses mains avaient déjà trouvé ce qu'il cherchait depuis qu'il avait entrepris l'examen de l'étagère : le catalogue de l'exposition rétrospective que la Royal Academy avait consacrée à Tamara de Lempicka de mai à août 2004 et qu'il avait visitée en personne la dernière fois qu'il était allé en Angleterre. Là, dans l'entrejambe de son pantalon, il sentit l'ébauche d'un chatouillis encourageant dans l'intimité de ses testicules, en même temps qu'il se sentait ému et plein de nostalgie et de gratitude. Maintenant, outre les chatouilles il sentait un picotement sur la pointe de sa verge. Le livre à la main, il alla s'asseoir dans le fauteuil de lecture et alluma la petite lampe dont la lumière lui permettrait de jouir des reproductions dans tous leurs détails. Il avait sa loupe à portée de main. Était-il vrai que les cendres de l'artiste russopolonaise Tamara de Lempicka avaient été jetées d'un hélicoptère, selon ses dernières volontés, par sa fille Kizette, dans le cratère du Popocatepetl, le volcan mexicain ? Olympienne, cataclysmique, magnifique façon de prendre congé de ce monde que celle de cette femme

314

qui, comme en témoignaient ses tableaux, savait non seulement peindre mais aussi jouir, une artiste dont les doigts transmettaient une lascivité exaltante et en même temps glacée à ces nus cambrés, serpentins, bulbeux, opulents, qui défilaient sous ses yeux : *Rhythm, La belle Rafaela, Myrto, The Model, The Slave.* Ses cinq favoris. Qui disait qu'Art déco et érotisme ne se mariaient pas ? Dans les années vingt et trente la Russo-Polonaise aux sourcils épilés, aux yeux ardents et voraces, à la bouche sensuelle et aux mains rudes, peupla ses toiles d'une intense luxure, glacée seulement en apparence, car dans l'imagination et la sensibilité d'un spectateur attentif l'immobilité sculpturale de la toile disparaissait et les figures s'animaient, s'emmêlaient, s'assaillaient, se caressaient, se nouaient, s'aimaient et jouissaient avec une impudeur totale. Beau, merveilleux, excitant spectacle que celui de ces femmes portraiturées ou inventées par Tamara de Lempicka à Paris, Milan, New York, Hollywood, et dans sa retraite finale de Cuernavaca. Gonflées, charnues, exubérantes, élégantes, elles montraient orgueilleusement ces nombrils triangulaires pour lesquels Tamara devait avoir une prédilection particulière, égale à celle que lui inspiraient les cuisses abondantes, succulentes, des aristocrates impudiques qu'elle déshabillait pour les revêtir de luxure et d'insolence charnelle. « Elle a donné dignité et bonne presse au lesbianisme et au style *garçonne*, les a rendus acceptables et mondains, en les promenant dans les salons parisiens et new-yorkais, pensa-t-il. Je ne suis nullement étonné que, enflammée par elle, cette verge folle de Gabriele D'Annunzio ait tenté de la violer dans sa maison du Vittoriale, sur le lac de Garde, où il l'avait emmenée sous prétexte de lui faire faire son portrait,

315

mais, au fond, affolé par le désir de la posséder. S'était-elle échappée par une fenêtre ? » Il tournait les pages du livre lentement, s'arrêtant à peine aux aristocrates maniérés avec leurs cernes bleus de tuberculeux, s'attardant aux splendides figures féminines, aux yeux saillants, langoureuses, chevelures en casque et ongles cramoisis, seins dressés et hanches majestueuses, qui apparaissaient presque toujours se tordant comme des chattes en chaleur. Il resta longtemps plongé dans l'illusion, se sentant à nouveau envahi par le désir éteint depuis tant de jours et de semaines, depuis le début de ces problèmes vulgaires avec les hyènes. Il s'extasiait devant ces belles demoiselles parées de robes décolletées et transparentes, aux bijoux rutilants, toutes possédées d'un désir profond qui affleurait dans leurs yeux énormes. « Passer de l'Art déco à l'abstraction, quelle folie, Tamara ! » pensa-t-il. Encore que, même les tableaux abstraits de Tamara de Lempicka laissaient filtrer une mystérieuse sensualité. Ému et heureux, il remarqua, dans son bas-ventre, un petit tumulte, l'aube d'une érection.

Et, à ce moment, revenant à la réalité quotidienne, il se rendit compte que doña Lucrecia était entrée dans son bureau sans qu'il l'ait entendue ouvrir la porte. Que se passait-il ? Elle était debout, près de lui, l'œil humide et dilaté, les lèvres entrouvertes, tremblantes. Elle voulait parler mais sa langue ne lui obéissait pas, ses mots n'étaient qu'un balbutiement incompréhensible.

— Encore une mauvaise nouvelle, Lucrecia ? — demanda-t-il, atterré, en pensant à Edilberto Torres, à Fonfon —. Encore une ?

— Armida a téléphoné en pleurant comme une folle

— sanglota doña Lucrecia —. Aussitôt après ton départ, Ismael a été pris au jardin d'un évanouissement. On l'a conduit à la Clinique américaine. Et il vient de mourir, Rigoberto! Oui, oui, il est mort!

XV

— Qu'est-ce qui t'arrive, Felícito — répéta la santera, en se penchant vers lui et en lui faisant de l'air avec le vieil éventail de paille tout troué qu'elle avait à la main —. Tu te sens pas bien ?

Le transporteur voyait l'inquiétude qui pointait dans les grands yeux d'Adelaida et, au milieu des brumes de sa cervelle, il pensa que, en tant que voyante, elle était obligée de très bien savoir ce qui lui arrivait. Mais il n'avait pas la force de lui répondre ; la tête lui tournait et il était sûr qu'il allait s'évanouir d'un moment à l'autre. Ça lui fut égal. Plonger dans un sommeil profond, tout oublier, ne pas penser : quelle merveille ! Il songea vaguement à demander de l'aide au Señor Cautivo de Ayabaca, pour qui Gertrudis avait tant de dévotion. Mais il ne sut comment faire.

— Je t'apporte un petit verre d'eau fraîche filtrée à l'instant, Felícito ?

Pourquoi Adelaida lui parlait-elle d'une voix si forte, comme s'il devenait sourd ? Il acquiesça et, toujours dans le brouillard, il vit la mulâtresse engoncée dans sa tunique de grosse toile couleur de terre courir sur ses

318

pieds nus vers l'intérieur de la petite boutique d'herbes et de saints. Il ferma les yeux et pensa : « Faut que tu sois fort, Felícito. Tu peux pas mourir encore, Felícito Yanaqué. Des couilles, bon sang ! Des couilles ! » Il sentait sa bouche sèche et son cœur forçant pour grossir davantage entre les ligaments, les os et les muscles de sa poitrine. Il pensa : « Je l'ai au bord des lèvres. » À ce moment il se rendait compte de la justesse de cette expression. C'était pas quelque chose d'impossible, che guá. Ce viscère tonnait de façon si impétueuse et si incontrôlée dans sa cage thoracique que, soudain, il pouvait se déboîter, s'échapper de la prison de son corps, grimper le long de son larynx et sortir expulsé à l'extérieur dans un grand vomissement de bile et de sang. Il verrait son petit cœur écrasé contre la terre battue de la maison de la santera, aplati maintenant, tranquille maintenant, à ses pieds, peut-être entouré de cafards affairés couleur chocolat. Ce serait la dernière chose qu'il se rappellerait de cette vie. Quand il ouvrirait les yeux de l'âme, il serait en face de Dieu. Ou peut-être du diable, Felícito.

— Qu'est-ce qui arrive ? — avait-il demandé, inquiet. Parce que, dès qu'il avait vu leur figure, il avait compris que quelque chose de très sérieux se passait ; c'était pour ça, l'urgence avec laquelle ils l'avaient convoqué au commissariat et pour ça, l'air gêné, ces regards fuyants et ces petits sourires si faux du capitaine Silva et du sergent Lituma. Les deux policiers étaient restés muets et pétrifiés en le voyant entrer dans l'étroit cagibi.

— La voilà, Felícito, bien fraîche. Ouvre la bouche et bois-la tranquillement, à petites gorgées, p'tit père Ça va te faire du bien, tu verras.

Lui acquiesça et, sans ouvrir les yeux, écarta les lèvres et sentit avec soulagement le frais liquide qu'Adelaida lui versait peu à peu dans la bouche comme à un bébé. Il lui sembla que l'eau éteignait les flammes de son palais et de sa langue et, comme il ne pouvait ni ne voulait parler, il pensa : « Merci, Adelaida. » La pénombre tranquille dans laquelle était toujours plongée la petite boutique de la santera lui calma un peu les nerfs.

— Des choses importantes, mon ami — avait enfin dit le capitaine Silva, d'un air grave et se levant pour lui serrer la main avec une chaleur insolite —. Venez, allons prendre un café dans un endroit plus frais, sur l'avenue. Là-bas on parlera mieux qu'ici. Dans cette caverne il fait une chaleur de tous les diables, vous ne croyez pas, don Felícito ?

Et, avant qu'il ait eu le temps de lui répondre, le commissaire avait pris son képi au portemanteau et, suivi de Lituma, qui avait l'air d'un automate et évitait de le regarder en face, il s'était dirigé vers la porte. Qu'est-ce qui leur arrivait ? C'était quoi, les choses importantes ? Qu'est-ce qui s'était passé ? Quelle mouche les avait piqués, ces deux flics ?

— Tu te sens mieux, Felícito ? — lui demanda la santera.

— Oui — put-il balbutier, avec difficulté. Il avait mal à la langue, au palais, aux dents. Mais le verre d'eau fraîche lui avait fait du bien, lui avait rendu un peu de cette énergie qui s'était échappée de son corps —. Merci, Adelaida.

— Tant mieux, tant mieux ! — s'écria la mulâtresse, en se signant et en lui souriant —. Quelle grosse peur tu m'as faite, Felícito ! Que tu étais pâle ! Oh là là, che guá !

Quand je t'ai vu entrer et tomber sur le fauteuil comme un sac de patates, t'avais l'air d'un cadavre. Qu'est-ce qui t'est arrivé, p'tit père, quelle tuile t'as eue ?

— Avec tant de mystère vous me tenez sur le gril, capitaine — avait insisté Felícito, en commençant à s'alarmer —. C'est quoi ces choses graves, on peut savoir ?

— Un café bien serré pour moi — avait commandé le capitaine Silva au garçon —. Un crème pour le sergent. Et pour vous, don Felícito ?

— Limonade, Coca-Cola, Inca Kola, n'importe quoi — avait-il dit avec impatience, en donnant de petits coups sur la table —. Bon, allez-y. Je suis un homme qui sait recevoir les mauvaises nouvelles, je commence à m'habituer. Lâchez-moi le taureau tout de suite.

— L'affaire est résolue — avait dit le capitaine, en le regardant dans les yeux. Mais il le regardait sans gaieté, avec tristesse plutôt et même avec compassion. Bizarrement, au lieu de continuer, il se tut.

— Résolue ? — s'était exclamé Felícito. Ça veut dire que vous les avez pincés ?

Il avait vu le capitaine et le sergent acquiescer, de la tête, toujours très sérieux et raides comme des papes. Pourquoi le regardaient-ils de cette façon étrange, comme s'il leur faisait pitié ? Sur l'avenue Sánchez Cerro il y avait un vacarme infernal, des gens qui allaient et venaient, des klaxons, des cris, des aboiements, des braiements. On entendait une valse, cependant la chanteuse n'avait pas la voix douce de Cecilia Barraza, bien loin de là, mais celle d'un vieux croulant avec un coup dans le nez.

— Tu te rappelles la dernière fois que je suis venu, Adelaida ? — Felícito parlait tout bas, en cherchant ses mots, de peur que sa voix ne s'en aille. Pour mieux respirer il avait déboutonné son gilet et desserré sa cravate —. Quand je t'ai lu la première lettre de la petite araignée.

— Oui, Felícito, je me rappelle très bien — la santera le transperçait de ses gros yeux énormes, inquiets.

— Et tu te rappelles que, quand je partais déjà, tout d'un coup l'inspiration elle t'est venue et tu m'as dit de faire ce qu'ils voulaient, de leur donner la mensualité qu'ils me demandaient ? Tu te rappelles ça aussi, Adelaida ?

— Bien sûr que oui, Felícito, évidemment, comment je vais pas me rappeler ? Tu vas me dire enfin ce qui t'arrive ? Pourquoi t'es si pâle et avec des vertiges ?

— T'avais raison, Adelaida. Comme toujours, t'avais raison. J'aurais mieux fait de t'écouter. Parce que, parce que...

Il ne put continuer. Sa voix se coupa au milieu d'un sanglot et il se mit à pleurer. Depuis très longtemps il ne le faisait pas, depuis le jour où son père était mort dans ce réduit obscur de la salle des urgences de l'Hôpital ouvrier de Piura ?, ou, peut-être, depuis la nuit où il avait couché pour la première fois avec Mabel ? Mais cette fois-là ne comptait pas, parce que ça avait été de bonheur. Et maintenant, en revanche, ses larmes coulaient tout le temps.

— Tout est résolu et maintenant on va vous l'expliquer, don Felícito — s'était enfin décidé le capitaine, en répétant ce qu'il lui avait déjà dit —. J'ai bien peur que ce que vous allez entendre ne vous plaise pas.

Lui s'était redressé sur son siège et avait attendu, tous ses sens en alerte. Il avait eu l'impression que les gens du petit bar disparaissaient, que les bruits de la rue se tai-

322

saient. Quelque chose lui avait fait soupçonner que ce qui s'annonçait allait être le pire de tous les malheurs qui depuis quelque temps lui tombaient dessus. Ses petites jambes s'étaient mises à trembler.

— Adelaida, Adelaida — gémit-il, en s'essuyant les yeux —. Fallait que je me soulage d'une façon ou d'une autre. J'ai pas pu me retenir. Je te jure que j'ai pas l'habitude de pleurer, excuse-moi.

— T'en fais pas, Felícito — lui dit en souriant la santera, avec de petites tapes affectueuses sur la main —. À tout le monde ça fait du bien de chialer de temps en temps. Moi aussi des fois je pleure un bon coup.

— Parlez, capitaine, je suis prêt — avait affirmé le transporteur —. Haut et clair, s'il vous plaît.

— Prenons les choses dans l'ordre — le capitaine Silva s'était raclé la gorge, gagnant du temps ; il avait porté la tasse de café à sa bouche, bu une petite gorgée et poursuivi —: C'est mieux que vous découvriez la trame depuis le début, comme nous autres on l'a découverte. Comment s'appelle le garde qui protégeait Mme Mabel, Lituma ?

Candelario Velando, vingt-trois ans, de Tumba. Ça faisait deux ans qu'il était dans la police et c'était la première fois que ses supérieurs l'habillaient en civil pour un travail. On l'avait posté en face de la petite maison de la dame, dans cette impasse du district de Castilla voisine de la rivière et du collège Saint-Jean-Bosco des pères salésiens avec comme consigne de faire attention qu'il n'arrive rien à la maîtresse de maison. Il devait lui porter secours en cas de besoin, prendre note de qui venait la voir, la suivre sans se faire remarquer, noter avec qui elle avait rendez-vous, qui elle allait voir, ce qu'elle faisait ou ne faisait pas. On lui avait donné son arme réglementaire avec munitions pour vingt coups de feu, un appareil photo, un carnet, un crayon et un mobile à utiliser seulement en cas d'extrême nécessité et jamais pour des appels personnels.

— Mabel ? — la santera écarquilla ces yeux un peu fous qu'elle avait —. Ta petite amie ? Elle-même ?

Felícito acquiesça. Son verre d'eau était maintenant vide, mais il ne semblait pas s'en rendre compte parce que, de temps en temps, il continuait à le porter à sa bouche et remuait les lèvres et la gorge comme s'il avalait une petite gorgée.

— Elle-même, Adelaida — il hocha plusieurs fois la tête —. Mabel, oui. J'arrive pas encore à le croire.

C'était un bon policier, de parole et ponctuel. Il aimait la profession et jusque-là il avait refusé de recevoir des pots-de-vin. Mais ce soir-là il était très fatigué, ça faisait quatorze heures qu'il suivait la dame dans la rue et surveillait sa maison et, dès qu'il s'était assis dans ce coin où la lumière n'arrivait pas et avait appuyé le dos contre le mur, il s'était endormi. Il ne savait pas combien de temps ; ça devait faire pas mal parce que, quand il s'était réveillé en sursaut, la ruelle était silencieuse, les gamins qui faisaient danser des toupies avaient disparu et les petites maisons avaient éteint leurs lumières et fermé leurs portes. Même les chiens avaient cessé d'errer et d'aboyer. Tout le voisinage avait l'air endormi. Il se releva hébété et, sur la pointe des pieds, s'approcha de la maison de la dame. Il entendit des voix. Il colla l'oreille à une des fenêtres. Ça avait l'air d'une discussion. Il ne comprit pas un mot de ce qu'ils disaient mais, sans aucun doute, c'était un homme et une femme et ils se disputaient. Il courut s'accroupir contre une autre fenêtre et de là il put mieux entendre. Ils s'insultaient avec des gros mots mais il n'y avait pas de coups, pas encore. Rien que de longs silences et, à nouveau, des voix, plus calmes. Elle était en train d'accepter, on aurait dit. Elle avait reçu une visite et, apparemment, le visiteur se l'envoyait. Candelario Velando avait su tout de suite que celui-là n'était pas M. Felícito Yanaqué. Alors la dame avait un autre amant? Enfin la maison était restée complètement silencieuse.

Candelario retourna dans le coin où il s'était endormi. Il se rassit, alluma une cigarette et, le dos appuyé contre le mur, il attendit. Cette fois il ne s'assoupit pas, ne fut pas distrait. Il était sûr que le visiteur ferait sa réapparition à un moment ou un autre. Et, en effet, il était apparu après un bon moment d'attente, prenant des précautions qui le trahissaient: ouvrant à peine la porte, ne passant que la tête, regardant à droite et à gauche. Croyant que personne ne pouvait le voir, il s'était mis à marcher. Candelario l'avait vu tout entier et il avait confirmé par sa silhouette et ses mouvements qu'il ne pouvait pas être le petit vieux à moitié nain des Transports Narihualá. Celui-ci était un homme jeune. Il ne distinguait pas sa figure, il y avait trop d'ombre. Quand il l'avait vu s'éloigner vers le pont suspendu, il l'avait suivi. Il étouffait ses pas et veillait à ne pas se faire voir, un peu éloigné mais sans le perdre de vue. Il s'était légèrement rapproché en traversant le pont suspendu parce qu'il y avait là des fêtards au milieu desquels il pouvait se cacher. Il l'avait vu prendre un des trottoirs de la place d'Armes et disparaître dans le bar de l'hôtel Los Portales. Il avait attendu un moment et était entré aussi. L'autre était devant le comptoir — jeune, plutôt blanc, beau gosse, avec une banane à la Elvis Presley — en train de boire cul sec quelque chose comme un quart de pisco. Alors, il l'avait reconnu. Il l'avait vu quand il était allé au commissariat de l'avenue Sánchez Cerro faire sa déclaration.

— Sûr que c'était lui, Candelario ? — avait demandé le sergent Lituma, avec l'air d'avoir des doutes.

— C'était Miguel, plus qu'archisûr — avait dit sèchement le capitaine Silva, en portant à nouveau la tasse de café à sa bouche. Il semblait très ennuyé de lui dire ce qu'il lui disait —. Oui, monsieur Yanaqué. Je regrette beaucoup. Mais c'était Miguel.

— Mon fils Miguel ? — avait répété très vite le transporteur, en clignant des yeux sans arrêt, en agitant une de ses petites mains ; il avait brusquement pâli —. À minuit ? Chez Mabel ?

— Ils étaient en pleine dispute, mon sergent — avait expliqué le garde Candelario Velando à Lituma —. Ils se bagarraient pour de vrai, avec des gros mots comme salope, putain de ta mère et pires. Ensuite, un très long silence. Je me suis imaginé alors ce que vous devez vous imaginer maintenant : qu'ils avaient fait ami-ami et s'étaient mis au lit. Pour quoi ça allait être si c'est pas pour baiser ? Ça, je l'ai pas vu ni entendu. C'est une hypothèse.

— Vaut mieux que tu me racontes pas ces choses — dit Adelaida, mal à l'aise, en baissant les yeux. Ses cils étaient longs et soyeux, et elle avait pleuré. Elle donna au transporteur une petite tape affectueuse sur le genou —. Sauf si tu crois que ça te fera du bien de me les raconter. Comme tu préfères, Felícito. T'as qu'à dire. C'est pas pour rien que je suis ton amie, che guá.

— Une hypothèse qui révèle que t'as l'esprit super-pourri, Candelario — lui avait dit Lituma en souriant —. Bien, mon garçon. T'as été extra. Comme y a des culs au milieu, ton histoire elle va plaire au capitaine.

— Ça a été le bout du fil, enfin. On a commencé à le tirer et à débrouiller la pelote. Moi je flairais déjà quelque chose, depuis que je l'avais interrogée après l'enlèvement. Elle était tombée dans beaucoup de contradictions, elle ne savait pas faire semblant. Voilà l'histoire, monsieur Yanaqué — avait ajouté le commissaire —. Ne croyez pas que ce soit facile pour nous. Je veux dire, de vous donner cette terrible nouvelle. Je sais qu'elle vous tombe comme un coup de poignard dans le dos. Mais c'est notre devoir, excusez-nous.

Il se tut parce que le transporteur avait levé une main, avec son petit poing fermé.

— Y aurait pas la possibilité d'une erreur ? — avait-il murmuré d'une voix maintenant caverneuse et légèrement implorante —. Pas une seule ?

— Aucune — avait affirmé le capitaine Silva, sans pitié —. C'est confirmé jusqu'à plus soif. Mme Mabel et votre fils Miguel vous couillonnent depuis déjà pas mal de temps, monsieur. C'est de là que part l'histoire de la petite araignée. Nous le regrettons du fond du cœur, monsieur Yanaqué.

— C'est plus la faute de votre fils Miguel que de Mme Mabel — avait mis son grain de sel Lituma et il s'était immédiatement excusé —. Pardon, je voulais pas interrompre.

Felícito Yanaqué n'avait plus l'air d'écouter les deux policiers. Sa pâleur s'était accentuée ; il regardait dans le vide comme si un fantôme venait de se matérialiser. Il avait le menton qui tremblait.

— Je sais très bien ce que tu sens et je te plains, Felícito — la voyante s'était posé une main sur la poitrine —. Oui, t'as raison. Ça te fera du bien de te soulager. D'ici il sortira rien de ce que tu me raconteras, p'tit père, tu sais bien.

Elle se frappa la poitrine et Felícito pensa : « Comme c'est bizarre, ça a sonné creux. » Honteux, il sentit ses yeux se remplir à nouveau de larmes.

— La petite araignée c'est lui — avait affirmé le capitaine Silva, catégoriquement —. Votre fils, le moitié Blanc. Miguel. Apparemment, il ne l'a pas fait que pour l'argent mais pour quelque chose de plus obscur. Et, peut-être, peut-être, c'est aussi pour ça même qu'il s'est mis au lit avec Mabel. Il a quelque chose de personnel contre vous. Aversion, rancune, ces choses scabreuses qui empoisonnent l'âme des gens.

— Parce que vous l'avez obligé à faire son service militaire, on dirait — s'était à nouveau mêlé Lituma. Et cette fois aussi il s'était excusé —. Pardon. C'est du moins ce qu'il nous a donné à entendre.

— Vous entendez ce qu'on vous raconte, don Felícito ? — le capitaine s'était penché vers le transporteur. Il lui avait saisi le bras —: Vous vous sentez mal ?

— Je me sens très bien — le transporteur avait eu un sourire forcé. Il avait les lèvres et les ailes du nez qui tremblaient. Et les mains qui tenaient la bouteille d'Inca Kola vide. Un cercle jaune entourait le blanc de ses yeux et sa petite voix était un filet —. Continuez, capitaine. Mais, excusez-moi, j'aimerais savoir une chose, si c'était possible. Est-ce que Tiburcio, mon autre fils, il était aussi là-dedans ?

— Pas du tout, seulement Miguel — s'était efforcé de

le réconforter le capitaine —. Je vous le garantis catégoriquement. De ce côté, vous pouvez être tranquille,
monsieur Yanaqué. Tiburcio ne trempait pas dans le
coup et ne savait pas un mot de l'affaire. Quand il
saura, il sera aussi abasourdi que vous.

— Toute cette horreur elle a son bon côté, Adelaida
— grogna le transporteur, après une longue pause —.
Même si tu le crois pas, c'est vrai.

— Je le crois, Felícito — dit la santera, en ouvrant
beaucoup la bouche et en lui montrant sa langue —.
Dans la vie c'est toujours comme ça. Les bonnes choses
elles ont toujours leur mauvais petit côté et les mauvaises
leur bon petit côté. C'est quoi le bon dans ce cas, alors ?

— J'ai levé un doute qui me rongeait l'âme depuis que
je me suis marié, Adelaida — murmura Felícito Yanaqué.
Il eut l'air à cet instant de se remettre : il retrouva sa voix,
ses couleurs, un peu d'assurance dans sa façon de parler —. Que Miguel est pas mon fils. Qu'il l'a jamais été.
Gertrudis et sa mère elles m'ont obligé à me marier, avec
cette histoire de grossesse. Bien sûr qu'elle était enceinte.
Mais pas de moi, d'un autre. J'ai été leur gogo, alors. Elles
m'ont collé un faux fils en le faisant passer pour mon vrai
et, comme ça, Gertrudis elle a échappé à la honte d'être
mère célibataire. Comment il allait être mon fils ce moitié Blanc aux yeux bleus, tu peux me dire ? J'ai toujours
soupçonné qu'y avait là anguille sous roche. Maintenant,
enfin, même si c'est un peu tard, je suis sûr. Il l'est pas,
mon sang coule pas dans ses veines. Un fils à moi, un fils
de mon sang, il aurait jamais fait ce que lui il m'a fait. Tu
vois, tu te rends compte, Adelaida ?

— Je vois, p'tit père, je me rends compte — acquiesça
la santera —. Donne-moi ton verre, je vais remettre

dedans de l'eau filtrée, toute fraîche. Ça me fait je sais pas quoi de te voir boire l'eau d'un verre vide, che guá.

— Et Mabel? — avait chuchoté le transporteur, les yeux baissés —. Elle a été mêlée à la conspiration de la petite araignée depuis le commencement? Elle oui?

— À contrecœur, mais oui — avait nuancé le capitaine Silva, comme à regret —. Elle l'a été. La chose ne lui a jamais plu et, d'après ce qu'elle dit, au début elle a essayé de dissuader Miguel, ce qui est possible. Mais votre fils a son caractère et...

— Il est pas mon fils — l'avait interrompu Felícito Yanaqué, en le regardant dans les yeux —. Pardonnez-moi, je sais ce que je dis. Continuez, qu'est-ce qu'il y a encore, capitaine?

— Elle en avait marre de Miguel et elle voulait casser, mais lui la lâchait pas, il lui faisait peur en disant qu'il vous raconterait leur affaire — était encore intervenu Lituma —. Et, pour l'avoir fourrée dans cette embrouille, elle a commencé à le haïr.

— Ça veut dire que vous avez parlé avec Mabel? — avait demandé le transporteur, déconcerté —. Qu'elle a avoué?

— Elle collabore avec nous, monsieur Yanaqué — avait acquiescé le capitaine Silva —. Son témoignage a été décisif pour connaître toute la trame de la petite araignée. Ce que vous a dit le sergent est correct. Au début, quand elle s'est mise avec Miguel, elle ne savait pas que c'était votre fils. Quand elle l'a appris, elle a essayé de s'en dépêtrer, mais c'était trop tard. Elle n'a pas pu parce que Miguel lui faisait du chantage.

— En la menaçant de tout vous déballer, monsieur Yanaqué, pour que vous la tuiez ou lui donniez une

rouste, au moins — avait remis son grain de sel le sergent
Lituma.

— Et la laissiez à la rue sans un centavo, ce qui est le
principal — avait enchaîné le capitaine —. Ce que je
vous ai dit plus tôt, monsieur. Miguel a de la haine pour
vous, une rancœur énorme. Il dit que c'est parce que
vous l'avez obligé à faire le service militaire et pas son
frère Tiburcio. Mais je sens qu'il y a quelque chose de
plus. Possible que cette haine vienne d'avant, de son
enfance. Vous saurez peut-être.

— Il doit avoir soupçonné aussi qu'il était pas mon fils,
Adelaida — ajouta le transporteur. Il buvait à petites gorgées le nouveau verre d'eau que la santera venait de lui
apporter —. Il devait se regarder la tête dans la glace, et
comprendre qu'il avait pas, pouvait pas avoir mon sang.
Et c'est comme ça qu'il a dû commencer à me détester, il
avait rien d'autre à faire. La chose bizarre, c'est qu'il l'a
toujours caché, qu'il ne me l'a jamais montré. Tu vois ?

— Qu'est-ce que tu veux que je voie, Felícito ?
— s'exclama la santera —. C'est clair comme de l'eau de
roche, même un aveugle il le verrait. Elle est une fille
jeune et toi un vieux. Tu croyais que Mabel elle allait
t'être fidèle jusqu'à la mort ? Et encore plus quand toi tu
avais femme et enfants, quand elle savait très bien qu'elle
serait jamais autre chose que ta maîtresse. La vie c'est la
vie, Felícito, tu devrais le savoir. Toi qui viens d'en bas et
sais ce que c'est de souffrir, comme moi et comme tant
de pauvres qui vivent à Piura.

— Bien sûr que oui, le kidnapping n'a jamais été un
kidnapping mais une comédie — avait dit le capitaine —. Pour faire pression sur vos sentiments, monsieur.

— Je le savais, Adelaida. Je me suis jamais fait des illusions. Pourquoi tu crois que j'ai toujours préféré tourner la tête d'un autre côté, pas savoir ce que Mabel elle faisait ? Mais jamais j'ai imaginé qu'elle pourrait se mettre avec mon propre fils !

— Parce que c'est ton fils, peut-être ? — le corrigea la santera, en se moquant —. Quelle importance avec qui elle s'est mise, Felícito ? Qu'est-ce que ça peut te faire, maintenant ? Pense plus à ça, mon ami. Tourne la page, oublie, c'est le passé. Ça vaut mieux, crois-moi.

— Tu sais à quoi je pense maintenant avec une vraie angoisse, Adelaida ? — à nouveau Felícito avait vidé son verre. Il avait des frissons —. Au scandale. Tu vas trouver ça bête, mais c'est ce qui me tourmente le plus. Ça sortira demain dans les journaux, sur les radios, à la télé. Alors la chasse aux nouvelles elle démarrera. Ma vie va recommencer à être un cirque. La traque des journalistes, la curiosité des gens dans la rue, au bureau. J'ai plus la patience ni le courage de supporter tout ça à nouveau, Adelaida. Je l'ai plus.

— M. Yanaqué s'est endormi, mon capitaine — avait chuchoté Lituma, en montrant du doigt le transporteur qui avait fermé les yeux et penché la tête en avant.

— Je crois que oui — avait admis l'officier —. Il a été démoli par la nouvelle. Le fils, la petite amie. Après les cornes, les coups de bâton. Il y a de quoi, putain.

Felícito les entendait mais sans les entendre. Il ne voulait pas ouvrir les yeux, ne fût-ce qu'un moment. Il somnolait, en écoutant le brouhaha et le va-et-vient de l'avenue Sánchez Cerro. Si tout cela n'était pas arrivé, il serait aux Transports Narihualá à passer en revue le mouvement des cars, camionnettes et autos de la matinée, étudier le nombre de voyageurs du jour et le comparer avec celui de la veille, dicter du courrier à Mme Josefita, solder ou encaisser à la banque des lettres de change, se préparer à rentrer chez lui pour déjeuner. Il sentit une telle tristesse qu'il lui vint des tremblements de paludisme, des pieds à la tête. Jamais plus sa vie ne reprendrait ce rythme tranquille d'avant, il ne serait plus jamais un passant anonyme. À l'avenir il serait toujours reconnu dans la rue, en le voyant entrer dans un cinéma ou un restaurant il y aurait des cancans, des regards impertinents, des chuchotements, des mains le montrant du doigt. Le soir même ou au plus tard le lendemain, la nouvelle serait publique, tout Piura la connaîtrait. Et cet enfer ressusciterait.

— Vous vous sentez mieux après ce petit roupillon, monsieur ? — lui avait demandé le capitaine Silva, en lui donnant une tape affectueuse sur le bras.

— Je me suis un peu endormi, je regrette — avait-il dit, en ouvrant les yeux —. Excusez-moi. Tant d'émotions en même temps.

— Bien sûr, bien sûr — l'avait rassuré l'officier —. Voulez-vous qu'on poursuive ou qu'on laisse ça pour plus tard, don Felícito ?

Il avait acquiescé, en murmurant : « Continuons. » Dans les minutes où il était resté les yeux fermés, le petit bar s'était rempli de gens, surtout des hommes. Ils fumaient, commandaient des sandwiches, des limonades ou des bières, des tasses de café. Le capitaine avait baissé la voix pour que ceux de la table à côté ne l'entendent pas.

— Miguel et Mabel sont arrêtés depuis hier soir et le juge d'instruction est au courant de toute l'affaire. Nous avons donné rendez-vous à la presse à six heures du soir au commissariat. Je ne crois pas que vous vouliez assister à cette comparution, non, don Felícito ?

— Jamais de la vie ! — s'était écrié le transporteur, horrifié —. Bien sûr que non !

— Il n'est pas nécessaire que vous veniez — l'avait rassuré le capitaine —. Mais par exemple, préparez-vous. Les journalistes vont vous rendre fou.

— Miguel a reconnu toutes les charges ? — avait demandé Felícito.

— Au début, il les a niées, mais quand il a su que Mabel l'avait trahi et qu'elle serait témoin de l'accusation, il a dû accepter la réalité. Je vous l'ai dit, son témoignage à elle est accablant.

— Grâce à Mme Mabel, il a fini par tout avouer — avait ajouté le sergent Lituma —. Elle nous a facilité le travail. Nous sommes en train de rédiger le rapport. Demain, au plus tard, il sera entre les mains du juge d'instruction.

— Il faudra que je le voie ? — Felícito parlait si bas que les policiers avaient dû tendre le cou pour pouvoir l'entendre —. Miguel, je veux dire.

— Au procès, de toute façon — avait acquiescé le capitaine —. Vous serez le témoin vedette. Vous êtes la victime, rappelez-vous.

— Et avant le procès ? — avait insisté le transporteur.

— Il est possible que le juge d'instruction, ou le procureur, demandent une confrontation — avait expliqué le capitaine —. Dans ce cas, oui. Nous, on n'en a pas besoin parce que, comme l'a dit Lituma, Miguel a reconnu toutes les charges. Il se pourrait que son avocat lui fixe une autre stratégie et qu'il démente tout, en alléguant que ses aveux sont nuls parce qu'ils ont été arrachés par

334

des moyens illicites. Enfin, toujours la même histoire. Mais je ne crois pas qu'il ait d'échappatoire. Tant que Mabel collaborera avec la justice, il est perdu.

— De combien il va écoper ? — avait demandé le transporteur.

— Ça dépendra de l'avocat qui le défendra et de ce qu'il pourra dépenser pour sa défense — avait dit le commissaire, en faisant une moue un peu sceptique —. Ce ne sera pas beaucoup. Il n'y a pas eu d'autre violence que le petit incendie à votre entreprise. Le chantage, le faux kidnapping et l'association de malfaiteurs ne sont pas des délits si graves, dans cette circonstance. Parce qu'ils ne se sont pas du tout concrétisés, ils ont été des simulacres. Deux ou trois petites années, je doute que davantage. Et, en considérant qu'il est délinquant primaire, sans antécédents, il peut même échapper à la prison.

— Et elle ? — avait demandé le transporteur, en se passant la langue sur les lèvres.

— Comme elle collabore avec la justice, la peine sera très légère, don Felícito. Il se peut qu'elle s'en sorte blanche comme neige. Après tout, elle aussi a été une victime du moitié Blanc. C'est ce que pourrait alléguer son avocat, non sans raison.

— Tu te rends compte, Adelaida ? — soupira Felícito Yanaqué —. Ils m'ont fait passer des semaines d'angoisse, m'ont brûlé mon local de l'avenue Sánchez Cerro, ça a fait de grandes pertes parce que la trouille que les maîtres chanteurs mettent une bombe dans mes cars nous a enlevé beaucoup de clients. Et probable que ces deux vauriens ils rentrent chez eux libres, vivre la bonne vie. Tu te rends compte de ce qu'elle est la justice dans ce pays ?

Il se tut parce qu'il s'aperçut d'un changement dans les yeux de la santera. Elle le regardait fixement, les pupilles dilatées, très sérieuse et concentrée, comme si elle voyait quelque chose d'inquiétant dans ou à travers lui. Elle lui prit une main entre ses grandes mains calleuses, aux ongles sales. Elle la lui serrait avec beaucoup de force. Felícito frissonna, mort de peur.

— Une inspiration, Adelaida ? — bégaya-t-il, en essayant de dégager sa main —. Qu'est-ce que tu vois, qu'est-ce qui te prend ? S'il te plaît, mon amie.

— Quelque chose va t'arriver, Felícito — dit-elle, en serrant plus fort sa main et en continuant à le regarder fixement de ses yeux profonds, maintenant fiévreux —. Je sais pas quoi, peut-être ce qui t'est arrivé ce matin avec les flics, peut-être une autre chose. Pire ou meilleure, je sais pas. Quelque chose d'énorme, de très fort, une secousse qui va changer toute ta vie.

— Tu veux dire, quelque chose de différent de tout ce qui m'arrive en ce moment ? Des choses encore pires, Adelaida ? C'est pas assez avec la croix que je porte déjà ?

Elle secouait la tête comme une folle, sans avoir l'air de l'entendre. Elle monta beaucoup la voix :

— Je sais pas si meilleures ou pires, Felícito ! — criat-elle, effrayée —. Mais, en tout cas, plus importantes que tout ce qui t'est arrivé jusqu'à maintenant. Une révolution dans ta vie, c'est ce que je pressens.

— Encore plus ? — répétait-il —. Tu peux rien me dire de concret, Adelaida ?

— Non, je peux pas — la santera lui lâcha la main et retrouva peu à peu sa mine et ses façons habituelles. Il la vit soupirer, se passer la main sur la figure comme pour chasser un insecte —. Je te dis seulement ce que je sens, ce que l'inspiration elle me fait sentir. Je sais que c'est embrouillé. Pour moi aussi, Felícito. C'est pas ma faute, c'est ce que Dieu il veut que je sente. C'est Lui qui commande. Voilà tout ce que je peux te dire. Prépare-toi, quelque chose va t'arriver. Quelque chose qui te surprendra. J'espère que ça sera pas en pire, p'tit père.

— En pire ? — s'écria le transporteur —. Le pire qui pourrait m'arriver maintenant ce serait seulement de mourir, écrasé par une voiture, mordu par un chien enragé. Peut-être que c'est ça qu'il me faudrait. Mourir, Adelaida.

— Tu vas pas mourir encore, je peux te le garantir. Ta mort c'est pas une chose que l'inspiration elle m'a dite.

La santera avait l'air exténuée. Elle était toujours par terre, assise sur ses talons, et se frottait les mains et les bras, tout doucement, comme pour en ôter la poussière. Felícito décida de partir. C'était déjà le milieu de l'après-midi. Il n'avait rien mangé à midi mais il n'avait pas faim. La seule idée de se mettre à table le dégoûtait. Il se releva avec peine du fauteuil et tira son portefeuille.

— C'est pas la peine que tu me donnes quoi que ce soit — dit la santera, de là où elle était assise —. Aujourd'hui non, Felícito.

— Si, c'est la peine — dit le transporteur, en posant cinquante soles sur le comptoir le plus proche —. Pas pour cette inspiration si obscure, mais pour m'avoir consolé et conseillé avec tant d'affection. Tu es ma meilleure amie, Adelaida. J'ai toujours eu confiance en toi, à cause de ça.

Il sortit dans la rue, boutonnant son gilet, arrangeant sa cravate, son chapeau. Il recommença à avoir très chaud. Il était accablé par la présence de la foule qui remplissait les rues du centre de Piura. Certaines personnes le reconnaissaient et le saluaient de la tête ou faisaient des messes basses, en le montrant du doigt. D'autres le prenaient en photo avec leur mobile. Il décida de faire un saut aux Transports Narihualá en cas de nouveautés de dernière minute. Il regarda sa montre : cinq heures de l'après-midi. La conférence de presse au commissariat était à six. Une petite heure avant que les nouvelles se mettent à courir comme la poudre. Elles éclateraient sur les radios, Internet, seraient diffusées par les blogs, les éditions numériques des journaux, les bulletins de la télé. Il redeviendrait l'homme le plus populaire de Piura. « Trompé par son fils et sa maîtresse », « Tentative de chantage de son fils et de sa maîtresse », « Les petites araignées étaient son fils et sa petite amie, et ils étaient amants par-dessus le marché ! ». Il sentit monter des nausées en imaginant les manchettes, les caricatures qui le montreraient dans des attitudes ridicules, avec des cornes qui crèveraient les nuages. Quelles crapules ! Ingrats, égoïstes ! Pour Miguel il était moins en colère. Parce que c'était grâce au chantage de la petite araignée qu'il avait confirmé ses soupçons : il n'était pas son fils. Qui devait être son vrai père ? Gertrudis le savait-elle ? En ce temps-là, n'importe quel client de l'auberge se l'envoyait, il ne manquait pas de candidats à cette paternité. Se séparerait-il d'elle ? Divorcerait-il ? Il ne l'avait jamais aimée, mais, maintenant, après si longtemps, il ne pouvait même pas lui tenir rigueur. Elle n'avait pas été une mauvaise femme ; pendant toutes ces années elle avait eu une conduite irréprochable, vivant exclusivement pour son foyer et pour la religion. La nouvelle la secouerait, bien entendu. Une photo de Miguel, menotté, derrière les barreaux, pour avoir voulu faire chanter son père en plus de lui mettre les cornes avec sa petite amie, ce n'était pas quelque chose qu'une mère pouvait encaisser facilement. Elle pleurerait et partirait en courant à la cathédrale se faire consoler par les curés.

Pour Mabel, c'était plus dur. Il pensait à elle et un vide s'ouvrait dans son estomac. C'était la seule femme qu'il avait aimée pour de bon dans sa vie. Il lui avait tout donné. Maison, pension, cadeaux. Une liberté qu'aucun autre homme n'aurait accordée à la femme qu'il entretenait. Pour qu'elle couche avec son fils ! Pour que, acoquinée avec ce misérable, elle lui fasse du chantage ! Il n'allait pas la tuer, il ne lui collerait même pas une bonne gifle sur son museau de menteuse. Il ne la reverrait plus. Qu'elle gagne sa vie en faisant la pute ! On verrait bien si elle dénichait un amant aussi généreux que lui.

Au lieu de descendre par la rue Lima, à la hauteur du pont suspendu il obliqua en direction du quai Eguiguren. Là il y avait moins de gens et il pouvait marcher plus tranquille, sans la crainte qu'on ne le regarde en le montrant du doigt. Il se rappela les grosses maisons anciennes qui bordaient ce quai quand il était gamin. Elles s'étaient effondrées une par une avec les ravages qu'avait provoqués El Niño, les pluies et les crues de la rivière qui avait débordé et noyé le quartier. Au lieu de les reconstruire, les p'tits Blancs s'étaient fait leurs maisons neuves à El Chipe, loin du centre.

Que ferait-il maintenant ? Poursuivre son travail aux Transports Narihualá comme si de rien n'était ? Pauvre

Tiburcio. En voilà un qui aurait une peine terrible. Son frère Miguel, à qui il avait toujours été si attaché, devenu un délinquant qui avait voulu dépouiller son père avec la complicité de la petite amie. Tiburcio était un brave type. Peut-être pas très intelligent, mais correct, sérieux, incapable d'une malhonnêteté comme celle de son frère. Il serait bouleversé par la nouvelle.

La rivière Piura était très chargée et charriait des branches, des petits arbustes, des papiers, des bouteilles, des plastiques. Elle avait une couleur marron comme s'il y avait eu des éboulements de terre dans la cordillère. Personne n'était en train de se baigner dedans.

Quand il grimpa du quai à l'avenue Sánchez Cerro, il décida de ne pas aller au bureau. Il était déjà six heures moins le quart et les journalistes s'agglutineraient comme des mouches aux Transports Narihualá dès qu'ils sauraient la nouvelle. Il valait mieux s'enfermer chez lui, tenir la porte de la rue verrouillée et ne pas sortir pendant quelques jours, jusqu'à ce que la tempête se calme. De penser au scandale lui faisait courir des frissons dans le dos.

Il remonta la rue Arequipa vers sa maison, en sentant que l'angoisse s'accumulait à nouveau dans sa poitrine et l'empêchait de respirer. Alors comme ça Miguelito lui en voulait, le détestait même dès avant qu'il l'oblige à faire son service militaire. C'était un sentiment réciproque. Non, faux, lui n'avait jamais détesté ce prétendu fils. C'était autre chose qu'il ne l'ait jamais aimé, parce qu'il devinait qu'il n'avait pas le même sang que lui. Mais il ne se rappelait pas avoir eu des préférences pour Tiburcio. Il avait été un père juste, soucieux de les traiter tous les deux de façon identique. Il est vrai qu'il avait obligé

Miguel à passer un an à la caserne. C'était pour son bien. Pour qu'on le remette dans le droit chemin. Il était très mauvais élève, il n'aimait que s'amuser, jouer au ballon et boire des coups dans les chicherías. Il l'avait surpris à s'aviner dans des bars et des tavernes horribles avec des copains aux têtes de voyous et à dépenser son argent de poche au bordel. À ce train, ça finirait mal. « Si tu continues, je te flanque à l'armée », l'avait-il prévenu. Il avait continué et il l'y avait flanqué. Felícito se mit à rire. Bon, on ne pouvait pas dire non plus qu'il se soit beaucoup amélioré, pour finir par faire ce qu'il avait fait. Qu'il aille en prison, qu'il sache ce que c'était. On verrait bien qui lui donnerait du travail après, avec un tel casier judiciaire. Il sortirait de là plus vaurien qu'il n'y était entré, comme tous ceux qui passaient par ces universités du crime qu'étaient les prisons.

Il était en face de sa maison. Avant d'ouvrir la grande porte cloutée, il alla jusqu'au coin et jeta quelques pièces dans la sébile de l'aveugle :

— Bonsoir, Lucindo.

— Bonsoir, don Felícito. Que Dieu vous le rende.

Il revint sur ses pas, sentant sa poitrine contractée et respirant avec difficulté. Il ouvrit la porte et la referma derrière lui. Du vestibule, il entendit des voix au salon. Il ne manquait plus que ça. Des visites ! C'était bizarre, Gertrudis n'avait pas d'amies qui viennent à l'improviste, elle ne donnait jamais de petits thés. Il était debout dans le vestibule, indécis, quand il vit apparaître à la porte du salon la silhouette imprécise de sa femme. Engoncée dans une de ces robes qui ressemblaient à un habit de moine, il la vit venir vers lui en pressant beaucoup ce pas difficile qu'elle avait. Pourquoi faisait-elle cette tête ? Elle devait déjà savoir les nouvelles, donc.

— Alors comme ça t'es au courant de tout — murmura-t-il.

Mais elle ne le laissa pas terminer. Elle tendait son bras vers le salon, les mots se bousculaient dans sa bouche :

— Je regrette, je regrette beaucoup, Felícito. J'ai dû la loger ici dans la maison. Je pouvais pas faire autrement. Ça sera que pour quelques jours. Elle est en fuite. On pourrait la tuer, paraît-il. Une histoire incroyable. Viens, qu'elle te la raconte elle-même.

La poitrine de Felícito était un tambour. Il regardait Gertrudis, sans bien comprendre ce qu'elle disait, mais, au lieu de la figure de sa femme, il voyait celle d'Adelaida, transformée par les visions de l'inspiration.

XVI

Pourquoi Lucrecia tardait-elle tellement? Don Rigoberto tournait comme un fauve en cage devant la porte de son appartement de Barranco. Sa femme ne sortait toujours pas de sa chambre. Il était habillé en grand deuil et ne voulait pas arriver en retard à l'enterrement d'Ismael, mais Lucrecia, avec sa manie de lambiner sous les prétextes les plus absurdes pour retarder le moment de sortir, allait les faire arriver à l'église au moment où le cortège serait déjà en route pour le cimetière. Il ne voulait pas se faire remarquer en apparaissant aux Jardins de la Paix au milieu de la cérémonie funèbre, attirant les regards de toute l'assistance. Il y aurait beaucoup de monde, sans doute, comme le soir précédent à la veillée, non seulement par amitié envers le défunt mais aussi pour la malsaine curiosité liménienne à l'idée de voir enfin en personne la veuve scandaleuse.

Mais don Rigoberto savait qu'il n'y avait rien à faire, sinon se résigner et attendre. Les seules disputes qu'il avait eues avec son épouse au long de toutes ces années étaient probablement dues aux retards de Lucrecia chaque fois qu'ils devaient sortir, où que ce soit, cinéma, dîner, exposition, courses, démarche bancaire ou voyage. Au début de leur mariage, alors qu'ils entamaient leur vie commune, il croyait que sa femme traînassait par manque d'envie et mépris de la ponctualité. Ils avaient eu sur ce point des discussions, des fâcheries, des procès d'intention. Peu à peu, don Rigoberto, en l'observant, en réfléchissant, s'aperçut que ces retards de son épouse, au moment de sortir pour n'importe quel rendez-vous, n'étaient pas un fait superficiel, un laisser-aller de femme prétentieuse. Ils obéissaient à quelque chose de plus profond, un état ontologique de l'esprit, parce que, sans qu'elle soit consciente de ce qui se passait, chaque fois qu'elle devait abandonner un endroit quelconque, sa propre maison, celle d'une amie chez qui elle était en visite, le restaurant où elle venait de dîner, elle était saisie d'une secrète inquiétude, une insécurité, une peur obscure, primitive, de devoir s'en aller, partir, changer de lieu, et s'inventait alors toutes sortes de prétextes — prendre un mouchoir, changer de sac, chercher les clés, vérifier que les fenêtres étaient bien fermées, la télé éteinte, voir si la cuisine n'était pas restée éclairée ou le téléphone décroché —, n'importe quoi qui retarde de quelques minutes ou secondes le moment effrayant du départ.

En avait-il toujours été ainsi ? Petite fille aussi ? Il n'avait jamais osé le lui demander. Mais il avait bien vu, les années passant, que cette obsession, manie ou fatalité, s'accentuait, au point que Rigoberto pensait parfois, en frémissant, que le jour viendrait peut-être où Lucrecia, aussi benoîtement que le personnage de Melville, contracterait la léthargie ou l'indolence métaphysique de Bartleby et déciderait de ne plus bouger de chez elle, peut-être même de sa chambre, voire de son lit. « Peur de cesser d'être, de perdre son être, de rester sans son être », se redit-il encore. C'était le diagnostic auquel il était arrivé sur les retards de son épouse. Les secondes s'écoulaient et Lucrecia n'apparaissait pas. Il l'avait déjà appelée trois fois à voix haute, en lui remettant en mémoire qu'il se faisait tard. Sans doute, sous l'effet de l'angoisse, du trouble nerveux où l'avait plongée l'appel d'Armida lui annonçant la mort soudaine d'Ismael, cette peur panique en s'en allant de rester sans son être, de l'oublier comme un parapluie ou un imperméable, s'était-elle aggravée. Elle continuerait à traîner et ils arriveraient en retard aux obsèques.

Finalement Lucrecia sortit de sa chambre. Elle était également vêtue de noir avec des lunettes sombres. Rigoberto se hâta de lui ouvrir la porte. Sa femme avait toujours le visage défait par la peine et l'incertitude. Qu'allait-il leur arriver maintenant ? Le soir précédent, pendant la veillée funèbre à la paroisse Santa María Reina, Rigoberto l'avait vue sangloter en étreignant Armida, près du cercueil ouvert où gisait Ismael, un mouchoir noué à la tête pour tenir sa mâchoire. Rigoberto lui-même avait dû faire à cet instant un gros effort pour contenir son envie de pleurer. Mourir justement alors qu'il croyait avoir gagné toutes les batailles et se sentait l'homme le plus heureux de la création. Le bonheur l'avait tué, peut-être ? C'était si nouveau pour Ismael Carrera.

Ils descendirent par l'ascenseur directement au garage et, Rigoberto au volant, gagnèrent à la hâte la paroisse Santa María Reina, à San Isidro, d'où partirait le cortège en direction du cimetière des Jardins de la Paix, à La Molina.

— Tu as vu hier soir, à la veillée funèbre, que ni Miki ni Escobita ne se sont approchés une seule fois d'Armida ? — fit remarquer Lucrecia —. Pas une seule fois. Quel manque de considération ! Ce sont vraiment deux sales types.

Rigoberto l'avait remarqué ainsi, bien sûr, que la plupart des gens qui, plusieurs heures durant et jusqu'à près de minuit, avaient défilé dans la chapelle ardente croulant sous les fleurs. Couronnes, gerbes, croix, cartes de condoléances jonchaient l'enceinte et recouvraient le patio jusqu'à la rue. Beaucoup de gens aimaient et respectaient Ismael et c'en était la preuve : des centaines de personnes venues saluer sa dépouille. Il y en aurait autant ou davantage à l'enterrement ce matin-là. Mais ils étaient là la veille et seraient également là maintenant, ceux qui avaient dit pis que pendre de lui pour avoir épousé sa servante, et même ceux qui avaient pris parti pour Miki et Escobita dans le procès qu'ils avaient intenté pour que la justice annule le mariage. Comme ceux de Lucrecia et les siens, les regards des gens à la veillée funèbre s'étaient concentrés sur les hyènes et sur Armida. Les jumeaux, en deuil strict et sans ôter leurs lunettes noires, ressemblaient à deux gangsters de cinéma. La veuve et les enfants du défunt étaient séparés de quelques petits mètres qu'à aucun moment ces derniers n'avaient tenté de franchir. C'en était comique. Armida, en deuil des pieds à la tête, avec un chapeau et un voile sombres, était assise à peu de distance du cercueil, un mouchoir et un chapelet à la main, dont elle roulait les grains lentement en même temps que ses lèvres remuaient sur une prière silencieuse. À tout moment elle séchait ses larmes. De temps en temps, aidée par les deux gros bonshommes à mine patibulaire qui se tenaient derrière elle, elle se levait, s'approchait du cercueil et, penchée sur le verre, priait ou pleurait. Puis elle continuait à recevoir les condoléances des nouveaux arrivés. Alors, les hyènes se remuaient, s'approchaient du cercueil et restaient un moment devant, se signant, la mine éplorée, sans tourner une seule fois la tête vers l'endroit où se trouvait la veuve.

— Es-tu sûr que ces deux malabars à têtes de boxeurs qui sont restés toute la nuit à côté d'Armida étaient des gardes du corps ? — demanda Lucrecia —. Ils auraient pu être, plutôt, ses parents. Ne roule pas si vite, s'il te plaît. Ça suffit avec un mort pour le moment.

— Tout à fait sûr — dit Rigoberto —. Claudio Arnillas me l'a confirmé. Parce que l'avocat d'Ismael est maintenant le sien. C'étaient des gardes du corps.

— Tu ne trouves pas ça un peu ridicule ? — estima Lucrecia —. Pourquoi diable Armida aurait-elle besoin de gardes du corps, j'aimerais bien savoir.

— Elle en a besoin maintenant plus que jamais — rétorqua don Rigoberto, en ralentissant —. Les hyènes pourraient engager un tueur à gages et la faire abattre. Ce sont des choses courantes aujourd'hui à Lima. Je crains que ces deux crapules ne détruisent cette femme. Tu n'as pas idée, Lucrecia, de la fortune dont cette jeune veuve vient d'hériter.

— Si tu continues à conduire comme ça, moi je descends — l'avertit son épouse —. Ah, c'était pour ça. Je pensais que cela lui était monté à la tête et qu'elle avait engagé ces deux costauds pour se donner de l'importance, rien d'autre.

347

Lorsqu'ils arrivèrent à la paroisse Santa María Reina, sur la place ovale Gutiérrez de San Isidro, le cortège s'ébranlait, si bien que, sans descendre de voiture, ils intégrèrent la caravane. La file de voitures était interminable. Don Rigoberto vit, au passage du corbillard, beaucoup de passants faire un signe de croix. « La peur de mourir », pensa-t-il. Lui, autant qu'il s'en souvînt, n'avait jamais eu peur de la mort. « Du moins, pas jusqu'à présent, se corrigea-t-il. Tout Lima doit être là. »

En effet, tout Lima était là. Les grands chefs d'entreprise, directeurs de banque, de compagnies d'assurances, de mines, de pêche, de construction, de télévision, de journaux, propriétaires de fermes et de domaines et, avec eux, beaucoup d'employés de la compagnie qu'Ismael avait dirigée jusqu'à il y avait peu, et même quelques humbles personnes qui avaient travaillé pour lui ou devaient lui être redevables de faveurs. Il y avait un militaire galonné, probablement un aide de camp du président de la République, et les ministres de l'Économie et du Commerce extérieur. Il se produisit un petit incident lorsqu'on descendit le cercueil du corbillard et que Miki et Escobita voulurent prendre la tête du cortège. Ils n'y parvinrent que quelques secondes. Car, lorsque Armida émergea de sa voiture au bras de Me Arnillas, entourée maintenant non par deux mais par quatre gardes du corps, ceux-ci, sans autres égards, lui ouvrirent la voie jusqu'à l'avant de la colonne, en écartant les jumeaux d'un geste résolu. Miki et Escobita, après un moment de confusion, choisirent de céder la place à la veuve et se placèrent sur les côtés du cercueil. Ils prirent les cordons du poêle et suivirent le cortège la tête basse. L'assistance était en majeure partie composée d'hommes, mais il y avait aussi bon nombre de dames élégantes, qui, pendant l'oraison du prêtre, ne cessèrent de regarder Armida effrontément. Elles ne purent pas voir grand-chose. Toujours vêtue de noir, elle portait un chapeau et des lunettes sombres qui lui cachaient une grande partie du visage. Claudio Arnillas — ses bretelles multicolores habituelles sous sa veste grise — restait près d'elle et les quatre hommes de la sécurité formaient dans leur dos un mur que personne ne tentait de franchir.

À la fin de la cérémonie, lorsque le cercueil fut finalement hissé jusqu'à l'une des niches et que celle-ci fut scellée sous une plaque de marbre au nom d'Ismael Carrera en lettres dorées, avec la date de sa naissance et celle de sa mort — il était mort trois semaines avant ses quatre-vingt-deux ans —, Me Arnillas, le pas encore plus désarticulé que d'autres fois à cause de la hâte, et les quatre gardes du corps emmenèrent Armida vers la sortie, sans permettre à personne de s'approcher d'elle. Rigoberto remarqua que, une fois la veuve partie, Miki et Escobita restaient debout près de la tombe et que beaucoup de personnes s'approchaient pour les embrasser. Lucrecia et lui se gardèrent de le faire. (La nuit précédente, à la veillée funèbre, lorsqu'ils avaient présenté leurs condoléances aux jumeaux, la poignée de main avait été glaciale.)

— Passons chez Ismael — proposa doña Lucrecia à son mari —. Ne serait-ce qu'un moment, pour essayer de parler avec Armida.

— Bon, on y va.

Quand ils arrivèrent à la maison de San Isidro, ils furent surpris de ne pas voir une nuée de voitures garées devant la porte. Rigoberto descendit, s'annonça à l'interphone et, après plusieurs minutes, on les fit entrer au jardin. Me Arnillas les y accueillit. Avec un air de circonstance, il semblait avoir pris le contrôle de la situation, mais n'en menait pas large. On le sentait peu sûr de lui.

— Mille excuses de la part d'Armida — leur dit-il —. Elle a passé toute la nuit debout, à la veillée funèbre, et nous l'avons obligée à s'allonger. Le médecin a exigé qu'elle se repose un peu. Mais venez, allons au salon du jardin prendre un rafraîchissement.

Rigoberto eut le cœur un peu serré quand il vit que l'avocat les menait à la pièce où, deux jours plus tôt, il avait vu pour la dernière fois son ami.

— Armida vous est très reconnaissante — leur dit Claudio Arnillas. Il avait l'air soucieux et parlait en s'arrêtant souvent, la mine grave. Ses bretelles tape-à-l'œil resplendissaient chaque fois que sa veste s'entrouvrait —. D'après elle, vous êtes les seuls amis d'Ismael en qui elle ait confiance. Comme vous l'imaginez, la pauvre se sent maintenant très désemparée. Votre soutien lui sera précieux.

— Excusez-moi, maître, je sais que ce n'est pas le moment — l'interrompit Rigoberto —. Mais vous savez mieux que personne tout ce qui est resté en suspens avec la mort d'Ismael. Avez-vous une idée de ce qui va se passer maintenant?

Arnillas acquiesça. Il avait demandé un expresso et tenait sa tasse en l'air, près de sa bouche. Il soufflait dessus, doucement. Sur son visage sec et osseux, ses petits yeux acérés et malins semblaient dubitatifs.

— Tout dépendra de ces deux petits messieurs — soupira-t-il, en gonflant la poitrine —. Demain le testament sera ouvert à l'étude de Me Núñez. J'en connais plus ou moins le contenu. Nous verrons comment réagiront les hyènes. Leur avocat est un rond-de-cuir qui leur conseille les bravades et la guerre. J'ignore jusqu'où ils voudront aller. M. Carrera a laissé pratiquement tout son patrimoine à Armida, et il faut s'attendre au pire.

Il haussa les épaules, se résignant à l'inévitable. Rigoberto supposa que l'inévitable était que les jumeaux poussent les hauts cris. Et il pensa aux extraordinaires paradoxes de la vie : une des femmes les plus humbles du Pérou devenue du jour au lendemain l'une des plus riches.

— Mais est-ce qu'Ismael ne leur a pas donné par avance leur héritage ? — rappela-t-il —. Il l'a fait quand il a dû les mettre à la porte de la compagnie après tous les coups pendables qu'ils lui faisaient, je m'en souviens très bien. Il leur a donné à chacun une belle quantité d'argent.

— Mais de façon informelle, au moyen d'une simple lettre — Me Arnillas haussa et baissa à nouveau les épaules et son front se plissa tandis qu'il redressait ses lunettes —. Il n'y a eu aucun document administratif ni aucune acceptation formelle de leur part. La chose peut être légalement contestée, et elle le sera probablement. Je doute fort que les jumeaux se résignent. Je crains qu'on ne bataille pendant longtemps.

— Qu'Armida transige et leur donne quelque chose pour qu'ils la laissent en paix — suggéra don Rigoberto —. Le pire pour elle serait un très long procès. Il durerait des années et les avocats empocheraient les trois quarts du pactole. Ah, pardon, maître, je ne dis pas cela pour vous, je plaisantais.

— Merci en ce qui me concerne — se mit à rire

Me Arnillas, en se levant —. D'accord, d'accord. Une transaction est toujours ce qu'il y a de mieux. Nous verrons comment tournera l'affaire. Je vous tiendrai informé, bien entendu.

— Serai-je encore mêlé moi aussi à cet embrouillamini ? — demanda-t-il en se levant également.

— Nous ferons en sorte qu'il n'en soit pas ainsi, naturellement — le rassura à moitié l'avocat —. L'action judiciaire contre vous n'a pas de sens, maintenant que don Ismael est décédé. Mais avec nos juges on ne sait jamais. Je vous appellerai aussitôt qu'il y aura du nouveau.

Les trois jours qui suivirent l'enterrement d'Ismael Carrera, Rigoberto fut paralysé par l'incertitude. Lucrecia appela plusieurs fois Armida, mais celle-ci ne vint jamais au bout du fil. La voix féminine qui répondait semblait celle d'une secrétaire plus que d'une domestique. Mme Carrera se reposait et en ce moment, pour des raisons évidentes, elle préférait ne pas recevoir de visites ; elle ferait la commission, bien sûr. Rigoberto ne put non plus communiquer avec Me Arnillas. Il n'était jamais à son cabinet ni chez lui ; il venait de sortir ou n'était pas encore arrivé, il se trouvait en réunion urgente, il rappellerait dès qu'il aurait un moment.

Que se passait-il ? Que pouvait-il bien se passer ? Le testament avait-il déjà été ouvert ? Quelle serait la réaction des jumeaux en apprenant qu'Ismael avait fait d'Armida sa légataire universelle ? Ils le contesteraient, le déclareraient nul pour violation des lois péruviennes qui stipulaient un tiers obligatoire pour les enfants. La justice ne reconnaîtrait pas l'avance sur héritage qu'Ismael avait consentie aux jumeaux. Rigoberto serait-il encore impliqué dans l'action judiciaire des hyènes ? Ces dernières persisteraient-elles ? Et lui, serait-il convoqué à nouveau devant ce juge horrible, dans ce bureau pour claustrophobes ? N'aurait-il pas le droit de quitter le Pérou tant que le procès ne serait pas conclu ?

Il dévorait la presse et écoutait toutes les informations à la radio et à la télé, mais l'affaire ne faisait pas encore la une, confinée qu'elle restait dans les études des exécuteurs testamentaires, notaires et avocats. Rigoberto, enfermé dans son bureau, se creusait la tête à essayer de deviner ce qui se passait dans ces cabinets capitonnés. Il n'était pas d'humeur à écouter de la musique — même son Mahler bien-aimé lui tapait sur les nerfs —, ni à se concentrer sur un livre ou à contempler ses gravures en s'abandonnant à la rêverie. Il mangeait à peine. Il n'avait échangé avec Fonfon et doña Lucrecia d'autres mots que bonjour et bonsoir. Il ne sortait pas dans la rue de crainte d'être assailli par des journalistes sans savoir que répondre à leurs questions. Malgré toutes ses préventions, il dut recourir aux détestables somnifères.

Finalement, le quatrième jour, très tôt, alors que Fonfon venait de partir au collège et que Rigoberto et Lucrecia, encore en robe de chambre, s'asseyaient pour prendre leur petit déjeuner, Me Claudio Arnillas se présenta au penthouse de Barranco. On aurait dit le survivant d'une catastrophe. Il avait des yeux profondément cernés qui accusaient de longues nuits sans sommeil, la barbe drue comme s'il avait oublié de se raser les trois jours précédents, et sa tenue révélait une négligence surprenante chez lui, qui avait toujours le souci d'être bien habillé et pomponné : la cravate de travers, le col de chemise tout froissé, une de ses bretelles psychédéliques non attachée et les chaussures pas cirées. Il leur serra la main, s'excusa d'arriver à l'improviste si tôt et accepta un café. Immédiatement après s'être assis à la table, il expliqua ce qui l'amenait :

— Vous avez vu Armida ? Vous avez parlé avec elle ? Vous savez où elle est ? J'ai besoin que vous soyez très francs avec moi. Pour son bien et le vôtre.

Don Rigoberto et doña Lucrecia faisaient non de la tête et le regardaient la bouche ouverte. Me Arnillas vit que ses questions avaient laissé stupéfaits les maîtres de maison et sembla encore plus déprimé.

— Je vois que vous êtes dans le brouillard, comme moi — dit-il —. Voilà, Armida a disparu.

— Les hyènes… — murmura Rigoberto, pâle. Il imaginait la pauvre veuve séquestrée et peut-être assassinée, son corps jeté aux requins dans la mer, ou servi en pâture aux charognards et aux chiens errants dans quelque dépotoir des environs.

— Personne ne sait où elle est — ajouta Me Arnillas, abattu, vidé —. Vous étiez mon dernier espoir.

Armida avait disparu depuis vingt-quatre heures, de très étrange façon. Après avoir passé toute la matinée à l'étude de Me Núñez, le notaire, pour la comparution avec Miki, Escobita et leur avocaillon, outre Arnillas et deux ou trois juristes de son cabinet. La réunion avait été interrompue à une heure, pour le déjeuner, et devait reprendre à quatre heures de l'après-midi. Armida, avec son chauffeur et ses quatre gardes du corps, était rentrée chez elle à San Isidro. Elle avait dit qu'elle n'avait pas envie de manger et qu'elle ferait une petite sieste afin d'être plus reposée pour la comparution de l'après-midi. Elle s'était enfermée dans sa chambre et à quatre heures moins le quart, quand la bonne avait frappé à la porte et était entrée, la chambre était vide. Personne ne l'avait vue sortir de la pièce ni de la maison. La chambre était parfaitement en ordre — le lit fait —, sans la moindre trace de violence. Ni les gardes du corps, ni le majordome, ni le chauffeur, ni les deux domestiques qui étaient dans la maison ne l'avaient vue, ni n'avaient remarqué qui que ce soit d'étranger rôdant aux alentours. Me Arnillas s'était immédiatement adressé aux jumeaux, convaincu qu'ils étaient responsables de la disparition. Mais Miki et Escobita, atterrés par ce qui se passait, avaient poussé les hauts cris et accusé à leur tour Arnillas de traquenard. Enfin, ils étaient allés tous les trois ensemble informer la police. Le ministre de l'Intérieur lui-même était intervenu, en donnant l'instruction de garder le silence pour le moment. Il n'y aurait aucun communiqué de presse jusqu'à ce que les ravisseurs se mettent en contact avec la famille. Il y avait une mobilisation générale mais, jusqu'à maintenant, pas le moindre indice d'Armida ni de ses kidnappeurs.

— Ce sont eux, les hyènes — affirma doña Lucrecia —. Ils ont acheté les gardes du corps, le chauffeur, les domestiques. Bien sûr que ce sont eux.

— C'est ce que j'ai cru au début, madame, mais je n'en suis plus aussi sûr maintenant — expliqua Me Arnillas —. Cela ne les arrange nullement qu'Armida disparaisse, et encore moins en ce moment. Les discussions chez le notaire n'étaient pas mal engagées. Un accord était en vue, ils pouvaient toucher un peu plus de l'héritage. Tout dépend d'Armida. Ismael avait très bien ficelé l'affaire. Le gros du patrimoine est protégé dans des sociétés offshore, dans les paradis fiscaux les plus sûrs de la planète.

Si la veuve disparaît, personne ne recevra un centavo de la fortune. Ni les hyènes, ni les employés de maison, ni personne. Même moi je ne pourrai toucher mes honoraires. Si bien que les choses sont au point mort.

Il prit une mine si affligée, si désemparée et si ridicule que Rigoberto ne put s'empêcher de rire.

— Tu peux me dire ce qui te fait rire, Rigoberto ? — dit doña Lucrecia, l'œil courroucé —. Tu crois qu'il y a quelque chose de comique dans cette tragédie ?

— Je sais pourquoi vous riez, Rigoberto — dit Me Arnillas —. Parce que vous vous sentez enfin libre. En effet, l'action judiciaire contre le mariage d'Ismael est différée. Elle restera en sursis. Et, en tout cas, elle n'aurait pas eu le moindre effet sur le patrimoine qui, comme je vous l'ai dit, est hors d'atteinte de la justice péruvienne. Il n'y a rien à faire. Il est à Armida. Elle et ses ravisseurs se le répartiront. Vous vous rendez compte ? Il y a vraiment de quoi rire.

— Il restera plutôt aux mains des banquiers de Suisse et de Singapour — ajouta Rigoberto, en reprenant son sérieux —. Je ris de la fin stupide de cette histoire s'il en était ainsi, maître Arnillas.

— Autrement dit, nous du moins nous voilà libérés de ce cauchemar ? — demanda doña Lucrecia.

— En principe oui — acquiesça Arnillas —. À moins que ce ne soit vous qui ayez enlevé ou tué la petite veuve multimillionnaire.

Et, soudain, il se mit à rire lui aussi, dans un éclat de rire hystérique, bruyant, un rire dépourvu de la moindre joie. Il retira ses lunettes, les nettoya avec une lingette, arrangea un peu sa tenue et, redevenant très sérieux, murmura : « Mieux vaut rire que pleurer, comme dit le proverbe. » Il se leva et prit congé en leur promettant de les tenir au courant. S'ils apprenaient quelque chose — il n'était pas exclu que ce soient eux que les ravisseurs appellent —, ils devaient lui téléphoner sur son portable à n'importe quelle heure du jour ou de la nuit. La négociation pour la rançon serait menée par Control Risk, une firme spécialisée de New York.

Dès que Me Arnillas fut sorti, Lucrecia se mit à pleurer, inconsolable. Rigoberto essayait en vain de la calmer. Elle était secouée de sanglots et des larmes coulaient sur ses joues. « Pauvre petite, pauvre petite, murmurait-elle, en s'étouffant. Ils l'ont tuée, ce sont ces salauds, qui sinon eux ? Ou ils l'ont fait enlever pour lui voler tout ce qu'Ismael lui a laissé. » Justiniana lui apporta un verre d'eau avec des gouttes d'élixir parégorique qui, finalement, la calmèrent. Elle resta là, au salon, prostrée, morne. Rigoberto fut ému de voir sa femme si abattue. Lucrecia avait raison. Il était fort possible que les jumeaux soient derrière cette affaire ; ils étaient les plus affectés et devaient être fous à l'idée que tout l'héritage leur échappe des mains. Mon Dieu, quelles histoires organisait la vie quotidienne ; ce n'étaient pas des chefs-d'œuvre, elles étaient plus proches des feuilletons vénézuéliens, brésiliens, colombiens et mexicains que de Cervantès et Tolstoï, sans doute. Mais pas si loin d'Alexandre Dumas, Émile Zola, Dickens ou Pérez Galdós.

Il se sentait troublé et démoralisé. C'était bon d'être débarrassé de cette maudite affaire judiciaire, bien sûr. Dès que ce serait corroboré, il confirmerait les billets pour l'Europe. Voilà. Mettre un océan entre eux et ce mélodrame. Tableaux, musées, opéras, concerts, théâtres de haut niveau, restaurants exquis. Voilà. Pauvre Armida, en effet : elle était sortie de l'enfer, elle avait connu un avant-goût du paradis et à nouveau les flammes. Séquestrée ou assassinée. Ça se valait.

Justiniana entra dans la salle à manger, avec un air très grave. Elle semblait déconcertée.

— Que se passe-t-il encore ? — demanda Rigoberto, et Lucrecia, comme sortant d'un sommeil séculaire, écarquilla des yeux humides de larmes.

— Il n'est pas devenu fou, Narciso ? — dit Justiniana, en portant un doigt à sa tempe —. Il est très bizarre. Il n'a pas voulu me dire son nom, mais j'ai bien reconnu sa voix. Il a l'air très effrayé. Il veut vous parler, monsieur.

— Passe-moi l'appel au bureau, Justiniana.

Il sortit en hâte de la salle à manger et gagna son bureau. Il était persuadé que ce coup de fil lui apporterait de mauvaises nouvelles.

— Allô, allô — dit-il dans le combiné, prêt à entendre le pire.

— Vous savez qui vous parle, non ? — lui répondit une voix qu'il reconnut aussitôt —. Dites pas mon nom, s'il vous plaît.

— C'est bon, d'accord — dit Rigoberto —. Qu'est-ce qui t'arrive, on peut savoir ?

— Faudrait que je vous voie de toute urgence — dit un Narciso effrayé et affolé —. Excusez-moi de vous déranger, mais c'est très important, monsieur.

— Oui, bien sûr, je comprends — répondit Rigoberto, en réfléchissant à l'endroit où il pourrait lui donner rendez-vous —. Tu te rappelles le restaurant où nous avons déjeuné la dernière fois avec ton patron ?

— Je me rappelle très bien — dit le chauffeur, après une courte pause.

— Attends-moi là-bas dans une heure, exactement. Je passerai te prendre en voiture. À tout de suite.

Quand il retourna à la salle à manger rapporter à Lucrecia le coup de fil de Narciso, Rigoberto trouva sa femme et Justiniana collées à la télé. Elles écoutaient et regardaient, hypnotisées, le présentateur vedette de la chaîne d'informations RPP, Raúl Vargas, qui donnait des détails et émettait des hypothèses sur la mystérieuse disparition, la veille, de doña Armida Carrera, veuve de l'homme d'affaires bien connu, don Ismael Carrera, récemment décédé. Les ordres du ministre de l'Intérieur pour ne pas ébruiter la nouvelle n'avaient servi à rien. Le Pérou tout entier devait être maintenant, comme eux, suspendu à cette première. Les Liméniens avaient de quoi se distraire pendant un bout de temps. Il se mit à écouter Raúl Vargas. Il disait plus ou moins ce qu'ils savaient déjà : la dame avait disparu la veille, en début d'après-midi, après une comparution à l'étude Núñez pour l'ouverture du testament du défunt. La réunion devait reprendre l'après-midi. La disparition avait eu lieu dans l'intervalle. La police avait arrêté tous les employés de la maison, ainsi que quatre gardes du corps de la veuve, pour les interroger. Il n'y avait aucune confirmation qu'il s'agisse d'un enlèvement, mais c'était ce que l'on présumait. La police donnait un numéro de téléphone auquel pouvait appeler toute personne qui aurait vu la dame ou saurait où elle se trouvait. Il montra des photos d'Armida et des funérailles d'Ismael, rappela le scandale soulevé par le mariage du richissime chef d'entreprise avec son ex-domestique. Et donna connaissance d'un communiqué des deux fils du défunt disant qu'ils exprimaient leur consternation devant ce qui était arrivé et leur espoir que la dame réapparaîtrait saine et sauve. Ils offraient une récompense à qui aiderait à la retrouver.

— Toute la meute médiatique voudra maintenant m'interviewer — maugréa Rigoberto.

— Ils ont déjà commencé — lui porta le coup de grâce Justiniana —. On a appelé de deux radios et d'un journal, jusqu'à présent.

— Le mieux est de couper le téléphone — ordonna Rigoberto.

— Tout de suite — dit Justiniana.

— Que voulait Narciso ? — demanda doña Lucrecia.

— Je ne sais pas, je l'ai senti très effrayé, en effet — expliqua-t-il —. Les hyènes ont dû lui faire quelque chose. Je vais le voir maintenant. Nous nous sommes donné rendez-vous comme au cinéma, sans dire où. On ne se retrouvera peut-être jamais.

Il se doucha et descendit directement au garage. En partant, il vit à la porte de l'immeuble des journalistes postés avec leurs appareils photo. Avant de se diriger vers La Rosa Náutica, où il avait déjeuné pour la dernière fois avec Ismael Carrera, afin de s'assurer que personne ne le suivait il fit plusieurs tours dans les rues de Miraflores. Peut-être que Narciso avait des problèmes d'argent. Mais ce n'était pas une raison pour prendre tant de précautions et cacher son identité. À moins que si. Bon, il allait bientôt savoir ce qui lui arrivait. Il entra au parking de La Rosa Náutica et vit surgir Narciso au milieu des voitures. Il lui ouvrit la portière et le Noir grimpa et s'assit à côté de lui : « Bonjour, don Rigoberto. Vous m'excuserez de vous avoir dérangé. »

— Ne t'inquiète pas, Narciso. On va faire un tour par là et comme ça on pourra parler tranquillement.

Le chauffeur portait une casquette bleue enfoncée jusqu'aux yeux et semblait plus mince que la dernière fois où ils s'étaient vus. Rigoberto prit par la Costa Verde en direction de Barranco et Chorrillos en s'intégrant dans une file de véhicules déjà assez dense.

— Tu auras vu que les problèmes d'Ismael ne cessent pas même après sa mort — dit-il enfin —. Tu dois savoir déjà qu'Armida a disparu, non? Il paraît qu'on l'a enlevée.

Comme il n'obtint pas de réponse et n'entendait que la respiration haletante du chauffeur, il lui jeta un coup d'œil. Narciso regardait devant lui, la bouche froncée et un éclat inquiet dans les pupilles. Il avait croisé ses mains et les serrait avec force.

— C'est justement de ça que je voulais vous parler, don Rigoberto — murmura-t-il, en se tournant pour le regarder et en écartant les yeux tout aussitôt.

— Tu veux dire de la disparition d'Armida? — don Rigoberto se tourna à nouveau vers lui.

Le chauffeur d'Ismael continua à regarder droit devant lui, mais acquiesça deux ou trois fois, avec conviction.

— Je vais entrer au Regatas et me garer là pour que nous parlions calmement. Parce que sinon je vais avoir une collision — dit Rigoberto.

Il entra au Club Regatas et se gara dans la première rangée face à la mer. C'était un matin gris et nuageux, et il y avait beaucoup de mouettes, de canards et d'albatros tournoyant dans l'air et criaillant. Une jeune fille très mince, en survêtement bleu, faisait du yoga sur la plage déserte.

— Ne me dis pas que tu sais qui a enlevé Armida, Narciso.

Cette fois, le chauffeur se tourna pour le regarder dans les yeux et sourit, en ouvrant sa grande bouche. Ses dents très blanches étincelaient.

— Personne l'a enlevée, don Rigoberto — dit-il, en redevenant sérieux —. C'est de ça justement que je voulais vous parler, parce que je suis un peu nerveux. Je voulais seulement rendre un service à Armida ou, pour mieux dire, à Mme Armida. Elle et moi on était bons amis quand elle était seulement domestique de don Ismael. Je me suis toujours mieux entendu avec elle qu'avec les autres employés. Elle faisait pas la fière, elle était très simple. Et, si elle me demandait un service au nom de notre vieille amitié, comment j'allais le lui refuser, alors ? Vous auriez pas fait pareil ?

— Je vais te demander une chose, Narciso — l'interrompit Rigoberto —. Il vaut mieux tout me raconter, depuis le début. Sans oublier un seul détail. Je t'en prie. Mais auparavant, une chose. Elle est vivante, alors ?

— Comme vous et moi, don Rigoberto. Du moins, jusqu'à hier elle l'était.

Contrairement à ce qu'il lui demandait, Narciso n'alla pas droit au but. Il aimait, ou ne pouvait éviter, les préambules, les incises, les détours sauvages, les circonlocutions, les longues parenthèses. Et il n'était pas toujours facile à don Rigoberto de le remettre dans le droit-fil chronologique et de lui faire suivre l'épine dorsale du récit. Narciso se perdait dans des précisions et des commentaires accessoires. Malgré tout, il ressortit de cet écheveau emmêlé que, le même jour où lui avait vu pour la dernière fois Ismael dans sa maison de San

Isidro, cet après-midi-là, alors que la nuit tombait déjà, Narciso s'était trouvé là lui aussi, appelé par Ismael Carrera en personne. Autant lui qu'Armida l'avaient grandement remercié de son aide et de sa loyauté, en lui donnant une gratification généreuse. Aussi, quand le lendemain il apprit la mort subite de son ex-patron, il courut présenter ses condoléances à l'épouse. Il lui apporta même une petite lettre car il était persuadé qu'elle ne le recevrait pas. Mais Armida le fit entrer et échangea quelques mots avec lui. La pauvre était défaite par le malheur que Dieu venait de lui envoyer pour éprouver sa force d'âme. Alors qu'il s'en allait, elle demanda à Narciso, à sa grande surprise, s'il avait un téléphone portable où elle pourrait l'appeler. Il lui donna son numéro, en se demandant, étonné, pourquoi elle pourrait vouloir le contacter.

Et deux jours plus tard, c'est-à-dire l'avant-veille, Mme Armida l'avait appelé, à une heure tardive de la soirée, alors que Narciso, après avoir vu l'émission de Magaly à la télé, allait se coucher.

— Quelle surprise, quelle surprise ! — avait dit le chauffeur en reconnaissant sa voix.

— Moi, avant, je la tutoyais toujours — expliqua Narciso à don Rigoberto —. Mais depuis qu'elle s'était mariée avec don Ismael, je pouvais plus. C'est que le vous me sortait pas. Alors j'essayais de lui parler d'une manière impersonnelle, je sais pas si vous me comprenez.

— Parfaitement, Narciso — l'encouragea Rigoberto —. Continue, continue. Que voulait Armida ?

— Que tu me rendes un grand service, Narciso. Un autre, très grand. Je te le demande au nom de notre vieille amitié, une fois de plus.

— Bien sûr, bien sûr, avec plaisir — avait dit le chauffeur —. Et en quoi ça consisterait ce service ?

— Que tu m'amènes à un endroit, demain après-midi. Sans que personne le sache. Tu pourrais ?

— Et où voulait-elle que tu l'amènes ? — le pressa don Rigoberto.

— C'était tout ce qu'il y avait de plus mystérieux — dévia Narciso une fois de plus —. Je sais pas si vous vous rappelez, mais derrière le jardin intérieur, près de la chambre des domestiques, il y a chez don Ismael une petite porte de service qui donne sur la rue et qu'on n'utilise presque jamais. Que pour sortir les ordures le soir dans la ruelle.

— J'aimerais que tu ne t'écartes pas du principal, Narciso — insista Rigoberto —. Pourrais-tu me dire enfin ce que voulait Armida ?

— Que je l'attende là, avec ma vieille bagnole, tout l'après-midi. Jusqu'à ce qu'elle sorte. Et sans que personne me voie. Bizarre, hein ?

Narciso avait trouvé cela très curieux. Mais il avait fait ce qu'elle lui demandait, sans poser plus de questions. Au début de l'après-midi de la veille, il avait garé sa bagnole dans la ruelle en face de la porte de service de chez don Ismael. Il avait attendu près de deux heures, mort d'ennui, somnolant parfois, ou écoutant les blagues à la radio, observant les chiens errants qui fouillaient les sacs-poubelle, se demandant et se redemandant ce que signifiait tout ça. Pourquoi Armida prenait-elle tant de précautions pour sortir de chez elle ? Pourquoi elle ne le faisait pas par la grande porte, dans sa Mercedes Benz, avec son nouveau chauffeur en uniforme et ses malabars de gardes du corps ? Pourquoi en cachette et dans la vieille bagnole de Narciso? Enfin le portillon s'était ouvert et Armida était apparue, une petite valise à la main.

— Eh bien, eh bien, j'étais sur le point de m'en aller — lui avait dit Narciso en guise de salut, en lui ouvrant la portière de son tacot.

— Démarre tout de suite, Narciso, avant que personne nous voie — avait-elle ordonné —. Et à fond la caisse.

— Elle était très pressée, m'sieur — expliqua le chauffeur —. Là, j'ai commencé à me faire du souci. On peut savoir pourquoi tous ces secrets, dis, Armida?

— Alors comme ça, tu t'es remis à m'appeler Armida et à me tutoyer — elle avait fait en riant —. Comme au bon vieux temps. T'as bien fait, Narciso.

— Mille pardons — avait dit le chauffeur —. Je sais bien que je dois vous dire vous, maintenant que vous êtes devenue une madame.

— Arrête tes conneries et tutoie-moi, parce que je suis pareille que toujours — elle avait dit —. T'es pas mon chauffeur mais mon ami et mon compère. Tu sais ce que disait Ismael de toi? « Ce Noir vaut de l'or en barre. » La vérité vraie, Narciso. C'est ce que tu vaux.

— Dis-moi au moins où tu veux qu'on aille — il avait demandé.

— À la gare routière de la Cruz de Chalpón? — s'étonna don Rigoberto —. Elle partait en voyage? Armida allait prendre un autocar, Narciso?

— Je sais pas si elle l'a pris, mais je l'ai amenée là — acquiesça le chauffeur —. À cette gare routière. Je vous ai dit qu'elle avait une petite valise. J'imagine qu'elle partait en voyage. Elle m'a dit de pas lui poser de questions et j'en ai pas posé.

— Il vaut mieux oublier tout ça, Narciso — avait

répété Armida, en lui serrant la main —. Autant pour moi que pour toi. Il y a des mauvaises gens qui veulent me faire du mal. Tu sais qui. Et aussi à tous mes amis. Tu m'as pas vue, tu m'as pas amenée ici, tu sais rien de moi. Je pourrai jamais te rendre tout ce que je te dois, Narciso.

— J'ai pas pu dormir de la nuit — ajouta le chauffeur —. Les heures passaient et j'avais de plus en plus peur, je vous dis. De plus en plus. Après la peur que m'ont faite les jumeaux, maintenant ce truc. C'est pour ça que je vous ai appelé, don Rigoberto. Et, aussitôt après que je vous ai parlé, j'ai entendu sur RPP que Mme Armida avait disparu, qu'on l'avait enlevée. C'est pour ça que je suis encore tout tremblant.

Don Rigoberto lui tapota l'épaule.

— Tu es trop gentil, Narciso, c'est pour ça que tu as tant de peurs. Maintenant tu t'es encore fourré dans de sales draps. Il va falloir, je le crains, que tu ailles à la police raconter cette histoire.

— Plutôt mourir, m'sieur — répondit le chauffeur, fermement —. Je sais pas où est allée Armida ni pourquoi. S'il lui est arrivé quelque chose, on cherchera un coupable. Je suis le coupable parfait, rendez-vous compte. Ex-chauffeur de don Ismael, complice de sa femme. Et black, par-dessus le marché. Faudrait être fou pour aller à la police.

« C'est exact, pensa don Rigoberto. Si Armida n'apparaît pas, Narciso pourrait bien finir par payer les pots cassés. »

— C'est bon, tu as probablement raison, dit-il. Ne raconte à personne ce que tu viens de me dire. Laisse-moi réfléchir. Je verrai ce que je peux te conseiller, après

366

avoir tourné la chose dans ma tête. Et puis, il se peut qu'Armida réapparaisse n'importe quand. Appelle-moi demain, comme aujourd'hui, à l'heure du petit déjeuner.

Il laissa Narciso au parking de La Rosa Náutica et retourna chez lui à Barranco. Il entra directement au garage, pour éviter les journalistes qui étaient toujours massés aux portes de l'immeuble. Il y en avait le double d'avant.

Doña Lucrecia et Justiniana étaient toujours rivées à la télévision, écoutant les nouvelles avec un air de saisissement. Elles entendirent son récit, bouche bée.

— La femme la plus riche du Pérou qui s'enfuit avec une petite valise à la main, dans un autocar de misère et comme n'importe quelle pauvresse, en direction de nulle part — conclut don Rigoberto —. Le feuilleton n'est pas fini, il continue et se complique chaque jour davantage.

— Moi je la comprends tout à fait ! — s'écria doña Lucrecia —. Elle en avait marre de tout, des avocats, des journalistes, des hyènes et des ragots. Elle a voulu disparaître. Mais où ?

— Où cela peut être sinon à Piura — opina Justiniana, très sûre de ce qu'elle disait —. Elle est de là-bas et elle a même dans le coin une sœur qui s'appelle Gertrudis, je crois.

XVII

« Elle a pas pleuré une seule fois », pensa Felícito Yanaqué. En effet, pas une seule. Mais Gertrudis était devenue
muette. Elle n'avait pas rouvert la bouche, du moins avec
lui, ni avec Saturnina, la bonne. Peut-être qu'elle parlait
avec sa sœur Armida, qu'elle avait, depuis son arrivée à
l'improviste à Piura, installée dans la chambre qui était
autrefois celle où Tiburcio et Miguel dormaient quand ils
étaient gamins et adolescents avant de s'en aller vivre de
leur côté.

Gertrudis et Armida avaient passé de longues heures
enfermées là et il était impossible que pendant tout ce
temps elles n'aient pas échangé un mot. Mais, depuis le
moment où Felícito, la veille dans l'après-midi, en revenant de chez Adelaida la voyante, avait appris à sa femme
que la police avait découvert que la petite araignée du
chantage était Miguel et que leur fils, emprisonné, avait
tout avoué, Gertrudis était devenue muette. Elle n'avait
plus rouvert la bouche devant lui. (Felícito, bien entendu,
ne lui avait pas du tout mentionné Mabel.) Les yeux de
Gertrudis s'étaient agrandis et angoissés, ça oui, et elle
avait croisé les doigts comme si elle priait. C'est dans

cette posture que Felícito l'avait vue toutes les fois où ils s'étaient trouvés ensemble ces dernières vingt-quatre heures. Pendant qu'il lui résumait l'histoire que lui avait racontée la police, en lui cachant toujours le nom de Mabel, sa femme ne lui avait rien demandé, n'avait pas fait le moindre commentaire, ni répondu aux rares questions qu'il lui avait posées. Elle était restée là, assise dans la pénombre du petit salon de la télé, muette, repliée sur elle-même comme un des meubles, le regardant de ces yeux brillants et méfiants, les mains croisées, immobile comme une idole païenne. Ensuite, quand Felícito l'avait prévenue que dans très peu de temps la nouvelle serait publique et que les journalistes tomberaient sur la maison comme des mouches, si bien qu'il ne fallait pas ouvrir la porte ni répondre au téléphone à aucun journal, radio ou télévision, elle s'était levée et, toujours sans dire un mot, était allée s'enfermer dans la chambre de sa sœur. Felícito fut intrigué que Gertrudis n'ait pas essayé d'aller immédiatement voir Miguel au commissariat ou à la prison. Et aussi par son mutisme. Cette grève du silence c'était seulement avec lui ? Elle avait forcément parlé avec Armida parce que, le soir, à l'heure du dîner, quand Felícito l'avait saluée, celle-ci semblait au courant de ce qui était arrivé.

— Je suis désolée d'être venue vous déranger précisément dans ces moments si pénibles pour vous — lui avait dit, en lui tendant la main, la dame élégante qu'il avait du mal à appeler belle-sœur —. C'est que je n'avais nulle part où aller. Ce sera seulement pour quelques jours, je vous promets. Excusez-moi mille fois d'envahir comme ça votre maison, Felícito.

Il ne pouvait en croire ses yeux. Cette dame si distinguée, si bien mise et avec de si beaux bijoux, sœur de

Gertrudis ? Elle avait l'air beaucoup plus jeune qu'elle et ses vêtements, ses souliers, ses bagues, ses boucles d'oreilles, sa montre, étaient ce que portaient ces richardes qui habitaient les grosses maisons avec jardin et piscine d'El Chipe, pas quelqu'un qui serait sorti d'El Algarrobo, cette pension minable perdue dans un faubourg de Piura.

Ce soir-là au dîner, Gertrudis n'avait rien mangé ni prononcé un mot. Saturnina avait retiré, intacts, le potage aux cheveux d'ange et le riz au poulet. Tout l'après-midi et une bonne partie de la soirée s'étaient succédé les coups à la porte et le téléphone avait sonné sans arrêt, même si personne n'ouvrait ni ne soulevait le combiné. Felícito regardait de temps en temps à travers les petits rideaux de la fenêtre : ils étaient toujours là, ces corbeaux affamés de charogne avec leurs appareils photo, massés sur le trottoir et la chaussée de la rue Arequipa, à attendre que quelqu'un sorte pour lui tomber dessus. Mais la seule personne à sortir, déjà tard le soir, avait été Saturnina, qui n'était pas logée sur place, et Felícito l'avait vue se défendre de l'offensive en dressant les bras, en se mettant les mains sur la figure devant les éclairs des flashes et en partant à toute vitesse.

Seul dans le petit salon, il avait regardé les informations de la télé locale et écouté les radios où on divulguait la nouvelle. Sur l'écran étaient apparus Miguel, sérieux, dépeigné et menotté, en survêtement et baskets, et aussi Mabel, elle sans menottes, regardant, effrayée, les éclats de lumière des appareils photographiques. Felícito s'était félicité dans son for intérieur que Gertrudis soit allée se réfugier dans sa chambre et ne voie pas, assise à côté de lui, ces journaux télévisés où on soulignait avec malignité que sa petite amie, prénommée Mabel, qu'il avait mise dans ses meubles au district de Castilla, l'avait trompé avec son propre fils et avait machiné avec ce dernier un complot pour le racketter, en lui envoyant les fameuses lettres de la petite araignée et en provoquant un incendie dans le local des Transports Narihualá.

Il voyait et écoutait tout cela le cœur serré et les mains moites, en sentant l'annonce d'un autre vertige semblable à celui qui l'avait fait tomber dans les pommes chez Adelaida, mais, en même temps, avec la curieuse impression que tout cela était déjà très loin et lui était étranger. Ça n'avait rien à voir avec lui. Il ne s'était même pas senti concerné quand était apparue sur l'écran sa propre image, pendant que le présentateur parlait de sa petite amie Mabel (qu'il appela « sa maîtresse »), de son fils Miguel et de son entreprise de transports. C'était comme s'il était séparé de lui-même et que le Felícito Yanaqué des images télé et des nouvelles de la radio était quelqu'un qui usurpait son nom et son visage.

Alors qu'il était déjà couché, sans pouvoir dormir, il avait entendu les pas de Gertrudis dans la chambre d'à côté. Il avait regardé le réveil : près d'une heure du matin. Autant qu'il s'en souvînt, sa femme n'avait jamais veillé si tard. Il n'avait pu dormir et avait passé la nuit éveillé, par moments à penser mais la plus grande partie du temps avec la tête vide, attentif aux battements de son cœur. À l'heure du petit déjeuner, Gertrudis était toujours muette ; elle prit seulement une tasse de thé. Peu après, appelée par Felícito, Josefita arriva pour le mettre au courant de ce qui se passait au bureau et pour qu'il lui donne des instructions et lui dicte des lettres. Elle apportait un message de Tiburcio, qui était à Tumbes. En apprenant les nouvelles, il avait appelé plusieurs fois, mais personne ne répondait. Il conduisait le car de cette ligne et dès qu'il arriverait à Piura il courrait chez ses parents. Sa secrétaire avait l'air si troublée par les nouvelles que Felícito la reconnaissait à peine ; elle évitait de le regarder en face et le seul commentaire qu'elle fit c'était comme ces reporters étaient casse-pieds, ils l'avaient rendue folle la veille au bureau et maintenant ils s'étaient collés autour d'elle à son arrivée chez lui, l'empêchant un bon moment de s'approcher de la porte, même si elle leur criait qu'elle n'avait rien à dire, ne savait rien, n'était que la secrétaire de M. Yanaqué. Ils lui posaient les questions les plus impertinentes, mais, bien sûr, elle ne leur avait pas lâché un seul mot. Au départ de Josefita, Felícito vit par la fenêtre qu'elle était une fois de plus prise d'assaut par la troupe d'hommes et de femmes avec des magnétos et des appareils photo entassée sur les trottoirs de la rue Arequipa.

À l'heure du déjeuner, Gertrudis s'assit à table avec Armida et lui, mais à nouveau elle ne mangea rien ni ne lui adressa la parole. Elle avait les yeux comme des braises et les mains toujours serrées. Que se passait-il dans sa tête mal coiffée ? Il lui vint à l'esprit qu'elle était endormie, que les nouvelles au sujet de Miguel l'avaient rendue somnambule.

— C'est terrible, Felícito, ce qui vous arrive — s'excusa une fois de plus une Armida préoccupée —. Si j'avais su tout cela, jamais je n'aurais débarqué comme ça, sans crier gare. Mais, comme je vous l'ai dit hier, je n'avais nulle part où aller. Je me trouve dans une situation très difficile et j'avais besoin de me cacher. Je vous l'expliquerai dans tous les détails quand vous voudrez. Je sais bien que maintenant vous avez d'autres soucis plus importants en tête. Au moins, croyez ça : je ne resterai pas beaucoup de jours de plus.

— Oui, vous me raconterez ce que vous voudrez, mais ça vaut mieux après — acquiesça-t-il —. Quand cette tempête qui nous secoue maintenant sera un peu passée. Quelle malchance, Armida ! Venir vous cacher justement ici, où sont concentrés tous les journalistes de Piura à cause de ce scandale. Je me sens prisonnier dans ma propre maison à cause de ces appareils photo et ces magnétophones.

La sœur de Gertrudis acquiesçait, avec un demi-sourire compréhensif :

— Je suis passée par là et je sais ce que c'est — l'entendit-il dire, et il ne comprit pas de quoi elle voulait parler. Mais il ne lui demanda pas de le lui expliquer.

Enfin, cet après-midi-là, après avoir bien réfléchi, Felícito décida que le moment était arrivé. Il demanda à Gertrudis d'aller au petit salon de la télé : « Faut qu'on parle toi et moi tête à tête », lui dit-il. Armida se retira immédiatement dans sa chambre. Gertrudis suivit docilement son mari dans la pièce voisine. Maintenant, elle était installée sur un fauteuil, dans la pénombre, immobile, apathique et muette, en face de lui. Elle le regardait, mais ne semblait pas le voir.

— J'aurais pas cru qu'un jour l'occasion elle arriverait de parler de quoi on va parler maintenant — commença Felícito, très doucement. Il remarqua avec surprise que sa voix tremblait.

Gertrudis ne bougea pas. Elle était engoncée dans cette robe incolore qui semblait un croisement entre un peignoir et une tunique de moine, et le regardait comme s'il n'était pas là, avec ces pupilles qui brillaient d'un feu tranquille dans son visage joufflu, à la bouche grande mais inexpressive. Elle avait les mains sur les genoux, serrées avec force, comme si elle résistait à une terrible douleur d'estomac.

— Depuis le premier moment j'ai eu un soupçon — poursuivit le transporteur, en s'efforçant de maîtriser la nervosité qui s'était emparée de lui —. Mais je te l'ai pas dit pour pas te faire honte. Je l'aurais emporté dans la tombe, s'il s'était pas passé ce qui s'est passé.

Il se donna un répit, en soupirant profondément. Sa femme n'avait pas bougé d'un millimètre et n'avait pas non plus cligné des yeux une seule fois. Elle semblait pétrifiée. Une grosse mouche invisible se mit à bourdonner quelque part dans la pièce, à se cogner au plafond et aux murs. Saturnina arrosait le petit jardin et on entendait le claquement de l'eau de l'arrosoir sur les plantes.

— Je veux dire — continua-t-il, en soulignant chaque syllabe — que ta mère et toi vous m'avez trompé. Cette fois-là, là-bas à El Algarrobo. Maintenant, ça me tracasse plus. Beaucoup d'années ont passé et, je t'assure, aujourd'hui ça m'est égal de découvrir que la Commandante et toi vous m'avez mené en bateau. La seule chose que je veux, pour mourir tranquille, c'est que tu me le confirmes, Gertrudis.

Il se tut et attendit. Elle gardait la même posture, impassible, mais Felícito remarqua qu'une des pantoufles dans lesquelles sa femme avait les pieds s'était légèrement déplacée d'un côté. Au moins là il y avait de la vie. Au bout d'un moment, Gertrudis ouvrit la bouche et émit une phrase qui ressemblait à un grognement :

— Que je te confirme quoi, Felícito ?

— Que Miguel n'est pas et n'a jamais été mon fils — dit-il, en montant un peu la voix —. Que tu étais enceinte d'un autre quand la Commandante et toi, ce matin-là à la pension El Algarrobo, vous êtes venues me parler pour me faire croire que c'était moi le père. Après avoir porté plainte contre moi à la police pour m'obliger à me marier avec toi.

En finissant sa phrase il se sentit contrarié et écœuré, comme après avoir mangé quelque chose d'indigeste ou bu une calebasse de chicha très fermentée.

— Moi j'ai cru que tu étais le père — dit Gertrudis, avec une sérénité totale. Elle parlait sans se fâcher, avec le détachement qu'elle mettait toujours dans tous les sujets, sauf dans les choses de la religion. Et, après une longue pause, elle ajouta de la même façon neutre et désintéressée —: Ni maman ni moi on a eu l'intention de te tromper. J'étais sûre à ce moment-là que c'était toi le père du bébé que j'avais dans le ventre.

— Et quand est-ce que tu t'es rendu compte qu'il était pas de moi ? — demanda Felícito, avec une énergie qui devenait de la fureur.

— Seulement quand Miguelito est né — reconnut Gertrudis, sans que sa voix s'altère le moins du monde —. Quand je l'ai vu si blanc, avec ces yeux tout clairs et ses petits cheveux blonds. Il pouvait pas être le fils d'un cholo de Chulucanas comme toi.

Elle se tut et continua à regarder son mari dans les yeux avec la même impassibilité. Felícito pensa que Gertrudis avait l'air de lui parler du fond de l'eau ou d'une urne aux verres épais. Il la sentait séparée de lui

375

par quelque chose d'infranchissable et d'invisible, alors qu'ils n'étaient qu'à un mètre de distance.

— Un vrai bâtard de merde, pas étonnant qu'il m'ait fait ce qu'il m'a fait — murmura-t-il —. Et tu as su à ce moment-là qui était le vrai père de Miguel ?

Sa femme soupira et haussa les épaules avec une expression qui pouvait être d'indifférence ou de fatigue. Elle fit non deux ou trois fois de la tête, en haussant les épaules.

— Avec combien de types de la pension El Algarrobo tu couchais, alors, che guá ? — Felícito sentait un nœud dans sa gorge et avait envie que cette scène finisse vite.

— Avec tous ceux que maman elle fourrait dans mon lit — grogna Gertrudis, lente et concise. Et, en soupirant de nouveau avec un air d'infinie fatigue, elle précisa —: Beaucoup. Pas seulement des pensionnaires. Aussi, des fois, des gens de la rue.

— La Commandante te les fourrait ? — il avait du mal à parler et sa tête bourdonnait.

Gertrudis ne bougeait pas, indistincte, une silhouette sans angles, toujours les mains serrées. Elle le regardait avec cette fixité absente, lumineuse et tranquille, qui troublait Felícito de plus en plus.

— C'est elle qui les choisissait et aussi les faisait payer, pas moi — ajouta sa femme, avec un léger changement de ton dans la voix. Maintenant elle ne semblait pas seulement l'informer, mais aussi le défier —. Qui pouvait être le père de Miguel ? J'en sais rien. Un p'tit Blanc ou un autre, un de ces Amerloques qui passaient par El Algarrobo. Peut-être un des Yougoslaves qu'étaient arrivés pour travailler à l'irrigation du Chira. Ils venaient prendre des cuites à Piura les fins de semaine et débarquaient à la pension.

Felícito regretta ce dialogue. S'était-il trompé en mettant sur le tapis le sujet qui l'avait suivi comme son ombre toute sa vie ? Il était maintenant là, au milieu d'eux, et il ne savait pas comment s'en débarrasser. Il le sentait comme un énorme obstacle, un intrus qui ne sortirait jamais plus de cette maison.

— Ils ont été combien, ceux que la Commandante elle a fourrés dans ton lit ? — rugit-il. Il était sûr qu'à tout moment il allait encore tomber dans les pommes ou se mettre à vomir —. Y a eu tout Piura ?

— Je les ai pas comptés — dit Gertrudis, sans se troubler, en faisant une grimace dédaigneuse —. Mais, puisque ça t'intéresse de le savoir, je te répète que beaucoup. Moi je me protégeais comme je pouvais. Je savais pas beaucoup de ces choses-là, alors. Les lavements que je me faisais tous les jours étaient bons pour ça, je croyais, maman elle me l'avait dit. Avec Miguel, y a eu quelque chose. J'ai eu un oubli, peut-être. Moi je voulais avorter chez une bonne femme à moitié sorcière qu'y avait dans le quartier. On l'appelait la Faiseuse d'anges, peut-être que tu l'as connue. Mais la Commandante me l'a pas permis. Elle s'était mis dans la tête l'idée du mariage. Moi non plus je voulais pas me marier avec toi, Felícito. J'ai toujours su qu'à tes côtés je serais jamais heureuse. C'est maman qui m'a obligée.

Le transporteur ne sut plus quoi dire. Il resta silencieux en face de sa femme, à penser. Quelle situation ridicule, d'être assis là l'un en face de l'autre, paralysés, bâillonnés par un passé si moche qui ressuscitait brusquement pour ajouter déshonneur, honte, douleur, vérités amères au

377

malheur qui venait d'arriver avec son faux fils et avec Mabel.

— J'ai passé toutes ces années à payer mes fautes, Felícito — entendit-il dire Gertrudis, presque sans bouger ses grosses lèvres, sans le quitter des yeux une seconde bien que toujours sans le voir, parlant comme s'il n'était pas là —. À porter ma croix sans rien dire. En sachant très bien que les péchés qu'on commet faut les payer. Pas seulement dans l'autre vie, aussi dans celle-ci. Je l'ai accepté. Je me suis repentie pour moi et aussi pour la Commandante. J'ai payé pour moi et pour maman. J'ai perdu la grande rancune que j'avais contre elle quand j'étais jeune. Je continue à payer et j'espère qu'avec tant de souffrance le Seigneur Jésus-Christ me pardonnera tant de péchés.

Felícito avait envie qu'elle se taise une bonne fois et de s'en aller. Mais il n'avait pas la force de se lever et de sortir de la pièce. Ses jambes tremblaient beaucoup. « Je voudrais être cette grosse mouche qui bourdonne, et pas moi », pensait-il.

— Tu m'as aidée à les payer, Felícito — continua sa femme, en baissant un peu la voix —. Et je t'en remercie. C'est pour ça que je t'ai jamais rien dit. C'est pour ça que je t'ai jamais fait une scène de jalousie ni posé des questions qui t'auraient dérangé. C'est pour ça que j'ai jamais voulu savoir que t'étais tombé amoureux d'une autre femme, que t'avais une petite amie qui, au contraire de moi, n'était pas vieille et moche, mais jeune et jolie. C'est pour ça que je me suis jamais plainte de l'existence de Mabel ni t'ai fait un seul reproche. Parce que Mabel aussi elle m'aidait à payer mes fautes.

Elle se tut, attendant que le transporteur dise quelque

chose, mais comme lui n'ouvrait pas la bouche, elle ajouta :

— Moi non plus j'aurais pas cru qu'un jour on aurait cette conversation, Felícito. C'est toi qui l'as voulue, pas moi.

Elle fit à nouveau une longue pause et murmura, en faisant dans l'air un signe de croix avec ses doigts noueux :

— Maintenant, ce que Miguel t'a fait c'est la pénitence qu'il faut que toi tu paies à ton tour. Et aussi moi.

Sur ces derniers mots, Gertrudis se leva avec une agilité que Felícito ne se souvenait pas lui avoir jamais vue et sortit de la pièce, en traînant les pieds. Lui resta assis dans le petit salon de la télé, sans entendre les bruits, les voix, les klaxons, le va-et-vient de la rue Arequipa, ni les moteurs des motos-taxis, plongé dans une torpeur épaisse, dans un découragement et une tristesse qui l'empêchaient de penser et le privaient de la moindre énergie pour se relever. Il voulait le faire, il voulait sortir de cette maison même si en mettant le pied dans la rue les journalistes devaient lui tomber dessus avec leurs questions implacables, chacune plus stupide que l'autre, s'en aller au quai Eguiguren et s'asseoir pour voir couler les eaux brunes et grises de la rivière, regarder les nuages du ciel et respirer la petite brise chaude de l'après-midi en écoutant le chant des oiseaux. Mais il n'essayait pas de bouger parce que ses jambes n'allaient pas lui obéir ou que le vertige le jetterait sur le tapis. Il était horrifié de penser que son père, de l'autre vie, pouvait avoir entendu le dialogue qu'il venait d'avoir avec sa femme.

Il ne sut pas combien de temps il resta dans cet état de

somnolence visqueuse, sentant passer les minutes, plein de honte et de pitié pour lui-même, pour Gertrudis, pour Mabel, pour Miguel, pour le monde entier. Par moments, comme un rai de lumière claire, apparaissait dans sa tête le visage de son père et cette image fugace lui mettait un instant du baume au cœur. « Si vous étiez en vie et appreniez tout ça, vous mourriez une seconde fois », pensa-t-il.

Soudain, il s'aperçut que Tiburcio était entré dans la pièce sans qu'il s'en soit rendu compte. Il était agenouillé près de lui, l'entourant de ses bras et le regardant avec inquiétude.

— Je vais bien, t'en fais pas — le rassura-t-il —. Je me suis endormi un petit moment, c'est tout.

— Vous voulez que j'appelle le docteur ? — son fils portait le bleu et la casquette de l'uniforme des chauffeurs de la compagnie ; sur la visière on lisait : « Transports Narihualá ». Il avait à la main les gants de cuir brut qu'il mettait pour conduire les cars —. Vous êtes tout pâle, père.

— Tu viens d'arriver de Tumbes ? — lui répondit-il —. Y a eu beaucoup de passagers ?

— Le car était presque plein et avec un chargement énorme — répondit Tiburcio. Il gardait son air inquiet et le scrutait, comme essayant de lui arracher un secret. Il était évident qu'il aurait voulu lui poser beaucoup de questions, mais qu'il n'osait pas. Felícito eut pitié de lui aussi.

— J'ai entendu la nouvelle concernant Miguel à la radio, là-bas à Tumbes — dit Tiburcio, embarrassé —. Je pouvais pas le croire. J'ai appelé mille fois cette maison mais personne répondait au téléphone. Je sais pas comment j'ai pu conduire jusqu'ici. Vous croyez que c'est vrai ce que la police elle dit de mon frère ?

Felícito fut sur le point de l'interrompre pour lui dire « Ce n'est pas ton frère », mais il se retint. Miguel et Tiburcio n'étaient-ils pas frères, par hasard ? À moitié, mais ils l'étaient.

— Ça peut être un mensonge, moi je crois que c'est des mensonges — disait maintenant Tiburcio, agité, sans se relever, entourant toujours son père de ses bras —. La police peut lui avoir arraché de faux aveux, en le rouant de coups. En le torturant. Ils font ces choses-là, on sait bien.

— Non, Tiburcio. C'est vrai — dit Felícito —. C'était lui la petite araignée. C'est lui qui a machiné tout ça. Il a avoué parce qu'elle, sa complice, l'a dénoncé. Maintenant je vais te demander un grand service, mon fils. Parlons plus de ça. Jamais plus. Ni de Miguel, ni de la petite araignée. Pour moi, c'est comme si ton frère il avait cessé d'exister. Ou plutôt, comme si jamais il avait existé. Je veux pas entendre son nom dans cette maison. Jamais plus. Toi tu peux faire ce que tu voudras. Aller le voir, si t'as envie. Lui apporter à manger, lui trouver un avocat, n'importe quoi. Ça m'est égal. Je sais pas ce que ta mère elle voudra faire. À moi, qu'on me raconte rien. Je veux pas savoir. Devant moi, qu'on le nomme pas. Je maudis son nom et point final. Maintenant, aide-moi à me relever, Tiburcio. Je sais pas pourquoi, mais c'est comme si mes jambes tout d'un coup elles en faisaient qu'à leur tête.

Tiburcio se mit debout et, le prenant des deux bras, le releva sans effort.

— Je vais te demander de m'accompagner au bureau

— dit Felícito —. La vie doit continuer. Faut reprendre le travail, on doit redresser la compagnie qu'a tant trinqué. La famille elle est pas seule à souffrir de tout ça, mon fils. Les Transports Narihualá aussi. Faut les remettre en marche.

— La rue est pleine de journalistes — l'alerta Tiburcio —. Ils sont tombés sur moi comme un troupeau de bêtes quand je suis arrivé et ils me laissaient pas passer. Y en a un qu'a failli recevoir mon poing sur la gueule.

— Tu m'aideras à me débarrasser de ces casse-pieds, Tiburcio — il regarda son fils dans les yeux et, en lui faisant une caresse maladroite sur la joue, radoucit sa voix —: Je te remercie de pas avoir nommé Mabel, mon fils. De même pas m'avoir posé de questions sur cette femme. Tu es un bon fils, toi.

Il se suspendit au bras du garçon et avança avec lui vers la sortie. Dès que s'ouvrit la porte de la rue, un vacarme éclata et il dut cligner des yeux devant les flashes. « J'ai rien à déclarer, messieurs, merci beaucoup », répéta-t-il deux, trois, dix fois, pendant que, accroché au bras de Tiburcio, il avançait avec difficulté le long de la rue Arequipa, traqué, poussé, bousculé par l'essaim de journalistes qui se coupaient les uns aux autres la parole et lui fourraient dans la figure leurs micros, leurs appareils photo, leurs carnets et leurs crayons. Ils lui posaient des questions qu'il n'arrivait pas à comprendre. Il répétait, régulièrement, comme un refrain : « J'ai rien à déclarer, mesdames, messieurs, merci beaucoup. » Ils l'escortèrent jusqu'aux Transports Narihualá, mais n'entrèrent pas dans le local car le gardien leur ferma la grande porte au nez. Quand il s'assit devant la planche posée sur deux barils qui était devenue sa table de travail, Tiburcio lui tendit un verre d'eau.

— Et cette dame si élégante qui s'appelle Armida, vous la connaissiez, père ? — lui demanda-t-il —. Vous saviez que maman avait une sœur là-bas à Lima ? À nous jamais elle nous a raconté.

Lui fit non de la tête et porta un doigt à sa bouche :

— Un grand mystère, Tiburcio. Elle est venue se cacher ici parce qu'il paraît qu'à Lima on est à ses trousses, qu'on veut même la tuer. Vaut mieux que tu l'oublies et que tu dises à personne que tu l'as vue. On a déjà assez d'embrouilles sur le dos pour hériter en plus de celles de ma belle-sœur.

En faisant un effort surhumain, il se mit à travailler. À vérifier les comptes, les lettres de change, les échéances, les frais courants, les rentrées, les factures, les paiements aux fournisseurs, les encaissements. En même temps, au fond de sa tête, il traçait un plan d'action pour les jours suivants. Et au bout d'un moment il commença à se sentir mieux, à soupçonner qu'il était possible de gagner cette bataille si difficile. Tout à coup, il lui vint une envie énorme d'entendre la jolie voix tendre et bien timbrée de Cecilia Barraza. Quel dommage de ne pas avoir au bureau quelques disques d'elle, des chansons comme *Cardo y Ceniza, Inocente amor, Cariño bonito* ou *Toro mata*[1], et un appareil où les entendre ! Dès que les choses s'amélioreraient, il se l'achèterait. Les après-midi ou les soirs où il resterait travailler au bureau, une fois réparés les

1. Littéralement « Chardon et cendre », « Amour innocent », « Délicieuse Tendresse », « Taureau tue ». *Toro mata* est comme un hymne de la communauté afro-péruvienne.

dégâts de l'incendie, à des moments comme ça il mettrait sur l'électrophone une série de disques de sa chanteuse favorite. Il oublierait tout et se sentirait gai, ou triste, et toujours touché par cette jolie voix qui savait tirer de la valse créole, des marineras, des polkas, des pregones, de toute la musique du Pérou les sentiments les plus délicats qu'elle cachait dans ses entrailles.

Quand il quitta le local des Transports Narihualá, il faisait nuit noire. Il n'y avait pas de journalistes sur l'avenue ; le gardien lui dit que, fatigués de l'attendre, ils s'étaient dispersés depuis un bon moment. Tiburcio était parti lui aussi, sur sa demande, depuis plus d'une heure. Il remonta la rue Arequipa, presque vide maintenant, sans regarder personne, cherchant les coins d'ombre pour qu'on ne le reconnaisse pas. Heureusement, personne ne l'arrêta ni ne lui adressa la parole. Chez lui, Armida et Gertrudis dormaient déjà, ou du moins il ne les entendit pas. Il alla dans le petit salon de la télé et mit des CD, tout bas. Et il resta là quelque chose comme deux heures, assis dans l'obscurité, distrait et ému, pas tout à fait libéré des soucis, mais un peu soulagé d'eux par les chansons que Cecilia Barraza interprétait pour lui dans cette intimité. Sa voix était un baume, une eau fraîche et cristalline dans laquelle son corps et son âme se plongeaient, se lavaient, s'apaisaient, jouissaient, et quelque chose de sain, de doux, d'optimiste, jaillissait du plus secret de lui-même. Il s'efforçait de ne pas penser à Mabel, de ne pas se souvenir des moments si intenses, si gais, qu'il avait vécus auprès d'elle pendant ces huit ans, de se rappeler seulement qu'elle l'avait trahi, qu'elle avait couché avec Miguel et conspiré avec lui, en lui envoyant les lettres de la petite araignée, en feignant un kidnapping, en mettant le feu à ses bureaux. C'était la seule chose qu'il devait se rappeler pour que l'idée qu'il ne la verrait plus jamais ne soit pas si amère.

Le lendemain matin, de très bonne heure, il se leva, fit les exercices de qi gong, avec une pensée pour le pulpero Lao comme il en avait l'habitude lors de cette routine obligatoire du réveil, prit son petit déjeuner et le chemin de son bureau avant que ces roupilleurs de journalistes arrivent à la porte de chez lui pour continuer leur traque. Josefita était déjà là et fut très contente de le voir.

— Quel bonheur que vous soyez revenu au bureau, don Felícito ! — lui dit-elle, en battant des mains —. Vous me manquiez par ici.

— Je pouvais pas continuer à prendre des vacances — lui répondit-il, en enlevant sa veste et son chapeau et en s'installant devant sa planche —. Ça suffit avec les scandales et les bêtises, Josefita. À partir d'aujourd'hui, au travail. Travailler c'est ce que j'aime, ce que j'ai fait toute ma vie et ce que je ferai dorénavant.

Il devina que sa secrétaire voulait lui dire quelque chose, mais ne parvenait pas à se décider. Qu'est-ce qui arrivait à Josefita ? Elle avait changé. Plus arrangée et plus maquillée que d'habitude, habillée avec charme et coquetterie. Sur son visage surgissaient de temps en temps des rougeurs et de petits sourires malicieux, et il lui sembla que, en marchant, elle remuait un peu plus les hanches qu'avant.

— Si vous voulez me confier un secret, je vous assure que je suis un tombeau, Josefita. Et si c'est d'un chagrin d'amour qu'il s'agit, enchanté de vous consoler.

— C'est que je sais pas quoi faire, don Felícito — dit-elle en baissant la voix et en rougissant des pieds à la tête. Elle tendit le cou vers son patron et lui murmura en faisant des yeux de petite fille innocente — : Figurez-vous que ce capitaine de la police il arrête pas de m'appeler au téléphone. C'est pour quoi, d'après vous ? Pour m'inviter à sortir avec lui, naturellement !

— Le capitaine Silva ? — fit semblant de s'étonner le transporteur —. Je soupçonnais bien que vous aviez fait cette conquête. Che guá, Josefita !

— Eh ben on dirait, don Felícito — ajouta sa secrétaire, en exagérant une moue pudique —. Il me couvre de fleurs quand il m'appelle au téléphone, vous imaginez pas les choses qu'il m'dit. Quel homme culotté ! J'ai une honte pas possible. Oui, oui, il veut m'inviter à sortir avec lui. Moi je sais pas quoi faire. Quel conseil vous me donneriez ?

— Eh ben, je sais pas quoi vous dire, Josefita. Évidemment, ça m'étonne pas que vous ayez fait cette conquête. Vous êtes une femme très séduisante.

— Mais un peu grosse, don Felícito — se plaignit-elle, en faisant semblant de pleurer —. Bien que, d'après ce qu'il m'a dit, pour le capitaine Silva ce soit pas un problème. Il m'a assuré qu'il aime pas ces silhouettes sous-alimentées des filles de la publicité, qu'il préfère les femmes bien enveloppées, comme moi.

Felícito Yanaqué se mit à rire et elle l'imita. C'était la première fois que le transporteur riait comme ça depuis qu'il avait appris les mauvaises nouvelles.

— Vous avez vérifié si le capitaine n'est pas un homme marié, au moins, Josefita ?

— Il m'a assuré qu'il est célibataire et sans engagement. Mais vous savez comment c'est, les hommes ils passent leur vie à mener les femmes en bateau.

— Je tâcherai de vérifier ça, laissez-moi faire — lui proposa Felícito —. En attendant, prenez du bon temps et profitez de la vie, vous le méritez bien. Soyez heureuse, Josefita.

Il s'enquit du départ des taxis collectifs, des cars et des camionnettes, de l'expédition des colis, et, en milieu de matinée, il se rendit au rendez-vous qu'il avait avec Me Hildebrando Castro Pozo, dans son minuscule cabinet plein à craquer de la rue Lima. Il était l'avocat de son entreprise de transports et s'occupait de toutes les affaires juridiques de Felícito Yanaqué depuis plusieurs années. Ce dernier lui expliqua dans le moindre détail ce qu'il avait en tête, et au fur et à mesure Me Castro Pozo prit note de tout ce qu'il disait dans son habituel carnet riquiqui, où il écrivait avec un crayon aussi minuscule que lui. C'était un homme petit, en gilet et cravate, tiré à quatre épingles, sexagénaire, vif, énergique, aimable, laconique, un professionnel modeste mais efficace, parfaitement désintéressé. Son père s'était illustré dans les luttes sociales ; défenseur de paysans, il était passé par la prison et l'exil, et avait écrit un livre sur les communautés indigènes qui l'avait rendu célèbre. Il avait siégé au Congrès comme député. Lorsque Felícito eut fini de lui expliquer ce qu'il voulait, Me Castro Pozo le dévisagea avec satisfaction :

— C'est tout à fait faisable, don Felícito ! — s'exclama-t-il, en jouant avec son petit crayon —. Mais, laissez-moi étudier l'affaire à tête reposée et en faire bien le tour du point de vue juridique, pour avancer sur du solide. Cela me prendra deux jours au plus. Vous savez une chose ? Ce que vous voulez faire là confirme largement ce que j'ai toujours pensé de vous.

— Et qu'est-ce que vous avez pensé de moi, maître Castro Pozo?

— Que vous êtes un homme éthique, don Felícito. Éthique jusqu'aux ongles des pieds. Un des rares que j'aie connus, en vérité.

Intrigué — qu'est-ce que ça pouvait bien vouloir dire, ce truc d'« homme éthique »? —, Felícito se dit qu'il devrait s'acheter un dictionnaire un de ces jours. Il entendait tout le temps des mots dont il ignorait le sens. Et il avait honte de demander aux gens ce qu'ils voulaient dire. Il alla chez lui déjeuner. Malgré les journalistes en train de guetter là, il ne s'arrêta même pas pour leur dire qu'il ne donnerait pas d'interviews. Il passa à côté d'eux, avec un signe de tête, sans répondre aux questions qu'ils lui posaient, en se bousculant.

Après le déjeuner, Armida lui demanda un moment d'entretien tête à tête. Mais, à la surprise de Felícito, quand sa belle-sœur et lui se retirèrent dans le petit salon de la télé, Gertrudis, à nouveau cloîtrée dans le mutisme, les suivit. Elle s'assit dans un des fauteuils et y resta tout le temps que dura la longue conversation entre Armida et le transporteur, à les écouter, sans les interrompre une seule fois.

— Vous devez trouver bizarre que, depuis mon arrivée, je porte la même robe — commença sa belle-sœur de la façon la plus banale.

— Pour être franc, Armida, je trouve que tout est bizarre dans cette histoire, pas seulement que vous ne changiez pas de robe. Pour commencer, votre façon d'apparaître comme ça, subitement. Gertrudis et moi on est mariés depuis je sais pas combien d'années et, jusqu'à y a peu de jours, je crois qu'elle m'avait jamais parlé de votre existence. Vous voulez quelque chose de plus bizarre que ça ?

— Je ne me change pas, parce que j'ai rien d'autre à me mettre — poursuivit sa belle-sœur, comme si elle ne l'avait pas entendu —. Je suis partie de Lima avec ce que j'avais sur le dos. J'ai essayé une robe de Gertrudis, mais je nageais dedans. Enfin, je devrais commencer cette histoire par le début.

— Expliquez-moi au moins une chose — lui demanda Felícito —. Parce que Gertrudis, comme vous aurez vu, elle dit pas un mot et elle va jamais me l'expliquer. Vous êtes sœurs de père et de mère ?

Armida se tortilla sur son siège, déconcertée, sans savoir que répondre. Elle regarda Gertrudis en cherchant de l'aide, mais celle-ci demeurait muette, repliée sur elle-même comme un de ces mollusques aux noms bizarres qu'au marché central les poissonnières proposaient à la vente. Elle avait une expression de totale indolence, comme si rien de ce qu'elle entendait n'avait à voir avec elle. Même si elle ne les quittait pas des yeux.

— Nous ne savons pas — dit en fin de compte Armida, en montrant sa sœur du menton —. On a beaucoup parlé de ça toutes les deux pendant ces trois jours.

— Ah, alors comme ça, avec vous Gertrudis parle. Vous avez plus de chance que moi.

— On est sœurs de mère, c'est la seule chose de sûre — affirma Armida, reprenant peu à peu le contrôle d'elle-même —. Elle a quelques années de plus que moi. Mais aucune des deux on se rappelle notre père. C'était peut-être le même. Peut-être pas. Il n'y a plus personne à qui le demander, Felícito. Quand toutes les deux on commence à avoir des souvenirs, la Commandante, on appelait maman comme ça, vous vous rappelez?, elle n'avait plus de mari.

— Vous aussi vous avez habité à la pension El Algarrobo?

— Jusqu'à mes quinze ans — acquiesça Armida —. Ce n'était pas encore une pension, juste une auberge pour muletiers, en pleine sablière. À quinze ans je suis partie à Lima chercher du travail. Ça n'a pas été facile du tout. J'ai eu beaucoup de problèmes, pires que ce que vous pouvez imaginer. Mais Gertrudis et moi on n'a jamais perdu le contact. Je lui écrivais de temps en temps, même si elle me répondait à la saint-glinglin. Elle n'a jamais su écrire des lettres. C'est que Gertrudis a fait seulement deux ou trois ans d'école. Moi j'ai eu plus de chance, j'ai fait l'école primaire tout entière. La Commandante s'est occupée que j'aille en cours. Par contre, elle a très vite mis Gertrudis à travailler à la pension.

Felícito se tourna vers sa femme.

— Je comprends pas pourquoi tu m'as pas raconté que tu avais une sœur — lui dit-il.

Mais elle continua à le regarder comme à travers de l'eau, sans lui répondre.

— Je vais vous dire pourquoi, Felícito — intervint Armida —. Gertrudis avait honte que vous sachiez que sa sœur travaillait à Lima comme domestique. Surtout après s'être mariée avec vous et être devenue une personne convenable.

— Vous avez été employée de maison? — s'étonna le transporteur, en regardant la robe de sa belle-sœur.

— Toute ma vie, Felícito. Sauf une petite période, où

j'ai travaillé comme ouvrière dans une manufacture textile de Vitarte — sourit-elle —. Je vois, vous trouvez bizarre que j'aie une robe si élégante et des chaussures, bon, et une montre comme celle-ci. Elles sont italiennes, figurez-vous.

— En effet, Armida, je trouve ça très bizarre — acquiesça Felícito —. Vous avez l'air de tout sauf d'une domestique.

— C'est que je me suis mariée avec le monsieur de la maison où je travaillais — expliqua Armida, en rougissant —. Un monsieur important, avec une bonne situation.

— Ah, sapristi, je vois, un mariage qui a changé votre vie — dit Felícito —. Alors comme ça, vous avez tiré le gros lot...

— Dans un sens, oui, mais dans un autre, non — le corrigea Armida —. Parce que M. Carrera, je veux dire Ismael, mon mari, était veuf. Il avait deux fils de son premier mariage. Depuis le moment où je me suis mariée avec leur père, ils m'ont haïe. Ils ont essayé de faire annuler le mariage, ont porté plainte contre moi à la police, ont accusé leur père devant le juge d'être un vieux gâteux. Je lui avais jeté un sort, soi-disant, fait boire une potion magique et je ne sais combien d'autres sorcelleries.

Felícito vit qu'Armida avait changé de figure. Elle n'était plus si calme. Dans son expression, il y avait maintenant de la tristesse et de la rage.

— Ismael m'a emmenée en Italie pour la lune de miel — ajouta-t-elle, d'une voix plus douce, en souriant —. Ça a été des semaines très jolies. Jamais je n'avais imaginé que je connaîtrais des choses si belles, si différentes. On a même vu le pape sur son balcon, de la place Saint-Pierre. Ça a été un conte de fées, ce voyage. Mon mari était toujours en rendez-vous d'affaires et moi je passais beaucoup de temps seule, à faire du tourisme.

« Voilà l'explication de cette robe, de ces bijoux, de cette montre et de ces souliers, pensait Felícito. Une lune de miel en Italie ! Elle s'est mariée avec un riche ! Un beau coup de filet ! »

— Là-bas, en Italie, mon mari a vendu une compagnie d'assurances qu'il avait à Lima — continua à expliquer Armida —. Pour qu'elle ne tombe pas aux mains de ses fils, qui attendaient avec impatience le moment d'hériter de lui, bien qu'il leur ait avancé l'héritage. Ce sont des paniers percés et des bons à rien comme on ne peut pas imaginer. Ismael leur en voulait beaucoup et c'est pour ça qu'il a vendu la compagnie. Moi j'essayais de comprendre ce méli-mélo, mais je nageais dans leurs explications juridiques. Enfin, on est revenus à Lima et, à peine arrivés, mon époux a eu l'infarctus qui l'a tué.

— Je suis désolé — balbutia Felícito. Armida s'était tue, les yeux baissés. Gertrudis restait immobile et impassible.

— Ou c'est eux qui l'ont tué — ajouta Armida —. Je ne sais pas. Il disait que ses fils avaient tellement envie qu'il meure pour empocher son argent qu'ils pouvaient même le faire tuer. Il est mort du jour au lendemain et je ne peux pas m'enlever de la tête l'idée que les jumeaux — ses fils sont des jumeaux — ont provoqué d'une manière ou d'une autre l'infarctus qui l'a tué. Si ça a bien été un infarctus et pas un empoisonnement. Je ne sais pas.

— Maintenant je commence à comprendre votre fuite

à Piura et que vous restiez cachée, sans mettre le pied dans la rue — dit Felícito. Vous pensez vraiment que les fils de votre mari ils pourraient… ?

— Je ne sais pas s'ils avaient cette idée ou non, mais Ismael disait qu'ils étaient capables de tout, même de le faire tuer — Armida s'était excitée et parlait avec fièvre —. J'ai commencé à me sentir menacée et à avoir très peur, Felícito. Il y a eu une rencontre avec eux, chez les avocats. Ils me parlaient et me regardaient d'une telle façon que j'ai pensé qu'ils pouvaient me faire tuer moi aussi. Mon mari disait que de nos jours on peut embaucher à Lima un tueur à gages pour qu'il descende n'importe qui en échange de quelques soles. Pourquoi ils n'auraient pas pu le faire pour empocher tout l'héritage de M. Carrera ?

Elle fit une pause et regarda Felícito dans les yeux.

— C'est pour ça que j'ai décidé de m'enfuir. Je me suis dit que personne ne viendrait me chercher ici, à Piura. Voilà plus ou moins l'histoire que je voulais vous raconter, Felícito.

— Bon, bon — dit celui-ci —. Je vous comprends, oui. Mais alors, quelle malchance ! Le destin vous a amenée dans la gueule du loup. Regardez ce que sont les choses. Ça s'appelle sauter du gril dans la poêle à frire, Armida.

— Je vous ai dit que je resterais seulement deux ou trois jours et je vous assure que je vais tenir parole — dit Armida —. J'ai besoin de parler avec une personne qui habite à Lima. La seule en qui mon mari avait une confiance totale. Il a été témoin à notre mariage. Vous m'aideriez à le contacter ? J'ai son téléphone. Vous me rendriez ce grand service ?

— Mais, appelez-le vous-même, d'ici — dit le transporteur.

— Ce ne serait pas prudent — hésita Armida, en montrant du doigt le téléphone —. Et s'il était sur écoute ? Mon mari croyait que les jumeaux avaient trafiqué tous nos téléphones. Il vaut mieux le faire de la rue, de votre bureau, et sur son mobile, qui, paraît-il, est plus difficile à trafiquer. Moi je ne peux pas sortir de cette maison. C'est pour ça que je vous le demande.

— Donnez-moi le numéro et le message que je dois lui transmettre — dit Felícito —. Je le ferai du bureau, cet après-midi même. Avec plaisir, Armida.

Cet après-midi-là, après avoir à nouveau traversé dans la bousculade la barrière des journalistes, tandis qu'il s'acheminait vers son bureau par la rue Arequipa, Felícito Yanaqué se disait que l'histoire d'Armida avait l'air de sortir d'un de ces films d'aventures qu'il aimait bien voir, les rares fois où il allait au cinéma. Et lui qui croyait que ces situations si rocambolesques n'avaient rien à voir avec la vie réelle… Eh bien, les histoires d'Armida et la sienne propre depuis qu'il avait reçu la première lettre de la petite araignée n'étaient ni plus ni moins que des films très mouvementés.

Aux Transports Narihualá, il se retira dans un coin tranquille, pour téléphoner sans être entendu de Josefita. Immédiatement répondit une voix d'homme qui eut l'air déconcerté quand il demanda à parler à M. don Rigoberto. « De la part de qui ? » demanda-t-il, après un silence. « D'une amie », répondit Felícito. « Oui, oui, c'est moi. De quelle amie me parlez-vous ? »

— Une amie à vous qui préfère pas dire son nom, pour

des raisons que vous comprendrez — dit Felícito —. J'imagine que vous savez de qui il s'agit.

— Oui, je crois que oui — dit M. Rigoberto, en se raclant la gorge —. Elle va bien ?

— Oui, très bien et elle vous salue. Elle voudrait parler avec vous. En personne, si c'était possible.

— Évidemment, bien sûr que oui — dit tout de suite le monsieur, sans hésiter —. Avec plaisir. Comment ferions-nous ?

— Est-ce que vous pouvez vous rendre dans la ville d'où elle est ? — demanda Felícito.

Il y eut un long silence, avec un autre raclement de gorge forcé.

— Je pourrais, si c'est nécessaire — finit-il par dire —. Ce serait quand ?

— Quand vous voudrez — répliqua Felícito —. Le plus tôt possible sera le mieux, évidemment.

— Je comprends — dit M. Rigoberto —. Je vais m'occuper immédiatement de prendre les billets. Cet après-midi même.

— Je vous réserverai l'hôtel — dit Felícito —. Est-ce que vous pourriez m'appeler sur ce mobile quand la date du voyage sera décidée ? Je suis le seul qui l'utilise.

— Très bien, nous restons là-dessus, alors — M. Rigoberto prit congé —. Ravi et à bientôt, monsieur.

Felícito travailla tout l'après-midi aux Transports Narihualá. De temps en temps, l'histoire d'Armida lui revenait à l'esprit et il se demandait quelle était la part de vrai là-dedans et laquelle d'exagération. Était-il possible qu'un monsieur riche, patron d'une grande compagnie, se marie avec sa domestique ? Il avait du mal à l'imaginer. Mais était-il beaucoup plus invraisemblable qu'un fils séduise la maîtresse de son père et qu'à tous les deux ils le fassent chanter pour le plumer ? La cupidité rendait les hommes fous, c'était bien connu. À la nuit tombante apparut au bureau Me Castro Pozo avec un gros tas de papiers enfermés dans une chemise citron vert.

— Vous voyez que ça ne m'a pas pris bien longtemps, don Felícito — lui dit-il, en la lui remettant —. Voici les documents que vous devez lui faire signer, là où j'ai mis une croix. S'il n'est pas idiot, il sera enchanté de le faire.

Felícito les passa soigneusement en revue, posa quelques questions auxquelles l'avocat répondit, et fut satisfait. Il pensa qu'il avait pris une bonne décision et que, même si cela ne réglait pas tous les problèmes qu'il avait sur le dos, du moins ça lui enlèverait un grand poids. Et que cette incertitude qu'il traînait depuis tant d'années s'évaporerait pour toujours.

En quittant son bureau, au lieu d'aller directement chez lui, il fit un détour par le commissariat de l'avenue Sánchez Cerro. Le capitaine Silva était absent, c'est le sergent Lituma qui le reçut. Il fut un peu surpris de sa demande.

— Je veux avoir une entrevue avec Miguel le plus vite possible — lui répéta Felícito Yanaqué —. Ça m'est égal que vous, ou le capitaine Silva, assistiez à l'entretien.

— Bien, don Felícito, j'imagine qu'y aura pas de problème — dit le sergent —. J'en parlerai au capitaine demain à la première heure.

— Merci — dit Felícito en prenant congé —. Saluez le capitaine Silva de ma part et transmettez-lui le bon souvenir de ma secrétaire, Mme Josefita.

XVIII

Don Rigoberto, doña Lucrecia et Fonfon arrivèrent à Piura en milieu de matinée par le vol Lan-Perú et un taxi les conduisit à l'hôtel Los Portales, sur la place d'Armes. Les réservations faites par Felícito Yanaqué, une chambre double et une simple, communicantes, répondaient à leur vœu. Sitôt installés, ils sortirent tous trois se promener. Ils firent le tour de la place d'Armes ombragée par de hauts tamariniers centenaires[1] et colorée ici et là par des flamboyants aux fleurs très rouges.

La chaleur n'était pas insupportable. Ils s'arrêtèrent un moment pour contempler le monument central, la Pola, une martiale dame de marbre représentant la liberté, offerte par le président José Balta en 1870, et jetèrent un coup d'œil sur la cathédrale sans grâce. Puis ils s'assirent à la pâtisserie El Chalán prendre un rafraîchissement. Rigoberto et Lucrecia observaient les alentours, les personnes inconnues, intrigués et un peu sceptiques. Auraient-ils vraiment l'entrevue secrète avec Armida qui était programmée ? Ils la désiraient ardemment, bien sûr,

1. Les tamariniers de la place d'Armes de Piura furent plantés en 1870.

397

mais tout le mystère qui entourait ce voyage les empêchait de prendre la chose trop au sérieux. Il leur semblait parfois se prêter à un de ces jeux auxquels jouent les vieux pour se sentir jeunes.

— Non, ce ne peut être une plaisanterie ni une embuscade — affirma une fois de plus don Rigoberto, en essayant de s'en convaincre lui-même —. L'homme avec qui j'ai parlé au téléphone m'a fait bonne impression, je te l'ai dit. Une personne sans doute humble, provinciale, un peu timide, mais bien intentionnée. Un brave homme, j'en suis sûr. Il parlait au nom d'Armida, je n'en doute pas un instant.

— Tu ne trouves pas qu'on est dans une situation un peu irréelle ? — rétorqua doña Lucrecia, avec un petit rire nerveux. Elle avait à la main un éventail de nacre et s'éventait sans cesse le visage —. J'ai peine à croire à ce qui nous arrive, Rigoberto. Que nous soyons venus à Piura en racontant à tout le monde qu'on avait besoin de repos. Personne ne nous a crus, c'est évident.

Fonfon semblait ne pas les écouter. Il absorbait distraitement son granité de lucuma, les yeux fixés quelque part sur la table et totalement indifférent à ce que disaient son père et sa marâtre, comme préoccupé par un secret souci. Il était comme ça depuis sa dernière rencontre avec Edilberto Torres et c'est pourquoi don Rigoberto avait décidé de l'emmener à Piura, malgré les journées de collège qu'il manquait à cause de ce voyage.

— Edilberto Torres ? — s'était-il écrié en sursautant sur le fauteuil de son bureau —. Encore lui ? Et parlant de la Bible ?

— Moi-même, Fonfon — avait dit Edilberto Torres —.

Ne me dis pas que tu m'as oublié. Je ne te crois pas aussi ingrat.

— Je viens de me confesser et je fais la pénitence que m'a donnée le curé — avait balbutié Fonfon, plus surpris qu'effrayé —. Je ne peux pas causer maintenant avec vous, monsieur, je regrette.

— Dans l'église de Fátima ? — avait répété don Rigoberto, incrédule, avec une brusque volte-face comme s'il avait soudain été pris de la danse de Saint-Guy, et en faisant tomber par terre le livre sur l'art tantrique qu'il lisait. Il était là-bas, lui ? Dans l'église ?

— Je te comprends et te demande pardon — Edilberto Torres avait baissé la voix, en désignant l'autel de son index —. Prie, prie, Fonfon, ça fait du bien. Nous parlerons après. Moi aussi je vais prier.

— Oui, dans l'église de Fátima — avait acquiescé Fonfon, pâle et les yeux un peu égarés —. Mes amis, ceux du groupe biblique, et moi y sommes allés nous confesser. Eux étaient déjà partis, j'ai été le dernier à passer au confessionnal. Il ne restait pas grand monde dans l'église. Et, soudain, je me suis rendu compte qu'il était là depuis je ne sais combien de temps. Oui, là, assis à côté de moi. La peur que j'ai eue, papa. Je sais bien que tu ne me crois pas, je sais que tu diras que j'ai encore une fois inventé cette rencontre. Et il parlait de la Bible, oui.

— C'est bon, c'est bon — transigea don Rigoberto —. Pour l'instant, il est prudent de retourner à l'hôtel. On déjeunera là-bas. M. Yanaqué a dit qu'il me contacterait dans l'après-midi. Si tant est qu'il s'appelle comme ça. Un drôle de nom, on dirait le pseudonyme d'un de ces rockeurs couverts de tatouages, non ?

— Moi ça me semble un patronyme typique de Piura

— estima doña Lucrecia —. Peut-être que cela remonte aux Indiens Tallanes.

Il régla l'addition et tous trois sortirent de la pâtisserie. En traversant la place d'Armes, Rigoberto dut écarter les cireurs et les vendeurs de loterie trop pressants. Cette fois la chaleur cognait. Dans le ciel dégagé on apercevait un soleil blanc et, tout autour, les arbres, les bancs, les carreaux de céramique, les gens, les chiens, les voitures, tout semblait incandescent.

— Je suis désolé, papa — avait murmuré Fonfon, pénétré de chagrin —. Je sais que je t'annonce une mauvaise nouvelle, je sais que ces moments sont difficiles pour toi, avec la mort de M. Carrera et la disparition d'Armida. Je sais que c'est un sale coup que je te fais là. Mais tu m'as demandé de tout te raconter, de te dire la vérité. N'est-ce pas ce que tu veux, papa ?

— J'ai eu des problèmes d'argent, comme tout le monde ces temps-ci, et ma santé a été chancelante — avait poursuivi M. Edilberto Torres, abattu et triste —. Je suis peu sorti, dernièrement. C'est la raison pour laquelle tu ne m'as pas vu, Fonfon, depuis plusieurs semaines.

— Vous êtes venu dans cette église parce que vous saviez nous trouver là, mes amis et moi qui lisons la Bible ?

— Je suis venu méditer, trouver la paix, voir les choses plus calmement et en les relativisant — avait expliqué Edilberto Torres, qui ne semblait pas serein, mais plutôt tremblant et fort angoissé —. Je le fais fréquemment. Je connais la moitié des églises de Lima, peut-être davantage. Cette atmosphère de recueillement, de silence et de prière, me fait du bien. J'aime même les bigotes, et l'odeur d'encens et de vieillerie qui règne dans les petites chapelles. Je suis peut-être un homme à l'ancienne et j'en suis fier. Moi aussi je prie et lis la Bible, Fonfon, même si tu en es surpris. Une autre preuve que je ne suis pas le diable, comme le croit ton papa.

— Il va avoir de la peine quand il saura que je vous ai vu — avait dit le gamin —. Il pense que vous n'existez pas, que je vous ai inventé. Et belle-maman aussi. Ils le croient vraiment. C'est pourquoi mon père s'est montré enthousiaste quand vous avez dit que vous pouviez l'aider dans ses démêlés avec la justice. Il voulait vous voir, vous rencontrer. Mais vous avez disparu.

— Il n'est jamais trop tard pour bien faire — avait assuré M. Torres —. Je serais enchanté de rencontrer Rigoberto et de dissiper les préventions qu'il a contre moi. J'aimerais être son ami. Je présume que nous sommes du même âge. La vérité c'est que je n'ai pas d'amis, seulement des connaissances. Je suis sûr qu'on s'entendrait bien, lui et moi.

— Pour moi, un seco de chabelo — commanda don Rigoberto au garçon —. C'est le plat typique de Piura, n'est-ce pas ?

Doña Lucrecia choisit une corvina grillée avec des crudités et Fonfon seulement un ceviche. La salle à manger de l'hôtel Los Portales était presque déserte et de lents ventilateurs maintenaient l'atmosphère fraîche. Tous trois sirotaient des citronnades avec beaucoup de glace.

— Je veux bien te croire, je sais que tu ne me mens pas, que tu es un garçon pur et animé de bons sentiments — avait acquiescé don Rigoberto, excédé de lassitude —. Mais ce personnage est devenu un poids mort dans ma vie et celle de Lucrecia. Je vois bien qu'on ne s'en débarrassera jamais, qu'il nous poursuivra jusqu'à la tombe. Que voulait-il cette fois ?

— Que nous ayons une conversation sur des choses profondes, un dialogue d'amis — avait expliqué Edilberto Torres —. Dieu, l'autre vie, le monde de l'esprit, la transcendance. Comme tu lis la Bible, je sais que tu t'intéresses maintenant à ces sujets, Fonfon. Et je sais, aussi, que tu es un peu déçu par tes lectures de l'Ancien Testament. Que tu attendais autre chose.

— Comment le savez-vous, monsieur ?

— Mon petit doigt me l'a dit — avait souri Edilberto Torres, mais sans la moindre joie dans son sourire, avec toujours cette inquiétude secrète —. Ne fais pas cas de moi, je plaisante. La seule chose que je voudrais te dire c'est que tous ceux qui se mettent à lire l'Ancien Testament ont la même réaction. Continue, continue, ne te décourage pas. Et tu verras que très vite ton impression sera différente.

— Comment pouvait-il savoir que tu étais déçu par ces lectures bibliques ? — avait à nouveau sursauté don Rigoberto —. Est-ce que c'est vrai ça, Fonfon, tu es déçu ?

— Je ne sais pas si je suis déçu — avait admis Fonfon, un peu décontenancé —. C'est que tout là-dedans est si violent. À commencer par Dieu, par Yahvé. Je ne l'aurais jamais imaginé aussi féroce, lançant tant de malédictions, faisant lapider les femmes adultères, ordonnant de tuer ceux qui enfreignaient les rites. Faisant couper le prépuce aux ennemis des Hébreux. Je ne savais même pas ce que voulait dire prépuce, papa, jusqu'à ce que j'aie lu la Bible.

— C'étaient des temps barbares, Fonfon — l'avait

tranquillisé Edilberto Torres, en parlant avec beaucoup de pauses et sans abandonner son air taciturne —. Tout cela se passait voici des milliers d'années, à l'époque de l'idolâtrie et du cannibalisme. Un monde où la tyrannie et le fanatisme régnaient partout. De plus, on ne doit pas prendre au pied de la lettre ce que dit la Bible. Bien des choses qui apparaissent là sont symboliques, poétiques, excessives. Lorsque le terrible Yahvé disparaîtra et qu'apparaîtra Jésus-Christ, Dieu deviendra doux, pieux, compatissant, tu verras. Mais pour cela tu dois arriver au Nouveau Testament. Patience et longueur de temps, Fonfon.

— Il m'a redit qu'il voulait te voir, papa. Où que ce soit et à n'importe quel moment. Il aimerait, comme vous avez le même âge, que vous soyez amis.

— Cette musique, je l'ai déjà entendue la dernière fois que ce spectre s'est incarné devant toi, dans ce taxi collectif — s'était moqué don Rigoberto —. N'allait-il pas m'aider dans mes démêlés judiciaires ? Et que s'est-il passé ? Il s'est évaporé ! Il en sera de même cette fois. Enfin, je ne te comprends pas, fiston. Tu aimes ou tu n'aimes pas ces lectures bibliques où tu t'es fourré ?

— Je ne sais pas si nous suivons la bonne méthode — avait dit le garçon en éludant la question —. Parce que, bien qu'elles nous plaisent assez parfois, d'autres fois tout devient très embrouillé avec la quantité de peuples qui combattent les Juifs au désert. Il est impossible de se rappeler ces noms si exotiques. Ce qui nous intéresse le plus ce sont les histoires qui y sont racontées. Elles ne ressemblent pas à de la religion, on dirait plutôt les aventures des *Mille et Une Nuits*. Pecas Sheridan, un de mes amis, a dit l'autre jour que cette façon de lire la Bible

403

n'était pas bonne et qu'on n'en tirait pas profit. Qu'il vaudrait mieux avoir un guide. Un curé, par exemple. Vous, qu'en pensez-vous, monsieur ?

— C'est rudement bon — dit don Rigoberto, en savourant une bouchée de son seco de chabelo —. J'aime beaucoup les chifles, comme on appelle ici les rondelles de banane frites. Mais je crains que ce ne soit un peu dur à digérer, avec une telle chaleur.

Après avoir fini leurs plats, ils commandèrent une glace et entamaient le dessert quand ils remarquèrent qu'une dame entrait dans le restaurant. Debout à la porte, elle examina la salle. Elle n'était plus jeune, mais il y avait chez elle quelque chose de frais et de pimpant, un reste juvénile sur son visage rebondi et souriant, ses yeux saillants et sa bouche aux larges lèvres, très maquillées. Elle arborait avec grâce de faux cils recourbés, ses boucles d'oreilles fantaisie dansotaient et elle portait, très cintrée, une robe blanche à fleurs ; ses hanches généreuses ne l'empêchaient pas de se déplacer avec souplesse. Après avoir passé en revue les trois ou quatre tables occupées, elle se dirigea résolument vers celle où ils étaient tous les trois. « Monsieur Rigoberto, n'est-ce pas ? » demanda-t-elle en souriant. Elle tendit la main à chacun et s'assit sur la chaise libre.

— Je m'appelle Josefita et je suis la secrétaire de M. Felícito Yanaqué — se présenta-t-elle —. Bienvenue dans la patrie du tondero et du che guá. C'est la première fois que vous venez à Piura ?

Elle parlait non seulement avec la bouche, mais aussi avec ses yeux expressifs, verts et vifs, et elle agitait sans cesse les mains.

— La première, mais pas la dernière — acquiesça don

Rigoberto, aimablement —. M. Yanaqué n'a pas pu venir ?

— Il a préféré s'en abstenir, parce que, comme vous le verrez, don Felícito ne peut faire un pas dans les rues de Piura sans être suivi par une nuée de journalistes.

— De journalistes ? — fit, effrayé, les yeux écarquillés, don Rigoberto —. Et peut-on savoir pourquoi ils le suivent, madame Josefita ?

— Je suis demoiselle — le corrigea-t-elle ; et elle ajouta, en rougissant —: Bien que j'aie maintenant un soupirant, qui est capitaine de la garde civile.

— Mille pardons, mademoiselle Josefita — s'excusa Rigoberto, en s'inclinant —. Pourriez-vous m'expliquer pourquoi les journalistes poursuivent M. Yanaqué ?

Josefita cessa de sourire. Elle les observait, surprise et avec une certaine commisération. Fonfon était sorti de sa léthargie et semblait attentif lui aussi à ce que disait la nouvelle venue.

— Vous ne savez pas que don Felícito Yanaqué est en ce moment plus célèbre que le président de la République ? — s'écria-t-elle, stupéfaite, en montrant un petit bout de langue —. Voilà des jours et des jours qu'il fait la une à la radio, à la télé, dans les journaux. Mais, malheureusement, pour de mauvaises raisons.

Au fur et à mesure qu'elle parlait, le visage de don Rigoberto et celui de son épouse manifestaient un tel étonnement que Josefita ne put faire autrement que leur expliquer pourquoi le propriétaire des Transports Narihualá était passé de l'anonymat à la célébrité. Il était évident que ces Liméniens n'avaient jamais entendu parler de l'histoire de la petite araignée et des scandales subséquents.

405

— C'est une magnifique idée, Fonfon — avait convenu M. Edilberto Torres —. Pour évoluer aisément dans cet océan qu'est la Bible, il faut un navigateur expérimenté. Ce pourrait être un religieux comme le père O'Donovan, bien sûr. Mais aussi un laïc, quelqu'un qui aurait consacré de nombreuses années à étudier l'Ancien et le Nouveau Testament. Moi, par exemple. Ne crois pas que je me vante, mais, à dire vrai, j'ai passé une bonne partie de ma vie à étudier les Écritures saintes. Je vois à tes yeux que tu ne me crois pas.

— Ce pédophile se fait passer maintenant pour théologien et expert en études bibliques — s'était indigné don Rigoberto —. Tu n'imagines pas l'envie que j'ai de voir sa bobine, Fonfon. Il va peut-être bien te dire à un moment ou un autre qu'il est lui-même curé.

— Il l'a déjà fait, papa — l'avait interrompu Fonfon —. Pour mieux dire, il n'est plus curé, mais il l'a été. Il a jeté aux orties son habit de séminariste, avant d'être ordonné prêtre. Il ne pouvait pas supporter la chasteté, il m'a dit.

— Je ne devrais pas parler de ces choses avec toi, tu es encore trop jeune — avait ajouté M. Edilberto Torres, en pâlissant un peu et la voix tremblante —. Mais c'est ce qui s'est passé. Je me masturbais tout le temps, jusqu'à deux fois par jour. C'est quelque chose qui m'afflige et me trouble. Parce que, je t'assure, j'avais une vocation très ferme de servir Dieu. Depuis tout petit, comme toi. Sauf que je n'ai jamais pu venir à bout de ce maudit démon du sexe. Il y a eu un moment où j'ai cru que les tentations qui me harcelaient jour et nuit allaient me rendre fou. Et, alors, que faire d'autre ?, j'ai dû quitter le séminaire.

— Il t'a parlé de ça ? — s'était scandalisé don Rigoberto —. De masturbation, de branlettes ?

— Et alors vous vous êtes marié, monsieur ? — avait demandé le garçon, timidement.

— Non, non, je suis toujours célibataire — avait dit avec un rire un peu forcé M. Torres —. Pour avoir une vie sexuelle, il n'est pas indispensable de se marier, Fonfon.

— D'après la religion catholique, si — avait affirmé le petit.

— Certes, parce que la religion catholique est très intransigeante et très puritaine en matière de sexe — avait expliqué son interlocuteur —. D'autres sont plus tolérantes. Et puis, en ces temps si permissifs, même Rome se modernise, bien que cela lui coûte.

— Oui, oui, ça me revient maintenant ! — s'exclama Mme Lucrecia en interrompant Josefita —. Oui, bien sûr, je l'ai lu quelque part ou vu à la télé. M. Yanaqué est cet homme que son fils et sa maîtresse voulaient séquestrer pour lui voler tout son argent ?

— Bon, bon, cela dépasse toutes les limites du vraisemblable — don Rigoberto était atterré par ce qu'il entendait —. Cela signifie que nous sommes venus nous jeter nous-mêmes dans la gueule du loup. Si je comprends bien, le bureau et la maison de votre patron sont entourés de journalistes jour et nuit. C'est bien cela ?

— La nuit, non — Josefita tenta de rassurer, avec un sourire triomphal, ce monsieur aux grandes oreilles qui, non content de pâlir, faisait maintenant d'affreuses grimaces —. Au début du scandale, si, les premiers jours c'était insupportable. Des journalistes qui rôdaient autour de sa maison et de son bureau vingt-quatre heures sur

407

vingt-quatre. Mais ils ont fini par se fatiguer ; maintenant, la nuit, ils vont dormir ou se soûler, parce que ici tous les journalistes sont des bohèmes et des romantiques. Le plan de M. Yanaqué fonctionnera très bien, ne vous en faites pas.

— Et quel est ce plan ? — demanda Rigoberto. Il avait laissé sa glace fondre à moitié et tenait encore à la main le verre de citronnade qu'il venait de vider d'un trait.

Très simple. Ils devaient de préférence rester à l'hôtel ou, tout au plus, aller dans un cinéma ; il y en avait plusieurs, maintenant, très modernes, dans les nouveaux *Shoppings*, elle leur recommandait le centre commercial Open Plaza, qui était dans le district de Castilla, pas très loin, tout près du pont Andrés Avelino Cáceres. Elle leur déconseillait de se montrer dans les rues de la ville. La nuit venue, quand tous les journalistes auraient quitté la rue Arequipa, Josefita elle-même viendrait les chercher et les amènerait jusque chez M. Yanaqué. C'était juste à côté, à deux cents mètres.

— La malchance qu'a cette pauvre Armida — déplora doña Lucrecia, dès que Josefita fut partie —. Venir se fourrer dans un piège pire que celui auquel elle voulait échapper ! Je ne m'explique pas que les journalistes ou la police ne l'aient pas encore dénichée.

— Je ne voudrais pas te scandaliser par mes confidences, Fonfon — s'était excusé Edilberto Torres, affligé, en baissant les yeux et la voix —. Mais, tourmenté par ce maudit démon du sexe, j'ai fréquenté les bordels et payé des prostituées. Des choses horribles qui m'écœuraient. Je souhaite que tu ne succombes jamais, comme moi, à ces tentations dégoûtantes.

— Je sais très bien où voulait te mener ce dégénéré en te parlant de mauvais attouchements et de prostituées — avait dit don Rigoberto, en s'étranglant —. Tu aurais dû partir aussitôt et ne pas entrer dans son jeu. Tu ne voyais donc pas que ses prétendues confidences faisaient partie d'une stratégie pour te faire tomber dans ses rets, Fonfon ?

— Tu te trompes, papa — avait répliqué ce dernier —. Je t'assure que M. Torres était sincère et n'avait pas d'arrière-pensées. Il avait l'air triste, semblait mort de chagrin d'avoir fait ces choses. Subitement, ses yeux sont devenus rouges, sa voix s'est étranglée et il a recommencé à pleurer. Ça fendait le cœur de le voir comme ça.

— Heureusement que j'ai apporté de quoi lire — déclara don Rigoberto —. Jusqu'à ce qu'il fasse nuit il va nous falloir poireauter un bon moment. J'imagine que vous n'avez pas envie de vous fourrer dans un cinéma avec cette chaleur.

— Pourquoi pas, papa ? — protesta Fonfon —. Josefita a dit qu'ils avaient l'air conditionné et qu'ils étaient très modernes.

— On verrait ainsi un peu les progrès, ne dit-on pas que Piura est l'une des villes qui progressent le plus au Pérou ? — le soutint doña Lucrecia —. Fonfon a raison. Faisons un petit tour dans ce centre commercial, peut-être bien qu'on y donne un bon film. À Lima nous n'allons jamais au cinéma en famille. Courage, Rigoberto.

— J'ai tellement honte de faire ces vilaines et mauvaises choses que je m'impose moi-même la pénitence. Et parfois, pour me punir, Fonfon, je me fouette jusqu'au sang — avait avoué Edilberto Torres d'une voix déchirée et les yeux rougis.

— Et il ne t'a pas alors demandé que ce soit toi qui le fouettes ? — avait explosé don Rigoberto —. Ce pervers, je m'en vais remuer ciel et terre pour te le chercher et je ne m'arrêterai pas avant de le trouver et de lui serrer le kiki, je t'avertis. Il ira en prison ou je lui flanquerai une balle dans la peau s'il tente de faire quelque chose avec toi. S'il t'apparaît encore, dis-le-lui de ma part.

— Et alors ça a été les grandes eaux, papa, et pleure que je te pleure au point de ne plus pouvoir parler — l'avait calmé Fonfon —. Ce n'est pas ce que tu penses, je te jure que non. Parce que, tiens, au milieu de ses pleurs il s'est soudain levé et a quitté l'église en courant, sans dire au revoir ni rien. Il avait l'air désespéré, comme quelqu'un qui va se suicider. Ce n'est pas un pervers, mais un homme qui souffre beaucoup. Il fait plus pitié que peur, je te jure.

Là-dessus, des coups nerveux à la porte du bureau les avaient interrompus. L'un des battants s'était ouvert et Justiniana avait passé la tête, préoccupée.

— Pourquoi crois-tu que j'ai fermé la porte ? — l'avait houspillée Rigoberto en levant une main menaçante, sans la laisser parler —. Tu ne vois pas que Fonfon et moi sommes occupés ?

— C'est qu'ils sont là, monsieur — avait dit la domestique —. Ils se sont plantés à la porte et j'ai eu beau leur dire que vous étiez occupé, ils veulent entrer.

— Eux ? — avait sursauté don Rigoberto —. Les jumeaux ?

— Je ne savais plus que leur dire, que faire — avait acquiescé Justiniana, très inquiète, parlant à voix basse et gesticulant —. Ils vous font toutes leurs excuses. Ils affirment que c'est très urgent, que ça prendra seulement quelques minutes. Qu'est-ce que je leur dis, monsieur ?

— C'est bon, fais-les passer au salon — s'était résigné Rigoberto —. Mais ouvrez l'œil, Lucrecia et toi, au cas où il arriverait quelque chose et qu'on soit obligés d'appeler la police.

Quand Justiniana s'était retirée, don Rigoberto avait saisi Fonfon par les bras et l'avait longuement regardé dans les yeux. Il l'observait avec tendresse, mais aussi avec une angoisse que trahissaient ses paroles hésitantes, implorantes :

— Fonfon, Fonfon, mon fils chéri, je t'en prie, je t'en supplie sur ce que tu aimes le plus. Dis-moi que tout ce que tu m'as raconté n'est pas vrai. Que tu l'as inventé. Que ce n'est pas arrivé. Dis-moi qu'Edilberto Torres n'existe pas et tu feras de moi l'être le plus heureux de la terre.

Il avait vu s'altérer le visage de l'enfant, qui se mordait les lèvres jusqu'à les rendre violacées.

— Okay, papa — l'avait-il entendu dire, sur un ton qui n'était plus celui d'un enfant mais d'un adulte —. Edilberto Torres n'existe pas. Je l'ai inventé. Je ne te parlerai plus jamais de lui. Est-ce que je peux m'en aller maintenant ?

Rigoberto avait acquiescé et vu Fonfon sortir de son bureau, les mains tremblantes. Son cœur s'était glacé. Il aimait beaucoup son fils, mais, pensait-il, malgré tous ses efforts il ne le comprendrait jamais, il serait toujours pour lui un mystère insondable. Avant d'affronter les hyènes, il était allé à la salle de bains et avait humecté son visage d'eau froide. Il ne sortirait jamais de ce labyrinthe, toujours des couloirs, toujours des caves, toujours des tours

411

et des détours. Était-ce cela la vie, un labyrinthe qui, quoi qu'on fasse, vous menait inéluctablement aux griffes de Polyphème ?

Au salon, les fils d'Ismael Carrera l'attendaient debout. Tous deux portaient complet et cravate, comme d'habitude, mais, contrairement à ce qu'il croyait, ils n'avaient pas d'intentions belliqueuses. Cet air de vaincus et de victimes qu'ils arboraient était-il authentique ou était-ce une nouvelle tactique ? Que machinaient-ils ? Tous deux l'avaient salué affectueusement, en lui tapant dans le dos et en s'efforçant d'afficher une mine contrite. Escobita avait été le premier à s'excuser.

— Je me suis bien mal comporté avec toi la dernière fois qu'on est venus ici, l'oncle — avait-il murmuré, affligé, en se frottant les mains —. J'ai perdu patience, j'ai dit des bêtises, je t'ai insulté. J'étais traumatisé, à moitié fou. Je te fais mille excuses. Je suis accablé, je ne dors plus depuis des semaines, je prends des cachets pour me calmer. Ma vie est devenue une calamité, oncle Rigoberto. Je te jure qu'à l'avenir on ne te manquera plus jamais de respect.

— On est tous bouleversés et il y a de quoi — avait reconnu don Rigoberto —. Ce qui se passe nous fait sortir de nos gonds. Je ne vous en veux pas. Asseyez-vous et parlons. Qu'est-ce qui me vaut votre visite ?

— On n'en peut plus, l'oncle — s'était lancé Miki, qui voulait toujours paraître le plus sérieux et le plus sensé des deux, du moins au moment de parler —. La vie est devenue insupportable pour nous. Je suppose que tu le sais. La police croit que nous avons enlevé ou tué Armida. On a droit aux interrogatoires, aux questions les plus outrageantes, on est filés jour et nuit. Ils nous demandent des pots-de-vin et si on ne les leur donne pas, ils entrent et fouillent nos appartements à n'importe quelle heure. Comme si on était des délinquants de droit commun, comment tu trouves ça ?

— Et la presse et la télé, l'oncle ! — l'avait interrompu Escobita —. Tu as vu la boue dont on nous couvre ? Chaque jour, chaque nuit, dans tous les bulletins d'informations. Et qu'on est des violeurs, et qu'on est des drogués, et qu'avec nos antécédents on est probablement coupables de la disparition de cette chola de merde. Quelle injustice, l'oncle !

— Si tu commences à insulter Armida qui est désormais, que tu le veuilles ou non, ta belle-mère, c'est un mauvais début, Escobita — l'avait grondé don Rigoberto.

— Tu as raison, je retire, mais c'est que je suis à moitié tourneboulé — s'était excusé Escobita. Miki était retombé dans sa vieille manie de se ronger les ongles ; il le faisait sans cesse, doigt par doigt, avec acharnement —. Tu ne sais pas comme c'est horrible de lire les journaux, d'écouter la radio, de regarder la télé. On te calomnie jour et nuit, on te traite de dégénéré, de clodo, de cocaïnomane et je ne sais combien d'autres infamies. Dans quel pays nous vivons, l'oncle !

— Et ça ne sert à rien d'intenter des procès, des actions de soutien, on dit que c'est attenter à la liberté de la presse — s'était plaint Miki, souriant sans raison aucune et redevenant sérieux —. Enfin, on le sait bien, le journalisme vit de scandales. Et le pire, c'est la police. Tu ne trouves pas monstrueux que, par-dessus tout ce que nous a fait papa, on nous rende maintenant responsables de la disparition de cette femme ? Nous sommes

413

assignés à résidence tant que les recherches se poursuivent. On ne peut même pas quitter le pays, juste au moment où commence l'Open de Miami.

— Qu'est-ce que c'est l'Open ? — l'avait interrompu, intrigué, don Rigoberto.

— Les championnats de tennis, le Sony Ericsson Open — lui avait expliqué Escobita —. Tu ne sais donc pas que Miki est un as de la raquette, l'oncle ? Il a gagné une montagne de prix. Nous avons offert une récompense à toute personne qui aiderait à découvrir où se trouve Armida. Que, entre nous soit dit, nous ne pourrions même pas payer. Nous n'avons pas de quoi, l'oncle. C'est la situation réelle. Nous sommes raides. Il ne nous reste pas un putain de kopeck à Miki et à moi. Seulement des dettes. Et comme nous sommes devenus des pestiférés, il n'y a pas de banque, ni de prêteur, ni d'ami qui veuille nous lâcher un centavo.

— Il ne nous reste plus rien à vendre ou à mettre au clou, oncle Rigoberto — avait dit Miki. Sa voix tremblait tellement qu'il parlait avec de longues pauses, en battant sans cesse des paupières —. Sans un sou, sans crédit et, comme si ce n'était pas assez, suspects d'enlèvement ou de crime. C'est pour ça qu'on est venus te voir.

— Tu es notre dernière planche de salut — Escobita lui avait pris la main et l'avait serrée avec force, en approuvant, les larmes aux yeux —. Ne nous laisse pas tomber, s'il te plaît, l'oncle.

Don Rigoberto ne pouvait croire ce qu'il voyait et entendait. Les jumeaux avaient perdu la superbe et l'assurance qui les caractérisaient, ils semblaient sans défense, effrayés, implorant sa compassion. Comme les choses avaient changé en si peu de temps !

— Je déplore beaucoup tout ce qui vous arrive, mes neveux — avait-il dit, en les appelant ainsi pour la première fois sans ironie —. Je sais qu'on se console comme on peut, mais pensez, du moins, que même si cela va mal pour vous, la pauvre Armida doit connaître pire. N'est-il pas vrai ? Qu'on l'ait tuée ou qu'on la tienne séquestrée, quel malheur, vous ne trouvez pas ? Et puis moi aussi j'ai été victime de beaucoup d'injustices, je crois. Vos accusations, par exemple, de complicité avec la prétendue tromperie dont aurait été victime Ismael dans son mariage avec Armida. Savez-vous combien de fois j'ai été convoqué à la police, devant le juge d'instruction ? Savez-vous combien me coûtent mes avocats ? Savez-vous qu'il y a des mois j'ai dû annuler le voyage en Europe que nous avions déjà payé, Lucrecia et moi ? Je ne peux toujours pas toucher ma retraite de la compagnie d'assurances parce que vous avez bloqué mon dossier. Enfin, s'il s'agit de faire le compte des malheurs, nous sommes tous les trois dans la même galère.

Ils l'écoutaient, tête basse, silencieux, chagrinés et confus. Don Rigoberto avait entendu une étrange musiquette là-bas dehors, sur le malecón de Barranco. Encore la flûte de Pan du vieux rémouleur ? On aurait dit que ces deux-là le convoquaient. Miki se rongeait les ongles, et Escobita balançait son pied gauche dans un mouvement espacé et symétrique. Oui, c'était la musiquette du rémouleur. Il était heureux de l'avoir entendue.

— Nous avons déposé cette plainte parce que nous étions désespérés, l'oncle, le mariage de papa nous avait fait perdre la tête — avait dit Escobita —. Je te jure que nous regrettons beaucoup tous les tracas qu'on t'a occasionnés. Ton dossier de retraite va maintenant aller plus vite, j'imagine. Comme tu sais, nous n'avons plus rien à faire avec la compagnie. Papa l'a vendue à une firme italienne. Sans même nous communiquer la nouvelle.

— On va retirer la plainte quand tu nous le diras, l'oncle — avait ajouté Miki —. Justement, c'est une des choses dont on voulait parler avec toi.

— Merci beaucoup, mais c'est un peu tard — avait dit Rigoberto —. Me Arnillas m'a expliqué que la mort d'Ismael a eu pour conséquence, en ce qui me concerne, de surseoir au procès que vous aviez engagé.

— Tu es impayable, l'oncle — avait dit Escobita, en affichant, avait pensé don Rigoberto, encore plus de stupidité qu'on ne pouvait en attendre de lui quoi qu'il fasse ou dise —. Soit dit en passant, Me Claudio Arnillas, cette gonzesse aux bretelles de clown, est le pire traître qui soit né au Pérou. Il a passé sa vie à presser le citron de papa et c'est maintenant notre ennemi déclaré. Un larbin vendu corps et âme à Armida et à ces Italiens mafieux qui ont acheté la compagnie de papa à prix d'occasion.

— On est venus arranger les choses et toi tu les compliques — l'avait coupé son frère. Miki s'était tourné vers don Rigoberto, l'air contrit —. Nous voulons t'écouter, l'oncle. Bien que ça nous fasse toujours mal que tu aies aidé papa dans ce mariage, nous avons confiance en toi. Donne-nous un coup de main, donne-nous un conseil. Tu as vu dans quel dénuement nous sommes, sans savoir comment réagir. Qu'est-ce qu'on peut faire d'après toi ? Tu as tellement d'expérience.

— C'est bien mieux que ce à quoi je m'attendais — s'écria doña Lucrecia —. *Saga Falabella, Tottus, Pasarella, Deja Vu*, et cetera, et cetera. Eh bien, eh bien, ni plus ni moins que les meilleurs *Shoppings* de la capitale.

— Et six salles de cinéma ! Toutes avec l'air conditionné — applaudit Fonfon —. Tu ne peux pas te plaindre, papa.

— Bon — don Rigoberto s'avoua vaincu —. Choisissez le film le moins mauvais possible et allons donc au cinéma.

Comme c'était encore le début de l'après-midi et que la chaleur dehors était intense, il n'y avait presque personne dans les élégantes galeries du centre commercial Open Plaza. Mais, là-dedans, l'air réfrigéré était une bénédiction et, tandis que doña Lucrecia faisait du lèche-vitrines et que Fonfon étudiait les films à l'affiche, don Rigoberto s'occupa à observer les sablières jaunes qui entouraient l'immense enceinte de l'université nationale de Piura et les rares caroubiers éparpillés entre ces langues de terre dorée où, bien que sans les voir, il imaginait les lézards véloces en train de surveiller les alentours avec leur petite tête triangulaire et leurs yeux chassieux en quête d'insectes. Quelle histoire incroyable que celle d'Armida ! Qu'ayant fui le scandale, les avocats et ses furieux beaux-fils, elle soit venue se fourrer chez un personnage qui était également la vedette d'un autre scandale extraordinaire et réunissant les ingrédients les plus savoureux de la presse people : adultère, chantage, lettres anonymes signées par des araignées, enlèvements et faux enlèvements et, apparemment, même des incestes ! Cette fois oui, il était impatient de connaître Felícito Yanaqué, d'entendre Armida et de lui raconter sa dernière conversation avec Miki et Escobita.

Là-dessus doña Lucrecia et Fonfon le rejoignirent. Ils

417

avaient deux propositions : *Pirates des Caraïbes II*, le choix de son fils, et *Une passion fatale*, celui de sa femme. Il opta pour les pirates, en pensant qu'ils le berceraient mieux, s'il réussissait à faire une petite sieste, que le mélo larmoyant promis par l'autre titre. Cela faisait combien de mois qu'il ne mettait pas les pieds au cinéma ?

— En sortant nous pourrions aller dans cette pâtisserie — dit Fonfon, en la montrant du doigt —. Quels beaux gâteaux !

« Il a l'air content et excité par ce voyage », pensa don Rigoberto. Cela faisait longtemps qu'il n'avait pas vu son fils aussi souriant et plein d'allant. Depuis les apparitions du funeste Edilberto Torres, Fonfon était devenu réservé, mélancolique, absent. Maintenant, à Piura, il ressemblait à nouveau au garçon amusant, curieux et enthousiaste d'autrefois. À l'intérieur de la superbe salle de cinéma il y avait à peine une demi-douzaine de personnes.

Don Rigoberto avait respiré profondément, soufflé et lâché son discours :

— Je n'ai qu'un conseil à vous donner — il parlait sur un ton solennel —. Faites la paix avec Armida. Acceptez son mariage avec Ismael, acceptez-la comme belle-mère. Oubliez la bêtise de vouloir le faire annuler. Négociez une compensation financière. Ne vous y trompez pas, vous ne pourrez jamais lui ravir tout ce dont elle a hérité. Votre père savait ce qu'il faisait et il a très bien verrouillé la chose. Si vous vous entêtez dans cette action judiciaire, vous finirez par couper tous les ponts et n'en tirerez même pas un centavo. Négociez en amis, transigez sur une somme qui, même si elle ne correspond pas à celle que vous souhaiteriez, pourrait être suffisante pour bien vivre, sans travailler et en vous divertissant, en jouant au tennis, le restant de vos jours.

— Et si ses ravisseurs l'ont tuée, l'oncle ? — l'expression d'Escobita était si pathétique que don Rigoberto en avait frissonné. En effet : et s'ils l'avaient tuée ? Que deviendrait cette fortune ? Resterait-elle dans l'escarcelle des banquiers, conseillers fiscaux, comptables et cabinets internationaux qui maintenant la tenaient hors d'atteinte non seulement de ces deux pauvres diables mais aussi des percepteurs d'impôts du monde entier ?

— Pour toi c'est facile de nous demander de faire ami-ami avec la femme qui nous a volé papa, l'oncle — avait dit Miki, avec plus de peine que de fureur —. Et qui, par-dessus le marché, s'est approprié tout ce que la famille avait, même les meubles, les robes et les bijoux de ma mère. Mon père, nous on l'aimait. Ça nous fait très mal qu'en devenant vieux il ait été victime de cette conspiration dégueulasse.

Don Rigoberto l'avait regardé dans les yeux et Miki avait soutenu son regard. Cette petite crapule qui avait gâché les dernières années d'Ismael et qui depuis des mois les tenait, Lucrecia et lui, sur la corde raide, rivés à Lima et asphyxiés de convocations judiciaires, se payait le luxe d'avoir bonne conscience.

— Il n'y a eu aucune conspiration, Miki — avait-il dit, lentement, en essayant d'empêcher sa colère de transparaître dans ses propos —. Ton père s'est marié parce qu'il avait de la tendresse pour Armida. Peut-être pas de l'amour, mais beaucoup de tendresse. Elle a été bonne avec lui et l'a consolé quand ta mère est morte, une période très difficile où Ismael s'est senti très seul.

— Et elle te l'a bien consolé, en se fourrant dans les

draps du pauvre vieux — avait dit Escobita. Il s'était tu quand Miki avait levé une main énergique pour lui intimer de fermer son bec.

— Mais, surtout, Ismael s'est marié avec elle parce qu'il était terriblement déçu par vous deux — avait poursuivi don Rigoberto, comme si, sans qu'il se le soit proposé, sa langue s'était déliée toute seule —. Oui, oui, je sais très bien ce que je vous dis, les neveux. Je sais de quoi je parle. Et maintenant vous allez le savoir vous aussi, si vous m'écoutez sans plus m'interrompre.

Il avait élevé la voix et les jumeaux étaient maintenant muets et attentifs, surpris par la gravité avec laquelle il leur parlait.

— Voulez-vous que je vous dise pourquoi il était si déçu par vous ? Non parce que vous étiez fainéants, bringueurs, soûlards, que vous fumiez de la marijuana et sniffiez de la coke comme on suce des bonbons. Non, non, tout cela il pouvait le comprendre et même le pardonner. Bien qu'il eût souhaité, c'est sûr, que ses enfants soient tout autres.

— Nous ne sommes pas venus pour que tu nous insultes, l'oncle — avait protesté Miki, en rougissant.

— Il l'était parce qu'il s'est rendu compte que vous attendiez impatiemment qu'il meure pour hériter. Comment je le sais ? Parce qu'il me l'a raconté lui-même. Je peux vous dire où, quel jour et à quelle heure. Et même les mots exacts qu'il a employés.

Et pendant plusieurs minutes, avec le plus grand calme, Rigoberto leur avait rapporté cette conversation d'il y avait quelques mois, pendant ce déjeuner à La Rosa Náutica, où son chef et ami lui avait raconté qu'il avait décidé d'épouser Armida et demandé d'être son témoin de mariage.

— Il vous avait entendus parler à la clinique San Felipe, dire ces choses stupides et méchantes, près de son lit de moribond — avait conclu Rigoberto —. C'est vous qui avez précipité le mariage d'Ismael avec Armida, par votre manque de cœur et votre cruauté. Ou, plutôt, votre bêtise. Vous auriez dû dissimuler vos sentiments au moins en ces instants, laisser votre père mourir en paix, croyant que ses enfants étaient peinés de ce qui lui arrivait. Ne pas commencer à vous réjouir de sa mort alors qu'il était encore vivant et vous écoutait. Ismael m'a confié que de vous entendre dire ces choses horribles lui avait donné la force de survivre, de lutter. Que c'est vous qui l'aviez ressuscité, pas les médecins. Bon, maintenant vous le savez. Voilà la raison pour laquelle votre père a épousé Armida. Et, aussi, pourquoi vous n'hériterez jamais de sa fortune.

— Nous n'avons jamais dit ce que tu dis qu'il t'a dit que nous avions dit — avait bégayé Escobita en s'emmêlant les pinceaux —. Ça mon père a dû le rêver, avec les remèdes de cheval qu'on lui a donnés pour le tirer du coma. Si tant est que tu nous dises la vérité et n'aies pas inventé toute cette histoire pour nous mettre encore plus le nez dans le caca.

On aurait dit qu'il allait ajouter quelque chose, mais il s'était ravisé. Miki ne disait rien et continuait à se ronger les ongles, obstinément. Il avait l'air amer et semblait abattu. Son visage était de plus en plus congestionné.

— Il est probable qu'on l'ait dit et qu'il nous ait entendus — avait-il brusquement démenti son frère —. On l'a dit souvent, c'est vrai, l'oncle. On ne l'aimait pas parce qu'il ne nous a jamais aimés non plus. Autant que je me rappelle, je ne l'ai jamais entendu dire un mot affectueux. Il n'a jamais joué avec nous, ni ne nous a emmenés au cinéma ou au cirque, comme faisaient les papas de tous nos amis. Je crois qu'il ne s'est même jamais assis bavarder avec nous. Il nous parlait à peine. Il n'aimait rien d'autre que sa compagnie et son travail. Tu sais une chose ? Je ne suis nullement fâché qu'il ait su qu'on le détestait. Parce que c'était la pure vérité.

— Tais-toi, Miki, la colère te fait dire des conneries — avait protesté Escobita —. Je ne sais pas pourquoi tu nous as raconté ça, l'oncle.

— Pour une raison bien simple, mon neveu. Pour vous ôter de la tête une fois pour toutes cette idée absurde que ton père a épousé Armida parce qu'il était gâteux, atteint de démence sénile, qu'on lui avait donné un philtre ou fait de la magie noire. Il s'est marié parce qu'il s'est rendu compte que vous vouliez qu'il meure au plus vite afin de récupérer sa fortune et de la dilapider. Voilà la pure et triste vérité.

— Mieux vaut partir d'ici, Miki — avait dit Escobita, en se levant —. Tu vois pourquoi je ne voulais pas venir faire cette visite ? Je t'ai dit qu'au lieu de nous aider il finirait par nous insulter, comme la dernière fois. Et il vaut mieux qu'on parte, avant que je me fâche à nouveau et finisse par casser la gueule une bonne fois à ce sale calomniateur.

— Je ne sais ce que vous en pensez — dit Mme Lucrecia —, mais moi le film m'a enchantée. Même si c'est une bêtise, j'ai passé un très bon moment.

— C'est moins un film d'aventures qu'un film fantastique — l'approuva Fonfon —. Ce qu'il y a de mieux, d'après moi, ce sont les monstres, les têtes de mort. Et ne me dis pas que ça ne t'a pas plu, papa. Je te regardais du coin de l'œil et tu étais complètement concentré sur l'écran.

— Bon, c'est vrai que je ne me suis pas du tout ennuyé — admit don Rigoberto —. On va prendre un taxi pour rentrer à l'hôtel. La nuit tombe et le grand moment n'est pas loin.

Ils retournèrent à l'hôtel Los Portales et don Rigoberto prit une longue douche. Maintenant que l'heure de la rencontre avec Armida approchait, il lui semblait vivre, en effet, comme avait dit Lucrecia, une irréalité divertissante et extravagante comme le film qu'ils venaient de voir, sans le moindre contact avec la réalité vécue. Mais, soudain, un frisson glacé parcourut son dos. Peut-être qu'à l'instant même une bande de sicaires, de délinquants internationaux, au courant de la grande fortune laissée par Ismael Carrera, torturait Armida, lui arrachant les ongles, lui coupant un doigt ou une oreille, lui crevant un œil, pour l'obliger à leur céder les millions qu'ils lui demandaient. Ou peut-être qu'ils avaient eu la main lourde et qu'elle était déjà morte et enterrée. Lucrecia se doucha aussi, s'habilla et ils descendirent boire un verre au bar. Fonfon resta dans sa chambre à regarder la télé. Il dit qu'il ne voulait pas manger ; il demanderait un sandwich et irait se coucher.

Le bar était assez plein, mais personne ne sembla leur prêter la moindre attention. Ils s'assirent à la table la plus écartée et commandèrent deux whiskies-soda avec des glaçons.

— Je n'arrive pas encore à croire que nous allons voir Armida — dit doña Lucrecia —. Est-ce bien vrai ?

— C'est une étrange impression — répondit don Rigoberto —. Celle de vivre une fiction, un rêve qui deviendra peut-être un cauchemar.

— Josefita, le nom qu'elle se paie et l'allure qu'elle a ! — dit-elle —. J'ai les nerfs en compote, ma parole. Et si tout cela était un piège de malfrats pour te tirer du fric, Rigoberto ?

— Ils en seraient pour leurs frais — répondit-il en riant —. Parce que j'ai la bourse plate. Mais cette Josefita avait l'air de tout sauf d'un gangster, non ? Et pareil pour M. Yanaqué ; au téléphone, il semblait l'être le plus inoffensif du monde.

Ils avalèrent leur whisky et en commandèrent un autre, puis passèrent au restaurant. Mais aucun des deux n'avait envie de manger, si bien qu'au lieu de s'asseoir à une table, ils allèrent s'installer dans le salon du lobby. Ils y restèrent près d'une heure, rongés d'impatience, sans quitter des yeux le va-et-vient des clients de l'hôtel.

Josefita arriva enfin, avec ses yeux globuleux, ses grandes boucles d'oreilles et ses hanches opulentes. Elle portait la même robe que le matin. L'air très grave et le geste conspirateur. Elle s'approcha d'eux après avoir exploré les alentours de son regard mobile et, sans même ouvrir la bouche pour dire bonsoir, elle leur fit signe de la suivre. Ils sortirent derrière elle sur la place d'Armes. Don Rigoberto, qui ne buvait presque jamais, éprouvait un léger vertige et la petite brise de la rue l'étourdit un peu plus. Josefita leur fit faire le tour de la place, longer la cathédrale, puis prendre la rue Arequipa. Les boutiques étaient maintenant fermées, vitrines éclairées et grilles tirées, et il n'y avait guère de passants sur les trottoirs. Deux cents mètres plus loin, Josefita leur indiqua le portail d'une maison ancienne, avec des fenêtres aux rideaux baissés et, toujours sans dire un mot, leur fit au revoir de la main. Ils la virent s'éloigner rapidement, en se dandinant, sans tourner la tête. Don Rigoberto et doña Lucrecia s'approchèrent de la lourde porte cloutée, mais avant qu'ils aient sonné celle-ci s'ouvrit et une petite voix masculine très respectueuse murmura : « Entrez, entrez, s'il vous plaît. »

Ils entrèrent. Dans un vestibule mal éclairé, avec une unique ampoule que berçait l'air de la rue, un petit homme maigrichon les reçut, serré dans un costume étroit, avec un gilet. Il leur fit une grande courbette en même temps qu'il leur tendait une menotte d'enfant :

— Enchanté, bienvenue dans cette maison. Felícito Yanaqué pour vous servir. Entrez, entrez.

Il ferma la porte sur la rue et les guida à travers le sombre vestibule jusqu'à un salon qui était lui aussi dans la pénombre, et où il y avait un téléviseur et une petite étagère avec des CD. Don Rigoberto vit une silhouette féminine émerger de l'un des fauteuils. Il reconnut Armida. Avant qu'il ait pu la saluer, doña Lucrecia le précéda et il vit sa femme serrer étroitement dans ses bras la veuve d'Ismael Carrera. Les deux femmes se mirent à pleurer, comme deux amies intimes qui se retrouvent après de longues années d'absence. Quand ce fut son tour de la saluer, Armida tendit à don Rigoberto sa joue pour qu'il l'embrasse. Ce qu'il fit, en murmurant : « Quel plaisir de te voir saine et sauve, Armida ! » Elle les remerciait d'être venus, Dieu vous le rendra, Ismael aussi les remerciait de là où il se trouvait.

— Quelle aventure, Armida ! — dit Rigoberto —. Je suppose que tu sais que tu es la femme la plus recherchée du

Pérou. La plus célèbre aussi. On te voit à la télé matin et soir et tout le monde croit que tu es séquestrée.

— Je n'ai pas assez de mots pour vous remercier d'avoir pris la peine de venir à Piura — dit-elle en séchant ses larmes —. J'ai besoin que vous m'aidiez. Je ne pouvais rester davantage à Lima. Ces rendez-vous chez les avocats, les notaires, les rencontres avec les fils d'Ismael me rendaient folle. J'avais besoin d'un peu de calme, pour pouvoir réfléchir. Je ne sais ce que j'aurais fait sans Gertrudis et Felícito. Elle, c'est ma sœur, et Felícito mon beau-frère.

Une forme un tantinet contrefaite surgit d'entre les ombres de la pièce. La femme, engoncée dans une tunique, leur tendit une grosse main humide de sueur et les salua en inclinant la tête, sans dire un mot. À côté d'elle, le petit homme qui, apparemment, était son mari, semblait encore plus menu, presque un gnome. Il tenait entre ses mains un plateau avec des verres et des bouteilles de limonade :

— Je vous ai préparé un petit rafraîchissement. Servez-vous, s'il vous plaît.

— Nous avons tant de choses à nous raconter, Armida — dit don Rigoberto —, que je ne sais par où commencer.

— Le mieux sera par le début — répondit Armida —. Mais asseyez-vous, asseyez-vous. Vous devez avoir faim. Gertrudis et moi vous avons préparé aussi quelque chose à manger.

XIX

Quand Felícito Yanaqué ouvrit les yeux, l'aube blanchissait le ciel et les oiseaux n'avaient pas encore commencé à chanter. « C'est aujourd'hui le grand jour », pensa-t-il. Le rendez-vous était à dix heures du matin ; il avait à peu près cinq heures devant lui. Il ne se sentait pas nerveux ; il saurait garder le contrôle de lui-même, ne se laisserait pas gagner par la colère et parlerait avec sérénité. La question qui l'avait tourmenté toute sa vie serait enfin réglée pour toujours ; son souvenir s'évanouirait peu à peu jusqu'à disparaître de sa mémoire.

Il se leva, ouvrit les rideaux en grand et, nu-pieds dans son pyjama d'enfant, il fit pendant une demi-heure les exercices du qi gong, avec la lenteur et la concentration que lui avait enseignées le Chinois Lao. Il laissait l'effort pour atteindre la perfection dans chacun des mouvements accaparer toute sa conscience. « J'ai été sur le point de perdre le centre et je n'arrive pas encore à le récupérer », pensa-t-il. Il lutta contre un nouvel accès de démoralisation. Pas étonnant qu'il ait perdu le centre avec la tension dans laquelle il vivait depuis qu'il avait reçu la première lettre de la petite araignée. De toutes les

427

explications que lui avait données le pulpero Lao sur le qi gong, cet art, gymnastique, religion ou comme on voudra l'appeler qu'il lui avait appris et qu'il avait depuis lors incorporé à sa vie, la seule qu'il avait comprise à fond était celle de « trouver le centre ». Lao la répétait chaque fois qu'il portait les mains à sa tête ou à son estomac. Felícito avait fini par comprendre : « le centre » qu'il était indispensable de trouver et qu'il fallait réchauffer d'un mouvement circulaire des paumes sur le ventre jusqu'à sentir qu'il en sortait une force invisible qui lui donnait l'impression de flotter, ce n'était pas seulement le centre de son corps, mais quelque chose de plus complexe, un symbole d'ordre et de sérénité, un ombilic de l'esprit qui, si on l'avait bien localisé et maîtrisé, donnait un sens clair et une organisation harmonieuse à sa vie. Ces derniers temps, il avait eu l'impression — la certitude — que son centre s'était désaxé et que sa vie commençait à sombrer dans le chaos.

Pauvre Chinois Lao. Ils n'avaient pas été vraiment amis, parce que pour établir une amitié il faut se comprendre et que Lao n'avait jamais appris l'espagnol, même s'il comprenait presque tout. Mais il parlait un simulacre où il fallait deviner les trois quarts de ce qu'il disait. Et encore pire était le cas de la petite Chinoise qui vivait avec lui et l'aidait à l'épicerie. Elle avait l'air de comprendre les clients, mais elle osait rarement leur adresser la parole, consciente que ce qu'elle disait était un charabia par lequel elle se faisait comprendre encore moins que lui. Felícito avait longtemps cru qu'ils étaient mari et femme, mais, un beau jour, au moment où ils avaient déjà établi tous les deux grâce au qi gong cette relation qui ressemblait à de l'amitié sans en être, Lao lui avait fait savoir qu'en réalité la petite Chinoise était sa sœur.

L'épicerie de Lao se trouvait aux franges de la Piura d'alors, là où la ville et les bancs de sable se touchaient, du côté d'El Chipe. Elle ne pouvait être plus misérable : une minuscule cabane de branches de caroubier avec un toit en tôle ondulée maintenu par de grosses pierres, divisée en deux espaces, un pour la boutique, une petite pièce munie d'un comptoir et d'étagères rustiques, et un autre où le frère et la sœur vivaient, mangeaient et dormaient. Ils avaient quelques poules et biquettes, à un moment ils avaient eu aussi un cochon, mais ils se l'étaient fait voler. Ils survivaient grâce aux camionneurs qui passaient en allant à Sullana ou à Paita et s'arrêtaient là pour acheter des cigarettes, des limonades, des biscuits ou prendre une bière. Felícito habitait aux environs, dans la pension d'une veuve, des années avant de déménager pour El Algarrobo. La première fois qu'il s'était approché de l'épicerie de Lao — c'était très tôt le matin —, il l'avait vu planté au milieu du sable, rien qu'avec son pantalon, son torse squelettique nu, en train de faire ces bizarres exercices au ralenti. Piqué par la curiosité, il lui avait posé des questions et le Chinois, dans son espagnol caricatural, avait essayé de lui expliquer ce qu'il faisait en bougeant tout doucement les bras et en restant parfois immobile comme une statue, les yeux fermés et, aurait-on dit, en retenant sa respiration. Depuis lors, dans ses petits moments libres, le camionneur faisait un saut à l'épicerie pour avoir une conversation avec Lao, si on pouvait appeler comme ça ce à quoi ils se livraient, communiquer avec des gestes et des grimaces qui tentaient de compléter les mots et qui, parfois, devant un malentendu, les faisaient éclater de rire.

Pourquoi Lao et sa sœur restaient-ils à l'écart des autres Chinois de Piura ? Il y en avait un bon nombre, propriétaires de restaurants, de gargotes et de commerces, certains très prospères. Peut-être parce qu'ils avaient tous une bien meilleure situation que Lao et ne voulaient pas se discréditer en fréquentant ce crève-la-faim qui vivait comme un sauvage primitif, sans jamais changer son pantalon graisseux et plein de trous ni ses deux uniques chemises qu'il portait en général ouvertes, montrant les os de sa poitrine. Sa sœur était elle aussi un squelette silencieux, bien que très actif, car c'était elle qui donnait à manger aux animaux et allait acheter l'eau et les provisions aux détaillants des environs. Jamais Felícito n'avait rien pu découvrir de leur vie, comment et pourquoi ils étaient venus à Piura depuis leur lointain pays, ni pourquoi, contrairement aux autres Chinois de la ville, ils n'avaient pu s'en tirer et étaient tout bonnement restés dans la misère.

Leur authentique moyen de communication fut le qi gong. Au début, Felícito s'était mis à imiter ses mouvements comme par jeu, mais Lao ne le prit pas à la légère, il le poussa à persévérer et devint son maître. Un maître patient, aimable, compréhensif, qui, dans son espagnol rudimentaire, accompagnait chacun de ses mouvements et chacune de ses postures d'explications que Felícito comprenait à peine. Mais, peu à peu, il se laissa gagner par l'exemple de Lao et se mit à faire des séances de qi gong non seulement quand il se rendait à l'épicerie, mais aussi chez la veuve et dans les hôtels borgnes de ses voyages. Ça lui plut. Ça lui faisait du bien. Ça le calmait quand il était nerveux et ça lui donnait de l'énergie et de la maîtrise face aux incidents quotidiens. Ça l'aida à découvrir son centre.

Un soir, la veuve de la pension réveilla Felícito en lui disant que la petite Chinoise à moitié folle de l'épicerie de Lao était à la porte à pousser des cris et que personne ne comprenait ce qu'elle disait. Felícito sortit en caleçon. La sœur de Lao, les cheveux en bataille, gesticulait en montrant l'épicerie avec des hurlements hystériques. Il courut derrière elle et trouva le pulpero nu, tordu de douleur sur une natte et brûlant de fièvre. Ce fut la croix et la bannière pour se procurer un véhicule et conduire Lao au dispensaire le plus proche. Là, l'infirmier de garde dit qu'on devait le transférer à l'hôpital, au dispensaire on ne donnait que des soins légers et cela avait l'air grave. Il leur fallut près d'une demi-heure pour trouver un taxi qui emmène Lao aux urgences de l'Hôpital ouvrier, où on laissa le pulpero prostré sur un banc toute la nuit, parce que aucun lit n'était libre. Le lendemain, lorsqu'il fut enfin examiné par un médecin, Lao agonisait. Il mourut dans les heures suivantes. Personne n'avait de quoi lui payer un enterrement — Felícito subvenait tout juste à ses propres besoins —, et on le mit à la fosse commune, après leur avoir remis un certificat expliquant que la raison de sa mort était une infection intestinale.

Chose curieuse, la sœur de Lao disparut le soir même de la mort du pulpero. Felícito ne la revit pas, et n'eut jamais de ses nouvelles. L'épicerie fut mise à sac le lendemain même et quelque temps après on s'empara des plaques de tôle et des montants, de sorte que quelques semaines plus tard il ne restait plus trace du frère et de la sœur. Lorsque le temps et le désert eurent englouti les derniers débris de la cabane, sur son emplacement fut établie une arène pour combats de coqs, sans grand succès. Maintenant, ce secteur d'El Chipe avait été urbanisé et il y avait des rues, l'électricité, l'eau courante et le tout-à-l'égout, ainsi que des maisonnettes de familles de la classe moyenne montante.

Le souvenir du pulpero Lao était resté vivace dans la mémoire de Felícito. Il se réactualisait chaque matin, depuis trente ans, chaque fois qu'il faisait ses exercices de qi gong. Malgré tout ce temps passé il lui arrivait encore de se demander quelle avait bien pu être l'aventure de Lao et de sa sœur, pourquoi ils avaient quitté la Chine, à quelles péripéties ils avaient été confrontés jusqu'à échouer à Piura, condamnés à cette triste et solitaire existence. Lao répétait souvent qu'il fallait toujours trouver le centre, ce à quoi lui n'avait apparemment jamais réussi. Felícito se dit que peut-être ce jour-là, quand il aurait fait ce qu'il allait faire, il retrouverait son centre perdu.

Il se sentit las à la fin de ses exercices, le cœur battant un peu plus vite. Il se doucha calmement, fit briller ses chaussures, enfila une chemise propre et alla dans la cuisine préparer son habituel petit déjeuner de lait de chèvre et de café, avec une tranche de pain bis qu'il fit griller et tartina de beurre et de miel de chancaca. Il était six heures et demie du matin lorsqu'il sortit dans la rue Arequipa. Lucindo était déjà installé, comme s'il l'attendait. Il déposa une pièce dans sa sébile et l'aveugle le reconnut sur-le-champ :

— Bonjour, don Felícito. Aujourd'hui vous sortez plus tôt.

— C'est un jour important pour moi et j'ai beaucoup de travail. Souhaite-moi bonne chance, Lucindo.

Il y avait peu de gens dans la rue. Il était agréable de marcher sur le trottoir sans être traqué par les reporters. Et encore plus agréable de savoir que ces journalistes venaient de subir une défaite en règle : ces malheureux n'avaient jamais découvert qu'Armida, la prétendue séquestrée, la personne si recherchée par la presse du Pérou, avait passé toute une semaine — sept jours et sept nuits ! — cachée chez lui, à leur barbe, sans qu'ils le soupçonnent. Ils ne sauraient jamais, et c'était bien dommage, qu'ils avaient raté le scoop du siècle. Parce que Armida, au cours de la conférence de presse grouillante de monde qu'elle donna à Lima, flanquée du ministre de l'Intérieur et du chef de la police, ne révéla pas à la presse qu'elle s'était réfugiée à Piura, chez sa sœur Gertrudis. Elle se borna à indiquer vaguement qu'elle avait été accueillie par des amis pour échapper au harcèlement de la presse qui la mettait au bord de la crise de nerfs. Felícito et son épouse suivirent à la télé cette conférence bondée de journalistes, de flashes et de caméras. Le transporteur fut impressionné par l'aisance avec laquelle sa belle-sœur répondait aux questions, sans perdre contenance, sans se plaindre, en parlant avec calme et amabilité. Sa modestie et sa simplicité, dirait tout le monde par la suite, lui avaient gagné la sympathie de l'opinion publique, moins encline dès lors à croire à l'image d'opportuniste cupide et calculatrice qu'avaient fait courir d'elle les fils d'Ismael Carrera.

Le départ d'Armida de la ville de Piura, en grand secret, à minuit, dans une voiture des Transports Narihualá, avec leur fils Tiburcio au volant, avait été une opération parfaitement planifiée et exécutée, sans que personne, depuis les policiers jusqu'aux journalistes, ne remarque quoi que ce soit. Au début, Armida voulait faire venir de Lima un certain Narciso, ancien chauffeur de son défunt mari, à qui elle se fiait totalement, mais Felícito et Gertrudis l'avaient convaincue de confier le volant à Tiburcio, en qui ils avaient une confiance aveugle. C'était un magnifique chauffeur, une personne discrète et, de surcroît, son neveu. M. don Rigoberto, qui la poussa tant à rentrer à Lima le plus vite possible et à se manifester publiquement, avait fini par dissiper les préventions d'Armida.

Tout se passa comme ils l'avaient organisé. Don Rigoberto, son épouse et son fils rentrèrent à Lima par avion. Deux jours plus tard, à minuit passé, Tiburcio, qui avait consenti de bonne grâce à collaborer, se présenta à la maison de la rue Arequipa à l'heure convenue. Armida leur fit ses adieux au milieu de baisers, de larmes et de remerciements. Après douze heures d'un voyage sans encombre, elle arriva à sa maison de San Isidro, à Lima, où l'attendaient son avocat, ses gardes du corps et les autorités, heureuses d'annoncer que la veuve de don Ismael Carrera avait fait sa réapparition saine et sauve, après huit jours de mystérieuse disparition.

Quand Felícito arriva à ses bureaux de l'avenue Sánchez Cerro, les premiers bus, camionnettes et taxis collectifs de la journée se disposaient déjà à partir de Piura en direction de toutes les provinces et des départements voisins de Tumbes et de Lambayeque. Peu à peu, les Transports Narihualá récupéraient la clientèle des bonnes époques. Les gens qui, en raison de l'épisode de la petite araignée, avaient tourné le dos à l'entreprise de peur d'être victimes de violence de la part des prétendus ravisseurs oubliaient l'affaire avec le temps et reprenaient confiance dans les bons services de ses chauffeurs. Il était enfin parvenu à un accord avec la compagnie d'assurances, qui paierait, de moitié avec lui, la réparation des dommages causés par l'incendie. Bientôt devaient démarrer les travaux de réfection. Bien qu'au compte-gouttes, les banques recommençaient à lui consentir des crédits. Les choses redevenaient normales, jour après jour. Il respira avec soulagement : il mettrait ce jour-là un point final à cette malheureuse affaire.

Il travailla à régler les problèmes courants, parla avec mécaniciens et chauffeurs, paya quelques factures, fit un versement, dicta des lettres à Josefita, but deux tasses de café et, à neuf heures et demie du matin, empoignant le dossier préparé par Me Hildebrando Castro Pozo, alla au commissariat prendre le sergent Lituma. Ce dernier l'attendait à la porte. Un taxi les conduisit à la prison pour hommes, à Río Seco, extra-muros.

— Est-ce que ce tête-à-tête vous rend nerveux, don Felícito ? — lui demanda le sergent au cours du trajet.

— Je crois pas l'être — lui répondit-il, en hésitant —. On verra quand je l'aurai devant moi. On sait jamais.

À la prison, on les fit passer au contrôle. Des gardes inspectèrent les vêtements de Felícito pour vérifier qu'il ne portait pas d'armes. Le directeur en personne, un homme voûté et lugubre en bras de chemise, qui traînait de la voix et des pieds, les mena à une cellule protégée par une grosse porte en bois, doublée d'une grille. Les murs étaient pleins de graffitis, de dessins obscènes et de gros mots. Dès qu'il eut franchi le seuil, Felícito reconnut Miguel, debout au milieu de la pièce.

Il y avait à peine quelques semaines qu'il ne l'avait pas vu, mais le garçon était l'objet d'une étonnante transformation. Non seulement il avait l'air plus maigre et plus vieux, peut-être à cause de ses cheveux blonds emmêlés qui avaient poussé et de la barbe qui maintenant lui noircissait le visage ; son expression avait elle aussi changé. D'habitude juvénile et souriante, elle était maintenant taciturne, épuisée, celle de quelqu'un qui a perdu l'élan et même le désir de vivre parce qu'il se sait vaincu. Mais peut-être la plus grande modification était-elle dans sa tenue. Lui qui d'habitude s'habillait et se parait avec la coquetterie voyante d'un petit don Juan de quartier, contrairement à Tiburcio qui traînait jour et nuit les blue-jeans et les guayaberas des chauffeurs et des mécaniciens, avait maintenant une chemise ouverte sur la poitrine à laquelle il manquait tous les boutons, un pantalon froissé et taché, et des souliers crottés, sans lacets. Il ne portait pas de chaussettes.

Felícito le regarda fixement bien en face et Miguel ne soutint son regard que quelques secondes ; il se mit à ciller, et baissa les yeux. Felícito pensa que c'était seulement à présent qu'il se rendait compte qu'il arrivait à peine à l'épaule de Miguel, celui-ci le dépassait d'une bonne tête. Le sergent Lituma se tenait collé au mur, sans un mouvement, raide, comme s'il voulait se rendre invisible. Malgré les deux petites chaises métalliques de la pièce, ils restaient debout tous les trois. Des toiles d'araignée pendaient du plafond entre les graffitis des murs et les grossiers dessins de vulves et de bites. Ça sentait l'urine. L'inculpé n'était pas menotté.

— Je suis pas venu te demander si tu regrettes ce que tu as fait — dit, enfin, Felícito, en regardant la tignasse blonde et sale qu'il avait à un mètre de distance, satisfait de sentir qu'il parlait avec fermeté, sans laisser transparaître la rage qui l'étouffait —. Ça tu le régleras là-haut, quand tu mourras.

Il fit une pause, pour respirer profondément. Il avait parlé tout bas et, lorsqu'il reprit la parole, il haussa la voix :

— Je suis venu à cause d'une question beaucoup plus importante pour moi. Plus que les lettres de la petite araignée, plus que tes chantages pour m'extorquer de l'argent, plus que le faux kidnapping que tu as organisé avec Mabel, plus que l'incendie de mes bureaux — Miguel restait immobile, toujours tête basse, et le sergent Lituma ne bougeait pas non plus de sa place —. Je suis venu te dire que je suis content de ce qui est arrivé. Que tu aies fait ce que tu as fait. Parce que grâce à ça j'ai pu tirer au clair un doute de toute ma vie. Tu sais lequel, non ? Il a dû te venir à la tête chaque fois que tu te regardais dans la glace et que tu te demandais pourquoi tu avais une bobine de p'tit Blanc quand ta mère et moi on est des cholos. Moi aussi j'ai passé ma vie à me poser cette question. Jusqu'à présent je me la suis ravalée, sans chercher à vérifier, pour pas blesser tes sentiments ni ceux de Gertrudis. Mais je n'ai plus de raisons de te ménager. J'ai résolu le mystère. C'est pour ça que je viens. Pour te dire quelque chose qui te fera autant plaisir qu'à moi. Tu n'es pas mon fils, Miguel. Tu l'as jamais été. Ta mère et la Commandante, la mère de ta mère, ta grand-mère, quand elles ont découvert que Gertrudis était enceinte, m'ont fait croire que c'était moi le père pour m'obliger à me marier avec elle. Elles m'ont trompé. C'était pas moi. Je me suis marié avec Gertrudis comme le dindon de la farce. Voilà le doute tiré au clair. Ta mère m'a ouvert son cœur et m'a tout avoué. Une grande joie, Miguel. Je serais mort de tristesse si un fils à moi, avec mon sang dans les veines, il avait fait ce que toi tu m'as fait. Maintenant, je suis tranquille et même content. Ça a pas été un fils à moi, mais un corniaud de bâtard. Quel grand soulagement de savoir que c'est pas mon sang, le sang si honnête de mon père, qui coule dans tes veines ! Autre chose, Miguel. Même ta mère elle sait pas quel est le type qui l'a engrossée pour que tu naisses. Elle dit que, si ça se trouve, c'est un de ces Yougoslaves qui sont venus pour l'irrigation du Chira. Mais elle est pas sûre. Ou peut-être ça serait n'importe lequel des p'tits Blancs morts de faim qui se pointaient à la pension El Algarrobo et passaient aussi par son lit. Prends note, Miguel. Je suis pas ton père et même ta propre mère elle sait pas de qui était le foutre qui t'a engendré. Donc tu es un de ces bâtards qu'y a à Piura, un de ceux qu'enfantent les lavandières ou les bergères à qui les soldats ils font crac-crac leurs jours de cuite. Un corniaud, Miguel, exactement. Ça m'étonne pas que tu aies fait ce que tu as fait avec tant de sangs mélangés qui coulent dans tes veines.

Il se tut parce que la tête aux cheveux blonds emmêlés s'était dressée, avec violence. Il vit les yeux bleus injectés de sang et de haine. « Il va se jeter sur moi, il essaiera de m'étrangler », pensa-t-il. Le sergent Lituma dut le penser aussi, parce qu'il fit un pas en avant et, la main sur son étui à revolver, se plaça à côté du transporteur pour le protéger. Mais Miguel avait l'air anéanti, incapable de réagir et de bouger. Des larmes coulaient sur ses joues, et ses mains et sa bouche tremblaient. Il était livide. Il voulait dire quelque chose, mais les mots restaient coincés dans sa gorge et, par instants, son corps émettait un bruit venu du ventre, comme une éructation ou un hoquet.

Felícito Yanaqué reprit la parole, avec la même froideur contenue qu'il avait eue pour prononcer ce long discours :

— J'ai pas fini. Un peu de patience. Aujourd'hui c'est la dernière fois qu'on se verra, heureusement pour toi et pour moi. Je vais te laisser ce dossier. Lis attentivement chacun des papiers que t'a préparés mon avocat. Me Hildebrando Castro Pozo, que tu connais très bien. Si tu es d'accord, signe sur chaque page, là où y a une croix. Il fera reprendre demain ces papiers et s'occupera des démarches auprès du juge. Il s'agit de quelque chose de très simple. Changement d'identité, ça s'appelle. Tu vas renoncer au nom de Yanaqué, qui, de toute façon, t'appartient pas. Tu peux garder celui de ta mère, ou t'inventer celui que tu voudras. En échange, je vais retirer toutes les plaintes que j'ai déposées contre l'auteur des lettres de la petite araignée, contre l'auteur de l'incendie des Transports Narihualá et du faux kidnapping de Mabel. Possible que, grâce à ça, tu échappes aux quelques années de prison que tu prendrais et sois libéré. Par contre, dès qu'on te libérera, tu vas quitter Piura. Tu remettras pas les pieds ici, où tout le monde sait que tu es un délinquant. En plus, personne te donnerait jamais un travail décent. Je veux pas te retrouver sur ma route. T'as le temps d'y penser jusqu'à demain. Si tu veux pas signer ces papiers, ça te regarde. Le procès continuera et moi je ferai l'impossible pour que ta condamnation soit longue. C'est à toi de décider. Une dernière chose. Ta mère elle est pas venue te rendre visite parce qu'elle non plus elle veut pas te revoir. C'est pas moi qui le lui ai demandé, ça a été sa décision. C'est tout. On peut s'en aller, sergent. Que Dieu te pardonne, Miguel. Moi je te pardonnerai jamais.

Il jeta le dossier avec les papiers aux pieds de Miguel et fit demi-tour vers la porte, suivi du sergent Lituma. Miguel était toujours immobile, les yeux pleins de haine et de larmes, bougeant la bouche sans faire de bruit, comme frappé par une décharge électrique qui l'aurait privé de mouvement, de parole et de raison, le dossier vert à ses pieds. « Ce sera la dernière image de lui qui restera dans ma mémoire », pensa Felícito. Ils avançaient en silence vers la sortie de la prison. Le taxi les attendait. Pendant que le tacot se démenait en vibrant dans la banlieue de Piura, le cap sur le commissariat de l'avenue Sánchez Cerro pour déposer Lituma, celui-ci et le transporteur gardaient le silence. Une fois dans la ville, le sergent fut le premier à parler :

— Je peux vous dire une petite chose, don Felícito ?

— Allez-y, sergent.

— Jamais j'aurais imaginé qu'on puisse dire ces horreurs que vous avez dites à votre fils là-bas à la prison. Ça m'a glacé les sangs, je vous jure.

— Il est pas mon fils — dit le transporteur en levant la main.

— Mille fois pardon, je le sais bien — s'excusa le sergent —. Ça va sans dire que je vous donne raison, ce que Miguel a fait ça a pas de nom. Mais, même comme ça. M'en voulez pas, mais c'est les choses les plus cruelles que de ma vie j'aie entendu dire à quelqu'un, don Felícito. Jamais je l'aurais cru d'un brave type comme vous. Je m'explique pas comment le garçon il vous est pas tombé dessus. J'ai cru qu'il le ferait et c'est pour ça que

440

j'ai ouvert l'étui. J'ai été sur le point de sortir mon revolver, parole.

— Il a pas osé parce que je lui ai cassé le moral — répliqua Felícito —. C'étaient peut-être des choses dures, mais est-ce que par hasard j'ai menti ou exagéré, sergent ? J'ai pu être cruel, mais je lui ai dit seulement la plus stricte vérité.

— Une vérité terrible, que je vous jure de répéter à personne. Même pas au capitaine Silva. Sur ma tête, don Felícito. D'un autre côté, vous avez été très généreux. Si vous retirez toutes les charges contre lui, il sera libéré. Encore une petite chose, pour changer de sujet. Ce mot, crac-crac. Je l'entendais quand j'étais gosse, mais je l'avais oublié. À notre époque plus personne le dit à Piura, il me semble.

— C'est qu'y a plus autant de crac-crac qu'avant — intervint le chauffeur, en riant avec un peu de nostalgie —. Quand j'étais gosse, y en avait beaucoup. Les soldats ils vont plus à la rivière ou dans les champs s'envoyer les cholas. Maintenant on les contrôle davantage à la caserne et on les punit s'ils font crac-crac. On les oblige même à se marier, che guá.

Ils se dirent au revoir à la porte du commissariat et le transporteur ordonna au taxi de le conduire à son bureau, mais, au moment où la voiture allait s'arrêter devant les Transports Narihualá, il changea subitement d'idée. Il indiqua au chauffeur de retourner à Castilla et de le laisser le plus près possible du pont suspendu. En passant par la place d'Armes, il vit le diseur de poésie Joaquín Ramos, vêtu de noir, avec son monocle et son air rêveur, en train de marcher intrépidement au milieu de la rue, tirant toujours derrière lui sa petite chèvre. Les autos l'esquivaient et, au lieu de l'insulter, les chauffeurs le saluaient de la main.

La petite rue qui menait à la maison de Mabel était, comme d'habitude, pleine de gamins dépenaillés et sans souliers, de chiens faméliques couverts de gale, et on entendait, parmi les musiques et les réclames publicitaires des radios à plein volume, des aboiements et des cris de poules, et un perroquet braillard qui répétait le mot cacatoès, cacatoès. Des nuages de poussière étaient en suspension dans l'air. Cette fois, après s'être montré si sûr de lui pendant son entrevue avec Miguel, Felícito se sentait vulnérable et désarmé en pensant à la rencontre avec Mabel. Il n'avait cessé de l'ajourner depuis que celle-ci était sortie de prison en liberté conditionnelle. Il lui était arrivé de penser qu'il serait peut-être préférable de l'éviter, de recourir à Mᵉ Castro Pozo pour régler ses affaires avec elle. Cependant, il venait de décider que personne ne pouvait le remplacer dans cette tâche. S'il voulait commencer une autre vie, il lui fallait, comme il venait de le faire avec Miguel, solder ses derniers comptes avec Mabel. Ses mains étaient moites quand il sonna. Personne ne répondit. Après quelques secondes d'attente, il sortit sa clé et ouvrit. Il sentit s'accélérer son sang et sa respiration en reconnaissant les objets, les photos, le petit lama, le drapeau, les tableautins, les fleurs en cire, le Sacré-Cœur de Jésus qui trônait dans le salon. Tout était aussi clair, bien rangé et propre qu'autrefois. Il s'assit dans cette première pièce pour attendre Mabel, sans enlever veste ni gilet, seulement son chapeau. Il avait des frissons. Que ferait-il si elle rentrait chez elle en compagnie d'un homme lui donnant le bras ou la tenant par la taille ?

Mais Mabel arriva seule, un moment après, alors que Felícito Yanaqué, sous le coup de la tension nerveuse de l'attente, en proie à des bâillements, commençait à sentir l'emprise du sommeil. En entendant la porte d'entrée, il sursauta. Sa bouche était sèche, du vrai papier de verre, comme s'il avait bu de la chicha. Il vit le visage effrayé et entendit l'exclamation de Mabel (« Oh mon Dieu ! »), en le découvrant au salon. Il la vit faire demi-tour comme pour partir en courant.

— N'aie pas peur, Mabel — la rassura-t-il, avec un calme qu'il n'avait pas —. J'ai des intentions pacifiques.

Elle s'arrêta et se retourna. Elle resta à le regarder, la bouche ouverte, les yeux inquiets, sans rien dire. Elle avait maigri. Sans maquillage, un simple foulard sur la tête, portant cette blouse de maison et de vieilles sandales, il la trouva beaucoup moins séduisante que la Mabel de son souvenir.

— Assieds-toi et bavardons un petit moment — il lui montra un des fauteuils —. Je viens pas te faire des reproches, ni te demander des comptes. Ce sera pas long. On a des choses à régler, comme tu sais.

Elle était pâle. Elle fermait la bouche avec tant de force qu'une grimace s'était formée sur son visage. Il la vit acquiescer et s'asseoir au bord du fauteuil, les bras croisés sur le ventre, comme pour se protéger. Il y avait dans ses yeux de la crainte, de l'alarme.

— Des choses pratiques que seulement toi et moi on peut traiter directement — ajouta le transporteur —. Commençons par le plus important. Cette maison. L'arrangement avec la propriétaire, c'est de lui régler le loyer par semestre. Il est payé jusqu'en décembre. À partir de janvier, il est à ta charge. Le contrat est à ton nom, alors à toi de voir ce que tu fais. Tu peux le renouveler, l'annuler et déménager. À toi de voir.

— C'est bon — bredouilla-elle, d'une petite voix à peine audible —. Je comprends.

— Ton compte à la Banque de Crédit — poursuivit-il ; il se sentait plus sûr de lui en voyant la fragilité et la peur de Mabel —. Il est à ton nom, sauf qu'il a ma caution. Pour des raisons évidentes, je peux pas continuer à te donner la garantie. Je vais la retirer, mais je crois pas que pour autant on te ferme le compte.

— Ils l'ont déjà fait — dit-elle. Elle se tut et, après une pause, elle expliqua —: J'ai trouvé ici la notification, en sortant de la prison. Ça disait que, étant donné les circonstances, ils devaient résilier mon compte. La banque accepte seulement des clients honorables, sans antécédents judiciaires. Que je passe retirer mon solde.

— Tu l'as déjà fait ?

Mabel fit non de la tête.

— J'ai honte — avoua-t-elle, en regardant par terre —. Tout le monde me connaît dans cette succursale. Il faudra que j'y aille un de ces jours, quand je n'aurai plus d'argent liquide. Pour les dépenses de tous les jours, il reste encore quelque chose dans la petite boîte de la table de nuit.

— Dans n'importe quelle autre banque on t'ouvrira un compte, avec ou sans antécédents — dit Felícito sèchement —. Je crois pas que ça te fasse problème.

— C'est bon — dit-elle —. Je comprends très bien. Quoi d'autre ?

— Je viens d'aller voir Miguel — dit-il, plus crispé et plus bourru, et Mabel se raidit —. Je lui ai fait une proposition. S'il accepte de renoncer au nom de Yanaqué

444

devant notaire, je retirerai toutes les plaintes et serai pas témoin à charge du procureur.

— Ça veut dire qu'il sera libéré? — demanda-t-elle. Maintenant ce n'était plus de la peur qu'elle avait, mais de la terreur.

— S'il accepte ma proposition, oui. Toi et lui vous serez libres si y a pas accusation de la partie civile. Ou avec une condamnation très légère. C'est du moins ce que m'a dit l'avocat.

Mabel avait porté une main à sa bouche :

— Il voudra se venger, il me pardonnera jamais de l'avoir dénoncé à la police — murmura-t-elle —. Il va me tuer.

— Je crois pas qu'il ait envie de retourner en prison pour assassinat — dit Felícito, avec brusquerie —. En plus, mon autre condition est que, à sa sortie de prison, il quitte Piura et remette plus jamais les pieds ici. Alors je doute qu'il te fasse quoi que ce soit. De toute façon, tu peux demander protection à la police. Comme tu as collaboré avec les flics, on te l'accordera.

Mabel s'était mise à pleurer. Elle avait les yeux pleins de larmes et les efforts qu'elle faisait pour s'en empêcher donnaient à son visage une expression déformée, un peu ridicule. Elle s'était recroquevillée sur elle-même, comme si elle avait froid.

— Même si tu le crois pas, celui-là je le hais de toute mon âme — l'entendit-il dire, au bout d'un moment —. Parce qu'il a détruit ma vie pour toujours.

Elle laissa échapper un sanglot et se couvrit le visage des deux mains. Felícito ne se sentait pas impressionné. « C'est vrai ou c'est rien que du théâtre? » pensait-il. Ça ne l'intéressait pas de le savoir, ça lui était égal que ce soit

445

une chose ou l'autre. Depuis que cette histoire était arrivée, parfois, malgré sa rancune et sa colère, il avait eu des moments où il pensait à Mabel avec tendresse, et même avec nostalgie. Mais à cet instant il ne sentait rien de tout cela. Pas de désir non plus ; s'il l'avait eue nue dans ses bras, il n'aurait pu lui faire l'amour. C'était comme si, cette fois enfin, la masse des sentiments que Mabel lui avait inspirés pendant ces huit années s'était volatilisée.

— Rien de tout ça serait arrivé si, quand Miguel a commencé à te tourner autour, tu me l'avais dit — il avait à nouveau cette étrange impression qu'il ne se passait rien de tout cela, qu'il ne se trouvait pas dans cette maison, que Mabel non plus n'était pas là, à côté de lui, en train de pleurer ou de faire semblant, et que lui n'était pas en train de dire ce qu'il disait —. On se serait épargné beaucoup de casse-tête tous les deux, Mabel.

— Je sais, je sais, j'ai été une lâche et une idiote — l'entendit-il dire —. Tu crois que je l'ai pas regretté ? J'avais peur de lui, je savais pas comment m'en débarrasser. Je suis pas en train de le payer, peut-être ? Tu sais pas ce que ça a été, la prison pour femmes, à Sullana. Même si je suis restée que quelques jours. Et je sais bien que je continuerai à traîner ça le restant de ma vie.

— Le restant de ta vie, ça fait beaucoup de temps — ironisa Felícito, toujours en parlant calmement —. Tu es très jeune et tu as du temps de reste pour refaire ta vie. C'est pas mon cas, bien sûr.

— J'ai jamais cessé de t'aimer, Felícito — l'entendit-il dire —. Même si tu le crois pas.

Il lâcha un petit rire moqueur.

— Si en m'aimant tu m'as fait ce qu'on sait, qu'est-ce que tu aurais fait si tu m'avais détesté, Mabel.

446

Et, en s'entendant dire cela, il pensa que ces mots pourraient être les paroles d'une de ces chansons de Cecilia Barraza qui lui plaisaient tant.

— J'aimerais te l'expliquer, Felícito — implora-t-elle, le visage toujours caché dans les mains —. Pas pour que tu me pardonnes, pas pour que tout redevienne comme avant. Seulement pour que tu saches que les choses elles ont pas été comme tu crois, mais très différentes.

— T'as rien à m'expliquer, Mabel — dit-il, en parlant maintenant sur un ton résigné, presque amical —. Il s'est passé ce qui devait se passer. J'ai toujours su que ça arriverait, tôt ou tard. Que tu allais te lasser d'un homme tellement plus vieux que toi, que tu tomberais amoureuse d'un jeune. C'est la loi de la vie.

Elle s'agita sur son fauteuil.

— Je te jure sur la tête de ma mère que c'est pas ce que tu crois — sanglota-t-elle —. Laisse-moi t'expliquer, te raconter au moins comment tout est arrivé.

— Ce que je pouvais pas imaginer c'est que ce jeune ça serait Miguel — ajouta le transporteur, d'une voix enrouée —. Encore moins les lettres de la petite araignée, naturellement. Mais enfin, c'est passé. Vaut mieux que je m'en aille tout de suite. On a réglé toutes les choses pratiques et il reste rien en suspens. Je veux pas qu'on finisse par se disputer. Je te laisse ici la clé de la maison.

Il la posa sur la table du salon, près du petit lama en bois et du drapeau péruvien, et se leva. Elle avait toujours le visage enfoui dans les mains, et elle pleurait.

— Au moins, restons amis — l'entendit-il dire.

— Toi et moi on peut pas être amis, tu le sais très bien

— répondit-il, sans se retourner pour la regarder —.
Bonne chance, Mabel.

Il alla jusqu'à la porte, l'ouvrit, sortit et ferma doucement derrière lui. L'éclat du soleil le fit cligner des yeux.
Il avança au milieu des nuages de poussière, du bruit des
radios, des gamins dépenaillés et des chiens galeux, en
pensant que jamais plus il ne repasserait dans cette
petite rue poussiéreuse de Castilla et que, sans doute, il
ne reverrait pas non plus Mabel. Si le hasard faisait qu'il
la rencontre dans une rue du centre, il ferait semblant
de ne pas l'avoir vue et elle ferait la même chose. Ils se
croiseraient comme deux inconnus. Il pensa aussi, sans
tristesse ni amertume, que, tout en n'étant pas encore
un vieillard impuissant, il ne ferait probablement jamais
plus l'amour avec une femme. Il n'avait pas envie de se
chercher une autre petite amie, ni d'aller le soir au bordel coucher avec les putes. Et l'idée de se remettre à
faire l'amour avec Gertrudis après tant d'années ne lui
passait même pas par la tête. Peut-être qu'il lui faudrait
se branler de temps en temps, comme quand il était
enfant. Quel que soit son avenir, une chose était sûre : il
n'y aurait plus de place pour le plaisir ni pour l'amour.
Il ne le regrettait pas, ne se désespérait pas. La vie était
comme ça et lui, depuis qu'il était un gosse sans souliers
à Chulucanas et Yapatera, il avait appris à la prendre
comme elle venait.

Insensiblement, ses pas l'avaient mené à la petite boutique d'herbes, d'articles de couture, de saints, de christs
et de vierges de son amie Adelaida. La voyante se trouvait
là, courte sur pattes, fessue, les pieds nus, engoncée dans
la tunique écrue qui lui arrivait aux chevilles, à le regar-

448

der venir, sur le pas de la porte, de ses énormes yeux perçants.

— Salut, Felícito, heureux les yeux qui te voient — dit-elle en lui faisant de la main un signe de bienvenue —. Je croyais que tu m'avais déjà oubliée.

— Adelaida, tu sais très bien que tu es ma meilleure amie et que je t'oublierai jamais — dit-il en lui tendant la main et en lui tapotant le dos avec affection —. J'ai eu beaucoup de problèmes dernièrement, tu dois être au courant. Mais me voilà. Et si tu m'offrais un petit verre de cette eau filtrée si claire et si fraîche que tu as ? Je meurs de soif.

— Entre, entre et assieds-toi, Felícito. Je t'apporte un verre à l'instant même, bien sûr que oui.

Contrairement à dehors où la chaleur régnait, à l'intérieur de la petite boutique d'Adelaida, plongée dans la pénombre et la quiétude habituelles, il faisait frais. Assis dans le fauteuil à bascule d'osier tressé, Felícito contempla les toiles d'araignée, les étagères, les petites tables avec des boîtes de clous, de boutons, de vis, de graines, les bouquets d'herbes, les aiguilles, les images pieuses, chapelets, vierges et christs en plâtre et en bois de toutes les tailles, les cierges et lampes à huile, tout en attendant le retour de la voyante. Avait-elle des clients, Adelaida ? Autant qu'il s'en souvînt, toutes les fois qu'il était venu, et ça faisait beaucoup, il n'avait jamais vu personne acheter quoi que ce soit. Plus qu'à une boutique, ce local ressemblait à une petite chapelle. Il ne lui manquait que l'autel. Chaque fois qu'il se trouvait dans cet endroit, il avait ce sentiment de paix qu'avant, dans le temps, il éprouvait toujours dans les églises, quand, les premières

449

années de leur mariage, Gertrudis le traînait à la messe du dimanche.

Il but avec délice l'eau filtrée que lui tendit Adelaida.

— Drôle d'histoire que t'as eue, Felícito — dit la santera, en manifestant sa compassion par un regard affectueux —. Ta maîtresse et ton fils de mèche pour te plumer. Mon Dieu, les vilaines choses qu'on voit ici-bas ! Heureusement qu'on a coffré ces deux-là.

— Tout ça c'est passé et, tu sais une chose, Adelaida ? ça me fait plus rien — il haussa les épaules et fit une moue dédaigneuse —. Tout ça est resté en arrière et je l'oublierai peu à peu. Je veux pas que ça m'empoisonne la vie. Maintenant, je vais me consacrer corps et âme à remettre à flot les Transports Narihualá. Ces désordres, ils m'ont fait négliger l'entreprise qui me donne à manger. Et, si je m'en occupe pas, elle coulera à pic.

— Voilà qui me plaît, Felícito, faut savoir tourner la page — applaudit la santera —. Et au travail ! T'as toujours été un homme qui se rend pas, de ceux qui luttent jusqu'au bout.

— Tu sais une chose, Adelaida ? — l'interrompit Felícito —. Cette inspiration que t'as eue la dernière fois que je suis venu te voir, elle s'est réalisée. Il est arrivé une chose extraordinaire, comme t'as dit. Je peux pas t'en raconter plus pour le moment, mais, dès que je pourrai, je le ferai.

— Je veux pas que tu me racontes quoi que ce soit — la voyante devint très sérieuse et une ombre voila un instant ses gros yeux —. Ça m'intéresse pas, Felícito. Tu sais très bien que j'aime pas avoir ces inspirations. Malheureusement, avec toi ça m'arrive toujours. On dirait que c'est toi qui me les provoques, che guá.

— J'espère t'en provoquer aucune autre, Adelaida — dit Felícito en souriant —. J'en ai fini des surprises. À partir de maintenant je veux avoir une vie paisible et ordonnée, et me consacrer à mon travail.

Ils restèrent un bon moment sans parler, à écouter les bruits de la rue. Les klaxons et les moteurs des autos et des camions, les cris des vendeurs ambulants, la rumeur et le va-et-vient des piétons leur parvenaient comme adoucis par la tranquillité de cet endroit. Felícito pensait que, bien qu'il connût Adelaida depuis tant d'années, la voyante était toujours pour lui un grand mystère. Avait-elle de la famille ? Avait-elle un jour été mariée ? Si ça se trouvait, elle était sortie de l'orphelinat, c'était une de ces fillettes abandonnées, recueillies et élevées par la charité publique, et qui ensuite avait toujours vécu seule, comme un champignon, sans père ni mère, sans frères ni sœurs, sans époux, sans enfants. Il n'avait jamais entendu Adelaida parler d'un parent quelconque, ni même de relations. Peut-être Felícito était-il la seule personne de Piura à qui la voyante pouvait donner le nom d'ami.

— Dis-moi une chose, Adelaida — lui demanda-t-il —. T'as habité un jour à Huancabamba ? T'aurais pas grandi là, par hasard ?

Au lieu de lui répondre, la mulâtresse lâcha un énorme éclat de rire, en ouvrant tout grand sa bouche aux lèvres épaisses et en montrant ses grosses dents régulières.

— Je sais pourquoi tu me demandes ça, Felícito ! — s'exclama-t-elle, sans cesser de rire —. À cause des sorciers des Huaringas, pas vrai ?

— Va pas croire que je pense que t'es une sorcière, loin de là — lui assura-t-il —. Ce qu'y a, c'est que tu as, bon, je sais pas comment l'appeler, cette faculté, ce don ou ce

451

qu'on voudra, de deviner les choses qui vont arriver, qui m'a toujours émerveillé. C'est incroyable, che guá. Chaque fois qu'il te vient une inspiration, ça se passe tel quel. On se connaît depuis si longtemps, non ? Et quand tu m'as prophétisé quelque chose, c'est toujours arrivé pile-poil. T'es pas comme les autres, les simples mortels, t'as quelque chose qu'a personne d'autre que toi, Adelaida. Si t'avais voulu, tu serais devenue riche en te faisant voyante professionnelle.

Pendant qu'il parlait elle s'était rembrunie.

— Plus qu'un don, c'est un grand malheur que Dieu a mis sur mes épaules, Felícito — soupira-t-elle —. Je te l'ai dit tant de fois. J'aime pas avoir tout d'un coup ces inspirations. Je sais pas d'où elles sortent, ni pourquoi, et seulement avec certaines personnes, comme toi. C'est pour moi un mystère, aussi. Par exemple, j'ai jamais eu d'inspirations sur moi. Jamais j'ai su ce qui va m'arriver demain ou après-demain. Bon, maintenant je réponds à ta question. Oui, j'ai été à Huancabamba, une seule fois. Laisse-moi te dire une chose. Ils me font de la peine, les gens qui montent jusque là-bas, en dépensant ce qu'ils ont et ce qu'ils ont pas, en s'endettant, pour se faire soigner par les maîtres, comme ils les appellent. Ces maîtres c'est des charlatans, la grande majorité au moins. Ceux qui promènent le cochon d'Inde sur le corps des malades, ceux qui les plongent dans les eaux glacées de la lagune. Au lieu de les guérir, des fois ils les tuent d'une pneumonie.

Avec un sourire, Felícito l'arrêta en avançant ses deux mains.

— C'est pas toujours comme ça, Adelaida. Un ami, chauffeur des Transports Narihualá, il s'appelait Andrés

Novoa, avait la fièvre de Malte et les médecins de l'Hôpital ouvrier savaient pas comment le soigner. Ils l'ont abandonné. Il est allé à Huancabamba à moitié mort et un des sorciers l'a amené à Las Huaringas, l'a fait se baigner dans la lagune et lui a donné je sais pas quels breuvages. Et il est revenu guéri. Je l'ai vu de mes yeux, je te jure, Adelaida.

— Peut y avoir une exception — admit-elle —. Mais, pour un guérisseur vrai, y a dix escrocs, Felícito.

Ils parlèrent longtemps. La conversation passa des sorciers, maîtres, guérisseurs et chamans de Huancabamba, si célèbres que des gens venaient de tout le Pérou les consulter sur leurs maux, aux rezadoras[1] et santeras de Piura, ces femmes généralement âgées et humbles, vêtues comme des religieuses, qui allaient de maison en maison prier au chevet des malades. Elles se contentaient de quelques centavos de gratification ou d'une simple assiette de nourriture pour leurs prières, qui, beaucoup le croyaient, complétaient la tâche des médecins en aidant les patients à guérir. À la surprise de Felícito, Adelaida ne croyait non plus à rien de cela. Elle prenait aussi les rezadoras et les santiguadoras de la ville pour des arnaqueuses. Il était curieux qu'une femme avec ces dons, capable d'anticiper l'avenir de certains hommes et femmes, soit si incrédule quant aux pouvoirs thérapeutiques d'autres personnes. Peut-être avait-elle raison et y avait-il beaucoup de petits malins et malignes parmi ceux qui se vantaient d'être capables de guérir les malades.

1. *Rezadora*, formé sur *rezo*, prière, est quasiment synonyme de *santiguadora*, un peu plus bas. On pourrait dire *prieuses*. La *santera*, elle, s'aide d'images pieuses.

Felícito fut surpris d'entendre Adelaida raconter que dans un passé récent il y avait même à Piura des femmes ténébreuses, les consolatrices, que certaines familles appelaient dans leur maison pour qu'elles aident les agonisants à mourir, ce qu'elles faisaient au milieu de prières, en leur coupant la jugulaire avec un ongle extrêmement long qu'elles se laissaient pousser à l'index dans cette intention.

En revanche, Felícito fut très étonné d'apprendre qu'Adelaida croyait dur comme fer à la légende selon laquelle la statue du Señor Cautivo de l'église d'Ayabaca avait été faite par des sculpteurs sur bois équatoriens qui s'étaient révélés être des anges.

— Tu crois cette supercherie, Adelaida ?

— Je la crois parce que j'ai entendu les gens de là-bas raconter l'histoire. Ils se la transmettent de père en fils depuis que c'est arrivé et, si ça dure si longtemps, ça doit être vrai.

Felícito avait souvent entendu parler de ce miracle, sans jamais le prendre au sérieux. Il y avait de ça de nombreuses années, une commission de gens importants d'Ayabaca avait fait une collecte pour passer commande d'un christ. Ils avaient traversé la frontière de l'Équateur et rencontré trois messieurs vêtus de blanc qui se trouvaient être sculpteurs sur bois. Ils les avaient embauchés immédiatement pour se rendre à Ayabaca et sculpter cette statue. Eux l'avaient fait, mais avaient disparu avant d'avoir encaissé la somme convenue. La même commission était retournée en Équateur à leur recherche, mais là-bas personne ne les connaissait ni n'en avait entendu parler. Autrement dit : c'étaient des anges. Normal que Gertrudis le croie, mais il fut surpris qu'Adelaida elle aussi puisse gober ce miracle.

Après un bon moment de bavardage, Felícito se sentit un peu mieux que lorsqu'il était arrivé. Il n'avait pas oublié ses visites à Miguel et à Mabel ; il ne les oublierait peut-être jamais, mais grâce à l'heure qu'il avait passée là le souvenir de ces rencontres s'apaisa et cessa de peser sur lui comme une croix.

Il remercia Adelaida de la délicieuse eau filtrée et de la conversation et, malgré la résistance qu'elle opposa, l'obligea à accepter les cinquante soles qu'il lui glissa dans la main en s'en allant.

Quand il sortit dans la rue, le soleil semblait taper encore plus fort. Il chemina en direction de chez lui et durant tout le trajet seules deux personnes inconnues s'approchèrent pour le saluer. Il pensa, avec soulagement, qu'il cesserait peu à peu d'être célèbre et reconnu. Les gens oublieraient la petite araignée et cesseraient bientôt de le montrer du doigt et de l'aborder. Peut-être le jour n'était-il pas loin où il pourrait recommencer à circuler dans les rues de la ville comme un passant anonyme.

Quand il arriva chez lui, rue Arequipa, le déjeuner était servi. Saturnina avait préparé une petite soupe de légumes et des olluquitos con charqui[1] accompagnés de riz. Gertrudis tenait prête une carafe de citronnade avec beaucoup de glace. Ils s'assirent à table en silence, et ce

---

1. Les *olluquitos* sont de petits tubercules au goût fin cultivés depuis une époque très ancienne dans les Andes, se servant bouillis et coupés en fines tranches. Le *charqui* (viande séchée) se coupe de même pour ce plat typiquement péruvien.

n'est qu'après sa dernière cuillerée de soupe que Felícito raconta à sa femme que ce matin-là il était allé voir Miguel et lui avait proposé de retirer ses plaintes s'il acceptait de renoncer à son nom de famille. Elle l'écouta sans rien dire et lorsqu'il se tut elle ne fit pas non plus le moindre commentaire.

— Il acceptera sûrement et alors il sera libéré — ajouta-t-il —. Et il quittera Piura, comme je l'ai exigé de lui. Ici, avec ses antécédents, il trouverait jamais de travail.

Elle acquiesça, sans dire un mot.

— Tu vas pas aller le voir ? — lui demanda Felícito.

Gertrudis fit non de la tête.

— Je veux plus jamais le voir moi non plus — affirmat-elle, et elle continua à boire sa soupe, à lentes cuillerées —. Après ce qu'il t'a fait, je pourrais pas.

Ils continuèrent à manger en silence et c'est seulement un bon moment plus tard, quand Saturnina eut emporté les assiettes, que Felícito murmura :

— J'ai aussi été à Castilla, là où tu peux t'imaginer. Je suis allé liquider cette affaire. Ça y est. Fini pour toujours. Je voulais que tu le saches.

Il y eut un autre long silence, parfois interrompu par le coassement d'une grenouille dans le jardin. Enfin, Felícito entendit Gertrudis lui demander :

— Tu veux un café ou une petite camomille ?

XX

Quand don Rigoberto se réveilla, encore dans l'obscurité, il entendit le murmure de la mer et pensa : « Le grand jour est enfin arrivé. » Il fut saisi d'une sensation de soulagement et d'excitation. Était-ce cela le bonheur ? À ses côtés, Lucrecia dormait paisiblement. Elle devait être épuisée, la veille elle avait fait les valises jusque très tard. Il écouta un bon moment le va-et-vient de la mer — une musique qu'à Barranco on n'entendait jamais le jour, seulement la nuit et au petit matin, quand les bruits de la rue s'éteignaient — puis il se leva et, en pyjama et pantoufles, gagna son bureau. Il chercha et trouva parmi ses ouvrages de poésie le livre de Fray Luis de León. À la clarté de la lampe, il lut le poème dédié au musicien aveugle Francisco de Salinas. Il s'en était souvenu la veille dans son demi-sommeil et avait ensuite rêvé de lui. Il l'avait lu maintes fois et à présent, après l'avoir relu lentement, en bougeant à peine les lèvres, il en eut une fois de plus confirmation : c'était le plus bel hommage rendu à la musique qu'il connaissait, un poème qui, en même temps qu'il expliquait cette réalité inexplicable qu'est la musique, était lui-même musique. Une musique avec des idées et des métaphores, une allégorie intelligente d'un homme de foi qui, imprégnant le lecteur de cette sensation ineffable, lui révélait l'essence transcendante, supérieure et secrète, qui niche dans un coin de l'animal humain et n'affleure à la conscience qu'avec l'harmonie parfaite d'une belle symphonie, d'un poème intense, d'un grand opéra, d'une exposition magnifique. Une sensation qui, pour le croyant qu'était Fray Luis, se confondait avec la grâce et la transe mystique. Comment devait être la musique de l'organiste aveugle pour qui Fray Luis de León avait tressé ce superbe éloge? Il ne l'avait jamais entendue. Eh bien voilà, il avait une chose à faire pendant son séjour madrilène : se procurer un CD avec les compositions musicales de Francisco de Salinas. L'un quelconque des ensembles voués à la musique ancienne — celui de Jordi Savall, par exemple — avait bien dû consacrer un disque à celui qui avait inspiré pareille merveille.

Les yeux fermés, il pensa que, dans quelques heures, Lucrecia, Fonfon et lui traverseraient le ciel, laissant derrière eux les épais nuages de Lima, entreprenant ce voyage en Europe sans cesse ajourné. Enfin ! Ils arriveraient en plein automne. Il imagina les arbres dorés et les rues aux pavés décorés des feuilles détachées par le froid. Il n'arrivait pas à y croire. Quatre semaines, une à Madrid, une autre à Paris, une autre à Londres et, la dernière, entre Florence et Rome. Il avait planifié ces trente et un jours de telle sorte que le plaisir ne soit pas gâché par la fatigue, en évitant autant que possible ces imprévus désagréables qui ruinent les voyages. Billets d'avion réservés, entrées aux concerts, opéras et expositions achetées, hôtels et pensions payés d'avance. Pour la première fois Fonfon foulerait le continent de Rimbaud, l'Europe *aux anciens parapets**. Ce serait un plaisir supplémentaire, au cours de ce voyage, que de montrer à son fils le Prado, le Louvre, la National Gallery, le musée des Offices, Saint-Pierre, la chapelle Sixtine. Oublierait-il, au milieu de tant de belles choses, cette sinistre saison dernière et les apparitions fantomatiques d'Edilberto Torres, l'incube ou succube (quelle différence?) qui leur avait tellement empoisonné la vie, à Lucrecia et à lui? Il l'espérait. Ce mois serait un bain lustral : la famille mettrait un terme à la pire étape de son existence. Tous trois retourneraient à Lima rajeunis, ressuscités.

Il se rappela la dernière conversation avec Fonfon dans son bureau, deux jours plus tôt, et sa soudaine impertinence :

— Si tu aimes tellement l'Europe, si tu en rêves jour et nuit, pourquoi, papa, as-tu passé toute ta vie au Pérou?

La question l'avait déconcerté et l'espace d'un moment il n'avait su que répondre. Il se sentait coupable de quelque chose, mais sans savoir de quoi.

— Eh bien, je crois que si j'étais allé vivre là-bas, je n'aurais jamais autant joui des belles choses du Vieux Continent — avait-il dit, en se dérobant —. Je m'y serais tellement habitué que je ne les aurais même pas remarquées, comme cela arrive à des millions d'Européens. Enfin, ça ne m'a jamais traversé l'esprit de déménager là-bas, j'ai toujours pensé que je devais vivre ici. Accepter mon destin, si tu veux.

— Tous les livres que tu lis sont d'écrivains européens — avait insisté son fils —. Et je crois que la plupart des disques, des dessins et des gravures aussi. Italiens, anglais, français, espagnols, allemands et quelquefois nord-américains. Mais y a-t-il quelque chose du Pérou qui te plaise, papa ?

Don Rigoberto allait protester, dire qu'il y en avait beaucoup, mais il avait choisi de prendre une mine dubitative et d'exagérer une grimace sceptique :

— Trois choses, Fonfon — avait-il dit, en feignant de parler avec la pompe d'un illustre professeur — : La peinture de Fernando de Szyszlo. La poésie en français de César Moro. Et les crevettes du Majes, bien entendu.

— On ne peut pas parler sérieusement avec toi, papa — avait protesté son fils. Ce que je t'ai demandé, je crois que tu l'as pris à la légère parce que tu n'as pas osé me dire la vérité.

« Ce morveux est plus vif qu'un écureuil et ça le ravit d'enquiquiner son père, avait-il pensé. Étais-je comme ça moi aussi, gamin ? » Il ne se le rappelait pas.

Il passa en revue des papiers, jeta un dernier coup d'œil à son bagage à main pour voir s'il n'oubliait rien. Peu après, le jour se leva et il sentit qu'on s'affairait à la cuisine. Préparait-on déjà le petit déjeuner ? En retournant dans sa chambre, il vit dans le couloir les trois valises bouclées et étiquetées par Lucrecia. Il gagna la salle de bains, se rasa, se doucha et, à son retour dans la chambre, vit que Lucrecia s'était déjà levée et était allée réveiller Fonfon. Justiniana annonça que le petit déjeuner était servi dans la salle à manger.

— Je n'arrive pas à croire que ce jour est arrivé — dit-il à Lucrecia, tout en savourant son jus d'orange, son café au lait et sa biscotte tartinée de beurre et de confiture —. Ces derniers mois, j'avais fini par penser que nous resterions coincés des années et des années dans cet imbroglio judiciaire provoqué par les hyènes et ne retournerions jamais en Europe.

— Si je te dis ce qui m'intrigue le plus dans ce voyage, tu vas rire — répliqua Lucrecia, qui prenait pour tout petit déjeuner une tasse de thé sans sucre —. Tu sais quoi ? L'invitation d'Armida. Comment sera ce repas ? Qui invitera-t-elle ? Je ne peux pas croire encore que l'ancienne bonne d'Ismael nous offre un banquet dans sa maison de Rome. Je meurs de curiosité, Rigoberto. Comment elle vit, comment elle reçoit, qui sont ses amis. A-t-elle appris l'italien ? Elle doit avoir un palais, j'imagine.

— Eh bien oui, sûrement — dit Rigoberto, un peu déçu —. Elle a, certes, assez d'argent pour vivre comme une reine. Espérons qu'elle aura aussi assez de goût et de sensibilité pour profiter le mieux possible de pareille fortune. Après tout, pourquoi pas ? Elle a démontré qu'elle était plus maligne que nous tous réunis. Elle a tiré son épingle du jeu et la voilà maintenant qui vit en Italie, avec tout l'héritage d'Ismael en poche. Et les jumeaux vaincus sur toute la ligne. Je suis heureux pour elle, vraiment.

— Ne dis pas de mal d'Armida, ne te moque pas — dit Lucrecia, en lui posant une main sur la bouche —. Elle n'est ni n'a jamais été ce que les gens croient.

— Oui, oui, je sais que la conversation que tu as eue avec elle à Piura t'a convaincue — sourit Rigoberto —. Et si elle t'avait raconté des histoires, Lucrecia ?

— Elle m'a dit la vérité — affirma Lucrecia, catégorique —. Je mets ma main au feu qu'elle m'a raconté ce qui s'est passé, sans rien ajouter ni retrancher. J'ai un instinct infaillible pour ces choses. « Je ne te crois pas. Ça s'est vraiment passé comme ça ? »

— Vraiment — avait dit Armida, un peu intimidée, en baissant les yeux. Il ne m'avait jamais regardée ni fait le moindre compliment. Pas même une de ces choses aimables que les maîtres de maison disent parfois sans y penser à leurs employées. Je vous le jure sur ce que j'ai de plus sacré, madame Lucrecia.

— Combien de fois vais-je te dire de me tutoyer, Armida ? — l'avait reprise Lucrecia —. J'ai peine à croire que ce que tu me dis soit la vérité. Vraiment, tu n'as jamais remarqué auparavant que tu plaisais, ne fût-ce qu'un petit peu, à Ismael ?

— Je vous le jure sur ce que j'ai de plus sacré — avait dit Armida en baisant ses doigts en croix —. Jamais au grand jamais, que Dieu me punisse éternellement si je mens. Jamais. Jamais. C'est pour ça que j'ai été tellement impressionnée que j'ai failli m'évanouir. Mais, qu'est-ce que vous me dites là ! Vous êtes devenu fou, don Ismael ? C'est moi qui deviens folle ? Qu'est-ce qui se passe ici, dites-moi.

— Ni toi ni moi ne sommes fous, Armida — avait dit M. Carrera, en lui souriant, en lui parlant avec une amabilité qu'elle ne lui avait jamais connue, mais sans s'approcher d'elle —. Tu as parfaitement entendu ce que je t'ai dit. Je te le redemande. Veux-tu m'épouser ? Je te le dis très sérieusement. Je suis trop vieux pour te faire la cour, pour faire le galant à la mode d'autrefois. Je t'offre mon affection, mon respect. Je suis sûr que l'amour viendra aussi, par la suite. Le mien pour toi, le tien pour moi.

— Il m'a dit qu'il se sentait seul, que je lui semblais brave, que je connaissais ses habitudes, ce qu'il aimait, ce qui lui déplaisait, et qu'en plus il était sûr que je saurais prendre soin de lui. La tête me tournait, madame

Lucrecia. Je ne pouvais pas croire qu'il me disait ce que j'entendais. Mais cela s'est passé comme ça, comme je vous le raconte. Subitement et sans tourner autour du pot. C'est la pure vérité. Je vous jure.

— J'en suis clouée d'étonnement, Armida — lui avait dit Lucrecia, en la scrutant d'un air ahuri —. Mais oui, après tout pourquoi pas ? Il t'a dit la vérité, tout simplement. Il se sentait seul, il avait besoin de compagnie, tu le connaissais mieux que personne d'autre. Et alors tu lui as dit oui, comme ça, d'un coup ?

— Tu n'as pas besoin de me répondre maintenant, Armida — avait ajouté Monsieur, sans faire un pas vers elle, sans faire le moindre geste pour la toucher, lui prendre la main, le bras —. Penses-y. Ma proposition est très sérieuse. Nous nous marierons, nous irons passer notre lune de miel en Europe. Je ferai mon possible pour te rendre heureuse. Penses-y, je t'en prie.

— Moi j'avais un amoureux, madame Lucrecia. Panchito. Un bon garçon. Il travaillait à la mairie de Lince, au bureau de l'état civil. J'ai dû rompre avec lui. Sans y regarder à deux fois, à vrai dire. C'était comme le conte de Cendrillon. Mais, jusqu'au dernier moment, je me demandais si M. Carrera avait été sérieux. Mais oui, oui, très sérieux, et vous voyez tout ce qui s'est passé ensuite.

— Ça me fait quelque chose de te demander cela, Armida — avait dit Lucrecia, en baissant beaucoup la voix —. Mais je ne peux me retenir, je suis morte de curiosité. Tu veux dire qu'avant de vous marier il n'y avait rien eu entre vous ?

Armida avait éclaté de rire, en portant les mains à son visage.

— Après que j'ai accepté, si — avait-elle dit, toute rouge, en riant —. Bien sûr que si. M. Ismael était encore un homme tout entier, malgré son âge.

Lucrecia avait éclaté de rire, elle aussi.

— Ne m'en raconte pas davantage, Armida — avait-elle dit, en l'embrassant —. Ah, comme c'est drôle que les choses se soient passées comme ça ! Et quel dommage qu'il soit mort, si vite !

— Je n'en reviens pas que les hyènes aient perdu leurs crocs — dit Rigoberto —. Que ces jumeaux se soient tellement radoucis.

— Ça je ne le crois pas, ils ne font pas de raffut parce qu'ils doivent tramer une autre saloperie — répondit Lucrecia —. Me Arnillas t'a expliqué en quoi consiste l'arrangement d'Armida avec eux ?

Rigoberto fit non de la tête.

— Je ne le lui ai pas demandé non plus — répondit-il, en haussant les épaules —. Mais, il n'y a pas de doute, ils ont déposé les armes. Sinon, ils n'auraient pas retiré toutes les plaintes. Elle a dû leur proposer une belle somme pour les dompter de la sorte. Ou peut-être pas. Peut-être que ces deux idiots ont fini par se convaincre qu'en continuant le combat ils mourraient de vieillesse sans voir un centavo de l'héritage. À vrai dire, je m'en fiche éperdument. Je ne veux pas que nous parlions, tout ce mois, de cette paire de saligauds, Lucrecia. Je veux que ces quatre semaines tout soit propre, beau, agréable et stimulant. Pas de place pour les hyènes dans ce programme.

— Je te promets de ne plus parler d'eux — dit Lucrecia en riant —. Une dernière question : sais-tu ce qu'ils sont devenus ?

— Avec le fric qu'ils ont tiré à Armida, ils ont dû partir faire la bringue à Miami, leur seule destination — dit Rigoberto —. Ah, mais c'est vrai, ils ne peuvent plus y aller parce que Miki s'est montré violent là-bas, pour ensuite prendre la fuite. À moins, peut-être, qu'il n'y ait eu prescription. Cette fois oui, les jumeaux ont disparu dans la nature, plus aucune trace, ils n'ont jamais existé. N'en reparlons plus jamais. Bonjour, Fonfon !

Le garçon était déjà habillé pour le voyage, il avait même mis son blouson.

— Comme tu es élégant, Dieu du ciel ! — l'accueillit doña Lucrecia, en l'embrassant —. Ton petit déjeuner est prêt. Je vous laisse, je vais être en retard, je dois faire vinaigre si tu veux qu'on parte à neuf heures pile.

— Ce voyage te fait plaisir ? — demanda don Rigoberto à son fils quand ils furent seuls.

— Beaucoup, papa. Je t'ai tellement entendu parler de l'Europe depuis que j'ai l'âge de raison que je rêve depuis des années d'y aller.

— Ce sera une belle expérience, tu verras — dit don Rigoberto —. J'ai tout planifié avec grand soin pour que tu voies les meilleures choses de la vieille Europe et éviter tout ce qui est laid. D'une certaine façon, ce voyage sera mon chef-d'œuvre. Celui que je n'ai pas peint, ni composé, ni écrit, Fonfon. Mais toi tu le vivras.

— Il n'est jamais trop tard pour bien faire, papa — rétorqua le garçon —. Il te reste beaucoup de temps, tu peux te consacrer à ce qui te plaît vraiment. Maintenant tu es à la retraite et tu as toute la liberté du monde pour faire ce que tu veux.

Une autre remarque dérangeante, de celles qu'il ne

465

savait comment esquiver. Il se leva sous prétexte de vérifier une dernière fois son bagage à main.

Narciso se présenta à neuf heures pile, comme le lui
avait demandé don Rigoberto. Le monospace qu'il
conduisait, une Toyota dernier modèle, était bleu
marine et l'ancien chauffeur d'Ismael Carrera avait
accroché au rétroviseur intérieur une image en couleurs
de la Bienheureuse Melchorita. Il fallut attendre un bon
moment, bien sûr, que rapplique doña Lucrecia. Les
embrassades et les baisers d'adieu à Justiniana furent
interminables, et don Rigoberto remarqua en sursautant
qu'elles se frôlaient les lèvres. Mais ni Fonfon ni Narciso
ne le virent. Quand la voiture descendit la Quebrada
de Armendáriz et enfila la Costa Verde en direction de
l'aéroport, don Rigoberto demanda à Narciso comment
se passait son nouveau travail à la compagnie d'assurances.

— Formidable — Narciso montra toutes ses dents
blanches dans un large sourire —. Je pensais que la
recommandation de Mme Armida servirait pas à grand-
chose avec les nouveaux patrons, mais je me suis trompé.
Ils m'ont très bien traité. Le directeur en personne m'a
reçu, vous vous rendez compte. Un monsieur italien très
parfumé. Mais je sais pas, ça m'a fait quelque chose de le
voir occuper le bureau qui était le vôtre, don Rigoberto.

— Plutôt lui qu'Escobita ou Miki, tu ne crois pas ?
— dit don Rigoberto en éclatant de rire.

— Ça oui, sans le moindre doute. Pour sûr que oui !

— Et quel travail tu fais, Narciso ? Chauffeur du directeur ?

— Principalement. Quand il a pas besoin de moi, je
trimballe des gens de toute la compagnie, je veux dire les

466

gros bonnets — on le voyait content, sûr de lui —. Il m'envoie aussi parfois à la douane, au courrier, aux banques. Un boulot dur, mais je peux pas me plaindre, on me paye bien. Et, grâce à Mme Armida, j'ai maintenant une voiture à moi. Quelque chose que j'aurais jamais pensé posséder, la vérité.

— Elle t'a fait un joli cadeau, Narciso — commenta doña Lucrecia —. Ton monospace est super.

— Armida a toujours eu un cœur d'or — acquiesça le chauffeur —. Je veux dire, Mme Armida.

— C'est le moins qu'elle pouvait faire pour toi — affirma don Rigoberto —. Tu t'es très bien conduit avec elle et avec Ismael. Non seulement tu as accepté d'être son témoin de mariage, en sachant à quoi tu t'exposais, mais surtout tu ne t'es pas laissé acheter ni intimider par les hyènes. C'est tout à fait juste qu'elle t'ait fait ce petit cadeau.

— Cette bagnole c'est pas un petit cadeau, m'sieur, c'est un cadeau géant.

À l'aéroport Jorge Chávez il y avait foule et la file d'attente au comptoir d'Iberia était interminable. Mais Rigoberto ne s'impatienta pas. Il avait connu tant d'angoisses ces derniers mois avec les convocations policières et judiciaires, le blocage de sa retraite et les maux de tête que lui donnait Fonfon avec Edilberto Torres, qu'il se moquait de devoir attendre un quart d'heure, une demi-heure ou même davantage, puisque tout cela était resté derrière lui et que le lendemain à midi il serait à Madrid avec sa femme et son fils. D'un geste impulsif, il entoura des bras l'épaule de Lucrecia et celle de Fonfon, et leur annonça, débordant d'enthousiasme :

— Demain soir nous irons dîner dans le meilleur et le

467

plus sympathique restaurant de Madrid. Casa Lucio ! Son jambon et ses œufs aux pommes de terre frites sont un mets incomparable.

— Des œufs avec des frites, tu appelles ça un mets, papa ? — se moqua Fonfon.

— Tu peux bien rire, mais je t'assure que, pour simple que cela paraisse, ce plat à la Casa Lucio est devenu une œuvre d'art, un délice à s'en lécher les babines.

Et, à ce même moment, il aperçut à quelques mètres ce curieux couple qu'il lui sembla connaître. Ils ne pouvaient être plus asymétriques ni singuliers. Elle, une femme très grosse et très grande, aux joues comme des jambons, noyée dans une sorte de tunique écrue qui lui arrivait aux chevilles et couverte d'un gros tricot vert caca d'oie. Mais le plus étrange était l'absurde bibi plat à voilette planté sur sa tête, qui lui donnait un air caricatural. L'homme, en revanche, menu, petit, rachitique, semblait empaqueté dans un étroit complet gris perle très cintré et un gilet bleu fantaisie des plus criards. Lui aussi portait un chapeau, enfoncé jusqu'au milieu du front. Ils avaient un air provincial, semblaient égarés et déconcertés dans la foule de l'aéroport, et regardaient tout avec appréhension et méfiance. On eût dit qu'ils s'étaient échappés d'un de ces tableaux expressionnistes pleins de gens extravagants et disproportionnés du Berlin des années vingt, peints par Otto Dix ou George Grosz.

— Ah, tu les as vus — entendit-il dire Lucrecia, en montrant le couple —. On dirait qu'ils vont en Espagne, eux aussi. Et en première classe, s'il vous plaît !

— Je crois que je les connais, mais sans savoir d'où — demanda Rigoberto —. Qui est-ce ?

— Mais, voyons — répliqua Lucrecia —, le couple de Piura, tu ne les reconnais pas ?

— La sœur et le beau-frère d'Armida, bien sûr — les identifia don Rigoberto —. Tu as raison, ils vont aussi en Espagne. Quelle coïncidence !

Il éprouva un étrange, incompréhensible malaise, une inquiétude, comme si de voyager avec ce couple de Piura dans le vol d'Iberia pour Madrid pouvait représenter une menace dans leur programme d'activités si soigneusement planifié pour le mois européen. « Quelle bêtise ! pensa-t-il. Un vrai délire de persécution ! » Comment ce couple si pittoresque pourrait-il leur gâcher leur voyage ? Il les observa un bon moment tandis qu'ils s'acquittaient des formalités au comptoir d'Iberia et pesaient l'énorme valise ceinturée de grosses courroies qu'ils firent enregistrer comme bagage en soute. On les sentait perdus et effrayés, comme si c'était la première fois de leur vie qu'ils prenaient l'avion. Quand ils eurent fini d'écouter les instructions de l'hôtesse d'Iberia, en se prenant par le bras comme pour se défendre de quelque imprévu, ils s'éloignèrent en direction du contrôle de douane. Qu'allaient faire en Espagne Felícito Yanaqué et son épouse Gertrudis ? Ah, bien sûr, oublier ce scandale auquel ils avaient été mêlés là-bas à Piura, avec enlèvements, adultères et prostituées. Ils avaient dû prendre un tour opérateur, en y dépensant les économies de toute une vie. Cela n'avait pas la moindre importance. Ces derniers mois, il était devenu trop susceptible, trop sensible, presque parano. Il était impossible que ce petit couple puisse porter le moindre préjudice à leurs merveilleuses vacances.

— Sais-tu, je ne sais pourquoi, j'ai un mauvais

pressentiment de tomber sur ces deux-là, Rigoberto — entendit-il dire Lucrecia, et un frisson le parcourut. Il y avait dans la voix de sa femme une certaine angoisse.

— Un mauvais pressentiment ? — dit-il, feignant l'innocence —. Quelle extravagance, Lucrecia, il n'y a pas de raison ! Ce sera un voyage encore meilleur que celui de notre lune de miel, je te le promets.

Quand ils en eurent fini avec les formalités, ils montèrent au second étage de l'aéroport où il y avait une autre longue file d'attente pour le contrôle de police. De toute façon, lorsque finalement ils se trouvèrent dans la salle d'embarquement, il restait un bon moment avant le départ. Doña Lucrecia décida d'aller faire un tour au *Duty Free* et Fonfon l'accompagna. Comme il détestait faire des courses, Rigoberto leur dit qu'il les attendrait à la cafétéria. Il acheta *The Economist* en passant et constata que toutes les tables du petit restaurant étaient occupées. Il s'apprêtait à aller s'asseoir à la porte d'embarquement, quand il découvrit à une des tables M. Yanaqué et son épouse. Très sérieux et très calmes, ils avaient devant eux des limonades et une assiette pleine de biscuits. Obéissant à une brusque impulsion, Rigoberto s'approcha d'eux.

— Je ne sais si vous me remettez — les salua-t-il, en leur tendant la main —. J'ai été chez vous à Piura voici quelques mois. Quelle surprise de vous trouver ici ! Vous partez en voyage ?

Les deux Piuranos s'étaient levés, dans un premier temps surpris, puis souriants. Ils lui serrèrent la main chaleureusement.

— Quelle surprise, don Rigoberto, vous par ici ! Comment ne pas nous souvenir de nos conspirations secrètes ?

— Prenez place, monsieur — dit Mme Gertrudis —. Faites-nous ce plaisir.

— Bon, oui, enchanté — la remercia don Rigoberto —. Mon épouse et mon fils font les boutiques. Nous allons à Madrid.

— À Madrid ? — dit Felícito Yanaqué en ouvrant de grands yeux —. Comme nous, quel hasard !

— Que voulez-vous prendre, monsieur ? — demanda, prévenante, Mme Gertrudis.

Elle semblait changée, elle était devenue plus communicative et plus sympathique, maintenant elle souriait. Il la revoyait, là-bas à Piura, toujours austère et incapable de lâcher un mot.

— Un café crème — commanda-t-il au garçon —. Alors à Madrid. Nous serons donc compagnons de voyage.

Ils s'assirent, se sourirent, échangèrent des impressions sur le vol — l'avion partirait-il à l'heure ou serait-il en retard ? — et Mme Gertrudis, dont Rigoberto était sûr de ne pas avoir entendu la voix lorsqu'ils s'étaient rencontrés à Piura, parlait maintenant sans arrêt. Pourvu que cet avion ne bouge pas autant que celui de Lan qui les avait amenés de Piura la veille ! Il les avait tellement secoués qu'elle avait pleuré en croyant qu'ils allaient s'écraser. Et elle espérait qu'Iberia n'égarerait pas leur valise parce que, si elle se perdait, qu'est-ce qu'ils se mettraient là-bas à Madrid, où ils allaient passer trois jours et trois nuits, et où, semble-t-il, il faisait très froid ?

— L'automne est la meilleure saison de l'année dans toute l'Europe — la tranquillisa Rigoberto —. Et la plus belle, je vous assure. Il ne fait pas froid, seulement une petite fraîcheur très agréable. Vous allez à Madrid en touristes ?

— En réalité, on va à Rome — dit Felícito Yanaqué —. Mais Armida a insisté pour qu'on reste quelques jours à Madrid, histoire de connaître.

— Ma sœur, elle voulait qu'on aille aussi en Andalousie — dit Gertrudis —. Mais, c'était rester beaucoup de temps et Felícito a énormément de travail à Piura avec les cars et les camions de la compagnie. En ce moment il la réorganise des pieds à la tête.

— Les Transports Narihualá vont de l'avant, même si ça me donne toujours quelques maux de tête — dit en souriant M. Yanaqué —. Mon fils Tiburcio me remplace en ce moment. Il connaît très bien l'entreprise, il travaille là depuis tout jeune. Il le fera bien, je suis sûr. Mais, vous savez, il faut toujours que le patron ait l'œil partout parce que, sinon, les choses commencent à se détraquer.

— C'est Armida qui nous a offert ce voyage — dit Mme Gertrudis, une note orgueilleuse dans la voix —. Elle nous paye tout, vous vous rendez compte comme elle est généreuse. Les billets, les hôtels, tout. Et à Rome elle nous logera chez elle.

— Elle a été si aimable qu'on pouvait pas lui refuser une chose comme ça — expliqua M. Yanaqué —. Imaginez ce que cette invitation elle doit lui coûter. Une fortune ! Armida dit qu'elle nous est très reconnaissante de l'avoir hébergée. Comme s'il y avait eu pour nous la moindre gêne. Un grand honneur, plutôt.

— C'est que vous vous êtes très bien conduits avec elle en ces jours si difficiles — fit remarquer don Rigoberto —. Vous lui avez donné de l'affection, un appui moral ; elle avait besoin de se sentir près de sa

472

famille. Maintenant, elle a une magnifique position, aussi elle a très bien fait de vous inviter. Rome va vous enchanter, vous verrez.

Mme Gertrudis se leva pour aller aux toilettes. Felícito Yanaqué montra sa femme du doigt et, baissant la voix, confia à don Rigoberto :

— Mon épouse meurt d'envie de voir le pape. C'est le rêve de sa vie, parce que Gertrudis est très attachée à la religion. Armida lui a promis qu'elle l'amènera place Saint-Pierre quand le pape sortira au balcon. Et que, peut-être, elle pourra obtenir qu'on lui fasse une place au milieu des pèlerins que le Saint-Père reçoit certains jours en audience. Voir le pape et mettre les pieds au Vatican, ça sera pour elle la plus grande joie de sa vie. Elle est devenue si catholique après notre mariage, vous savez. Elle l'était pas autant avant. C'est pour ça que je me suis décidé à accepter cette invitation. Pour elle. Elle a toujours été une très brave femme. Très dévouée dans les moments difficiles. Si ça avait pas été pour Gertrudis, j'aurais pas fait ce voyage. Vous savez une chose ? Jamais avant dans ma vie j'ai pris de vacances. Je me sens pas bien sans faire quelque chose. Parce que, moi, ce que j'aime, c'est travailler.

Et, soudain, sans transition, Felícito Yanaqué se mit à parler de son père à don Rigoberto. Un yanacón, là-bas à Yapatera, un humble Chulucano, sans éducation, sans souliers, que sa femme avait abandonné et qui, à force de se tuer au travail, avait élevé Felícito en lui faisant faire des études, apprendre un métier, pour qu'il s'en sorte. Un homme qui avait toujours été la droiture en personne.

— Bon, quelle chance d'avoir eu un père comme cela,

473

don Felícito ! — dit don Rigoberto, en se levant —. Vous ne regretterez pas ce voyage, je vous assure. Madrid et Rome sont des villes pleines de choses intéressantes, vous verrez.

— Oui, je vous souhaite le meilleur — acquiesça l'autre, en se levant aussi —. Saluez votre épouse de ma part.

Mais Rigoberto trouva qu'il n'avait pas l'air convaincu, que ce voyage ne lui faisait pas le moindre plaisir et que, en effet, il se sacrifiait pour sa femme. Il lui demanda si les problèmes qu'il avait eus étaient résolus et alors là il regretta d'avoir posé cette question en voyant un flot de tristesse et de préoccupation passer sur le visage du tout petit homme qu'il avait devant lui.

— Par chance ils se sont réglés — murmura-t-il —. J'espère que ce voyage servira au moins à me faire oublier par les gens de Piura. Vous savez pas comme c'est horrible de devenir connu, de passer à la télé, d'être dans les journaux, et que dans la rue on vous montre du doigt.

— Je vous crois, je vous crois — dit don Rigoberto, en lui tapotant l'épaule. Il appela le garçon et insista pour payer toute l'addition —. Bon, nous nous verrons sûrement dans l'avion. Je vois là ma femme et mon fils qui me cherchent. À bientôt.

Ils se rendirent à la porte de départ et l'embarquement n'avait pas encore commencé. Rigoberto raconta à Lucrecia et à Fonfon que les Yanaqué se rendaient en Europe sur l'invitation d'Armida. Sa femme fut émue par la générosité de la veuve d'Ismael Carrera.

— Ces choses ne se voient plus par les temps qui courent — disait-elle —. Dans l'avion, j'irai les saluer. Ils l'ont logée quelques jours dans leur baraque, sans se douter que cette bonne action leur ferait tirer le gros lot.

Au *Duty Free* elle avait acheté plusieurs chaînettes d'argent péruvien à offrir en souvenir aux gens sympathiques qu'ils connaîtraient dans leur voyage et Fonfon un DVD de Justin Bieber, un chanteur canadien dont raffolait maintenant la jeunesse du monde entier et qu'il voulait voir dans l'avion sur son ordi. Rigoberto se mit à feuilleter *The Economist*, mais, à ce moment, il se rappela qu'il valait mieux avoir à la main le livre qu'il avait choisi comme lecture de vol. Il ouvrit son sac de voyage et en tira son vieil exemplaire, acheté chez un *bouquiniste** des bords de Seine, de l'essai d'André Malraux sur Goya : *Saturne*. Depuis longtemps il choisissait avec soin ce qu'il lirait en avion. L'expérience lui avait appris que, pendant un vol, il ne pouvait lire n'importe quoi. Ce devait être une lecture passionnante, qui concentrerait son attention de telle sorte qu'elle annulerait complètement cette inquiétude subliminale qui affleurait chez lui quand il volait, ce souvenir qu'il était à dix mille mètres d'altitude — dix kilomètres —, glissant à une vitesse de neuf cents ou mille kilomètres à l'heure, et que, dehors, la température était de moins cinquante ou soixante degrés. Ce n'était pas exactement de la peur qu'il éprouvait en vol, mais quelque chose de plus intense, la certitude que ce serait à tout moment la fin, la désintégration de son corps en un fragment de seconde, et, peut-être, la révélation du grand mystère, savoir ce qu'il y avait au-delà de la mort, si tant est qu'il y eût quelque chose, une possibilité qu'au nom de son vieil agnosticisme, à peine atténué par les années, il tendait plutôt à écarter. Mais certaines lectures réussissaient à oblitérer cette sensation fatidique, en l'absorbant de telle sorte qu'il oubliait tout le reste. Cela s'était produit en lisant un roman de Dashiell Hammett, l'essai d'Italo Calvino, *Leçons américaines* (*Sei proposte per il prossimo millennio*), *Danube* de Claudio Magris, et en relisant *Le Tour d'écrou* de Henry James. Il avait choisi cette fois-ci l'essai de Malraux parce qu'il se rappelait l'émotion éprouvée la première fois qu'il l'avait lu, le désir éveillé en lui de voir en vrai, pas en reproduction dans les livres, les fresques de la Quinta del Sordo[1] et les gravures *Les Désastres de la guerre* et *Les Caprices*. Chaque fois qu'il était allé au Prado, il s'était attardé dans les salles des Goya. Relire l'essai de Malraux serait une bonne anticipation de ce plaisir.

Formidable que se soit, enfin, conclue cette désagréable histoire. Il avait pris la ferme décision de ne permettre à rien de gâcher ces semaines. Tout en elles devait être agréable, beau, jouissif. Ne voir personne ni rien qui soit déprimant, irritant ou laid, organiser tous les déplacements de telle sorte que, pendant un mois entier, il ait l'impression permanente que le bonheur était possible et qu'y contribuait tout ce qu'il faisait, entendait, voyait, et même respirait (cette dernière chose ne devait pas être si facile, évidemment).

Il était plongé dans cette rêverie lucide quand il sentit les coups de coude de Lucrecia lui indiquant que l'embarquement avait commencé. Ils virent, au loin, don Felícito et doña Gertrudis passer les premiers, dans la file des *Business*. La queue des passagers en classe économique était très longue, bien sûr, ce qui signifiait que l'avion

---

1. La Quinta del Sordo est la maison madrilène où vécut Goya de 1819 à 1823 et dont il décora les murs de ses « Peintures noires ».

serait complet. De toute façon, Rigoberto se sentait tranquille ; il avait obtenu que l'agence de voyages lui réserve les trois sièges du dixième rang, près de l'issue de secours, où il y avait plus de place pour les jambes, ce qui rendrait plus supportable l'inconfort du voyage.

Quand ils entrèrent dans l'avion, Lucrecia tendit la main au couple de Piura, qui la salua affectueusement. En effet, eux trois occupaient la rangée près de l'issue de secours, avec un large espace pour les jambes. Rigoberto s'assit côté hublot, Lucrecia sur le siège couloir et Fonfon au milieu.

Don Rigoberto soupira. Il entendait sans les écouter les instructions que donnait quelqu'un de l'équipage sur le vol. Quand l'avion commença à rouler en direction de la piste de décollage, il avait réussi à se plonger dans un éditorial de *The Economist* qui s'interrogeait sur la survie de l'euro, la monnaie commune, à la crise qui secouait l'Europe, et se demandait si l'Union européenne survivrait à la disparition de l'euro. Quand, ses quatre réacteurs rugissant, l'avion s'élança avec une vitesse qui augmentait de seconde en seconde, il sentit soudain la main de Fonfon presser son bras droit. Il leva les yeux de sa revue pour les tourner vers son fils : le garçon le regardait avec stupeur, une expression indéchiffrable sur le visage.

— N'aie pas peur, fiston — dit-il, surpris, mais il se tut parce que Fonfon faisait non de la tête, comme pour dire « ce n'est pas ça, ce n'est pas ça ».

L'avion venait de décoller et la main du garçon s'incrustait dans son bras comme s'il voulait lui faire mal.

— Qu'est-ce qu'il y a, Fonfon ? — demanda-t-il, en

jetant un regard inquiet vers Lucrecia, mais elle ne les entendait pas à cause du bruit des réacteurs. Sa femme avait les yeux fermés et semblait somnoler ou prier.

Fonfon essayait de lui dire quelque chose, mais il avait beau remuer la bouche aucune parole ne sortait de ses lèvres. Il était très pâle.

Un horrible pressentiment fit se pencher don Rigoberto vers son fils et lui murmurer à l'oreille :

— On ne va pas permettre qu'Edilberto Torres nous torpille ce voyage, hein, Fonfon ?

Cette fois le garçon réussit à parler et ce que don Rigoberto entendit lui glaça les sangs :

— Il est là, papa, ici dans l'avion, assis derrière toi. Oui, oui, M. Edilberto Torres.

Rigoberto sentit une crampe dans son cou, qui lui donna l'impression d'être paralysé. Il ne pouvait bouger la tête, se retourner pour regarder vers le siège arrière. Son cou lui faisait horriblement mal et sa tête s'était mise à bouillir. Il avait la stupide idée que ses cheveux fumaient comme un feu de bois. Était-il possible que ce fils de pute soit là, dans cet avion, se rendant avec eux à Madrid ? La rage montait dans son corps comme une lave irrésistible, un désir féroce de se mettre debout et de se jeter sur Edilberto Torres, pour le frapper et l'insulter sans pitié, jusqu'à se sentir épuisé. Malgré cette douleur si aiguë à la nuque, il réussit enfin à faire pivoter sa taille. Mais sur les sièges de derrière il n'y avait pas d'homme, seulement deux dames âgées et une fillette avec une sucette. Déconcerté, il se retourna vers Fonfon, et eut alors la surprise de voir les yeux de son fils pétiller de malice et de joie. Et à cet instant il lâcha un éclat de rire sonore.

478

— Tu l'as cru, papa — disait-il, en s'étouffant dans un rire sain, espiègle, pur, enfantin —. N'est-ce pas que tu l'as cru ? Si tu voyais la tronche que tu as faite, papa !

Maintenant, Rigoberto, soulagé, hochant la tête, souriait, riait aussi, réconcilié avec son fils, avec la vie. Ils avaient traversé la couche de nuages et un soleil radieux baignait tout l'intérieur de l'avion.

Composition : IGS-CP à L'Isle-d'Espagnac (16)
Achevé d'imprimer
sur Roto-Page
par l'Imprimerie Floch
à Mayenne, en mai 2015.
Dépôt légal : mai 2015.
Numéro d'imprimeur : 88371.

ISBN 978-2-07-014520-1 / Imprimé en France.

265256